GRANDES OBRAS DA CULTURA UNIVERSAL

(Clássicos de Sempre)

1. A DIVINA COMÉDIA — Dante Alighieri — Ilustrações de Gustave Doré — Tradução, nota e um estudo biográfico, por Cristiano Martins.
2. OS LUSÍADAS — Luís de Camões — Introdução de Antônio Soares Amora — Modernização e Revisão do Texto de Flora Amora Sales Campos — Notas de Antônio Soares Amora, Massaud Moisés, Naief Sáfady, Rolando Morel Pinto e Segismundo Spina.
3. FAUSTO — Goethe — Tradução de Eugênio Amado.
4. LÍRICA — Luís de Camões — Introdução e notas de Aires da Mata Machado Filho.
5. DOM QUIXOTE DE LA MANCHA — Miguel de Cervantes Saavedra — Com 370 ilustrações de Gustave Doré — Tradução e notas de Eugênio Amado — Introdução de Júlio G. Garcia Morejón.
6. GUERRA E PAZ — Leon Tolstoi — Com índice de personagens históricos, 272 ilustrações originais do artista russo S. Shamarinov. Tradução, introdução e notas de Oscar Mendes.
7. ORIGEM DAS ESPÉCIES — Charles Darwin — Com esboço autobiográfico e esboço histórico do progresso da opinião acerca do problema da origem das espécies, até publicação da primeira edição deste trabalho. Tradução de Eugênio Amado.
8. CYRANO DE BERGERAC — Edmond Rostand — Com uma "Nota dos Editores" ilustrada por Mario Murtas. Tradução em versos por Carlos Porto Carreiro.
9. TESTAMENTO — François Villon — Edição bilingue — Tradução, cronologia, prefácio e notas de Afonso Félix de Souza.
10. DOM QUIXOTE APÓCRIFO — Alonso Fernandez de Avelaneda — Tradução, prefácio e notas de Eugênio Amado — Ilustrações de Poty.
11. GARGÂNTUA E PANTAGRUEL — Rabelais — Tradução de David Jardim Júnior.
12. AVENTURAS DO BARÃO DE MÜNCHHAUSEN — G.A. Burger — Tradução de Moacir Werneck de Castro — Ilustração de Gustave Doré.
13. O PARAÍSO PERDIDO — John Milton — Ilustrações de Gustave Doré — Tradução de Antônio José Lima Leitão.
14. SHAKESPEARE — Peças Escolhidas — (Romeu e Julieta, Hamlet, Macbeth) — William Shakespeare.
15. GIL BLAS DE SANTILLANA — Lesage — Em 2 volumes. Tradução de Bocage — Ilustrações de Barbant — Vinheta de Sabatacha.
16. DECAMERON — Giovanni Boccaccio — Tradução de Raul de Polillo — Introdução de Eldoardo Bizzarri.
17. QUO VADIS — Henrik Sienkiewicz — Tradução de J. K. Albergaria — Ilustrações Dietricht, Alfredo de Moraes e Sousa e Silva — Gravuras de Carlos Traver.
18. MEMÓRIAS DE UM MÉDICO — Alexandre Dumas (1. José Bálsamo — 2. O Colar da Rainha — 3. A Condessa de Charny — 4. Angelo Pitou — 5. O Cavalheiro da Casa Vermelha).
19. A ORIGEM DO HOMEM (e a seleção sexual) — Charles Darwin — Tradução Eugênio Amado.
20. CONVERSAÇÕES COM GOETHE — Johann Peter Eckermann — Tradução do alemão e notas de Marina Leivas Bastian Pinto.
21. PERFIS DE MULHERES — José de Alencar.
22. ÚLTIMOS CONTOS — Hans Christian Andersen.
23. ANNA KARÊNINA — Leon Tolstoi.
24. CONTOS — Machado de Assis.
25. E O VENTO LEVOU — Margaret Mitchell.
26. CRIME E CASTIGO — Fiódor Dostoiévski.
27. OS IRMÃOS KARAMOZOV — Fiódor Dostoiévski.
28. O IDIOTA — Fiódor Dostoiévski.
29. O MORRO DOS VENTOS UIVANTES — Emily Brontë

FAUSTO

GRANDES OBRAS DA CULTURA UNIVERSAL

Diretor editorial
HENRIQUE TELES

Produção editorial
ELIANA S. NOGUEIRA

Arte gráfica
BERNARDO C. MENDES

Revisão
CLÁUDIA RAJÃO

Tradução
EUGÊNIO AMADO

EDITORA GARNIER
BELO HORIZONTE
Rua São Geraldo, 67 — Floresta — Cep. 30150-070
Tel.: 3212-4600 - e-mail: vilaricaeditora@uol.com.br

GOETHE

FAUSTO

GARNIER
desde 1844

Dados Internacionais de Catalogação na Publicação (CIP) de acordo com ISBD

G599f Goethe

Fausto / Goethe. - Belo Horizonte - MG : Garnier, 2021.
318 p. ; 16cm x 23cm.

Inclui índice.
ISBN: 978-65-86588-78-1

1. Literatura alemã. 2. Poema. I. Título.

2021-796

CDD 831
CDU 821.112.2-1

Índice para catálogo sistemático:

1. Literatura alemã : Poema 831
2. Literatura alemã : Poema 821.112.2-1

Sumário

Notas dos Editores ... 9
Dedicatória ... 13
Prólogo no Teatro ... 15
Prólogo no Céu ... 19

PRIMEIRA PARTE
A Tragédia
De Noite ... 23
Escritório ... 40
Escritório (*Fausto e Mefistófeles*) ... 47
Taberna de Auerbach, em Leipzig ... 56
Cozinha da Bruxa ... 64
Uma Rua (Fausto cruza com Margarete) ... 72
Entardecendo ... 74
Passeio ... 77
Casa da Vizinha ... 79
Na Rua (Fausto e Mefistófeles) ... 83
Jardim ... 84
Na Estufa ... 88
Bosque e Gruta ... 89
Quatro de Margarete ... 92
Jardim de Marthe ... 94
Junto à Fonte ... 97
Diante das Muralhas da Cidade ... 98
De Noite ... 99
Catedral ... 103
Noite de Walpurgis ... 105
Sonho da Noite de Walpurgis ... 114
Campo, num Dia Nublado ... 121
Descampado, à Noite ... 123

SEGUNDA PARTE
Primeiro Ato
Sítio Aprazível ... 127
Na Sala do Trono do Palácio Imperial ... 130

Num Amplo Salão Ligado a Vários Quartos Contíguos 137
Jardim de Recreio 159
Galeria Escura 164
Salas Intensamente Iluminadas 167
Sala dos Cavaleiros 169

Segundo Ato
Quarto Gótico 174
Laboratório 179
A Noite de Walpurgis Clássica 183
Alto Peneu 185
Baixo Peneu 190
No Alto Peneu 195
Angra entre Rochedos Junto ao Mar Egeu 209

Terceiro Ato
Em Esparta, Diante do Palácio de Menelau 223
Pátio Interno de uma Fortaleza 240

Quarto Ato
Cordilheira 265
No Sopé da Cordilheira 272
A Tenda do Anti-Imperador 281

Quinto Ato 288
Palácio 290
Noite Profunda 293
Meia-Noite 297
Pátio Externo Defronte ao Palácio 300
Uma Caracumba 303
Despenhadeiro 309

NOTA DOS EDITORES

Johann Wolfgang von Goethe, nascido em Frankfurt-sobre-o-Meno em 1749, numa família de classe média alta, foi um daqueles gênios multidisciplinares que, no final do século XVIII e início do século XIX, assinalaram sua presença na Alemanha, conferindo àquela terra a fama que então granjeou de "nação dos sábios".

Goethe não só pertenceu a essa plêiade de eruditos e intelectuais, como se tornou amigo íntimo de vários deles, entre os quais Herder, Brion, Kestner, Eckermann, Humboldt e, principalmente, Schiller, com quem chegou a compor trabalhos em parceria.

Serve para ele o currículo escolar que constitui a primeira fala do Doutor Fausto, personagem-título de sua obra mais famosa: "*Estudei Filosofia, Direito, Medicina e, ainda por cima e por desgraça, Teologia, tudo isso com a máxima aplicação e o mais profundo empenho*"...

Como cientista, destacou-se por seus trabalhos e pesquisas no campo da Química, da Física, da Anatomia, da Botânica e da Mineralogia. Aventurou-se ainda em estudos filosóficos e de Direito. Exerceu cargos administrativos, tendo sido nomeado conselheiro político e econômico do Grão-Duque de Weimar. Seu renome internacional, porém, adveio da atividade literária, exercida consistentemente desde a juventude. Goethe foi brilhante em todos os campos literários pelos quais incursionou. Foi poeta, dramaturgo, crítico, ensaísta, romancista, memorialista e autor de livros de viagens. Sua obra-prima, porém, foi o poema "Fausto", uma peça teatral que narra a trágica história de um homem que, na ânsia de alcançar poder e conhecimento, e de desfrutar de todos os prazeres que o mundo lhe poderia conceder, não hesitou em vender sua alma ao diabo.

O tema não era original, pois já havia sido explorado em obras medievais. O próprio personagem-título, o Doutor Fausto, foi calcado na figura real de um certo Georg Faust, indivíduo misterioso que teria vivido na Alemanha entre 1480 e 1540, e do qual se dizia possuir dons de vidente, quiromante, astrólogo e curandeiro, sendo até mesmo capaz de ressuscitar os mortos. Em 1587 foi publicado um opúsculo de autor anônimo, narrando sua vida e seus feitos, apresentando e exagerando seus poderes sobrenaturais, e atribuindo-os ao pacto que teria sido firmado entre ele e o demônio. A editora que publicou o livro era sediada em Frankfurt-sobre-o-Meno, cidade onde, 162 anos mais tarde, iria nascer Johann Wolfgang von Goethe.

A obra é composta de duas parte, bastante diferentes entre si. A primeira foi publicada em 1808, e a segunda em 1832, ano da morte de Goethe.

Quase 200 anos depois da publicação de sua primeira parte, "Fausto" continua sendo uma obra atual, visto abordar o problema dos limites e do sentido da ação humana, enfocando-o sob a forma da parábola do pacto do homem com o diabo. Até que ponto teria valido a pena firmar esse pacto? E como interpretá-lo? Seria o demônio uma entidade absolutamente dissociada do homem, ou não passaria de um alter-ego? Acaso representaria um obstáculo para os planos urdidos pela mente humana, ou antes poderia conferir ao homem o necessário impulso para consumá-los? Seria o Mal uma realidade própria e independente, como contrapartida do Bem, ou nada mais representaria que sua ausência ou sua incompleta realização?

Diante dessas indagações, tão próprias da condição humana, a obra de Goethe, mesmo em nossos dias, não perde sua condição atual, uma vez que a busca por essas respostas resulta inevitavelmente no reavivamento de nossa inquietude, numa época que pretende sentir-se alheia a tais questionamentos.

Esta edição apresenta a primeira e a segunda partes de "Fausto", as quais, conforme se disse, constituem dois trabalhos distintos, elaborados em momentos bastante diversos da História européia: aquela, pouco após a decretação do bloqueio continental por Napoleão; esta, em pleno advento do período industrial e tecnicista, cujas consequências ele tão bem soube prever em outro livro seu, "Anos de viagem de Wilhelm Meister", publicado em 1829. Esses dois períodos correspondem a duas fases igualmente distintas da vida de Goethe: a da plena realização como homem e intelectual, quando deparamos com um indivíduo rebelde, mas cheio de esperança, e a da velhice, na qual o erudito, embora cercado de prestígio e reverência, se revela insatisfeito com a obra que está em vias de concluir.

Se, ao longo dos 24 anos que separam a publicação da primeira e da segunda parte de "Fausto", as agruras e alegrias da existência acarretaram a Goethe tanta mudança em sua personalidade e no seu modo de encarar a vida, nada mais razoável que esse hiato temporal afetasse igualmente seu personagem, que se mostra, no primeiro tomo, um erudito tomado pela angústia e pela dúvida, empenhado na tarefa de acumular conhecimentos, vindo a transformar-se paulatinamente, na segunda parte da obra, num homem de extrema lucidez, que centraliza o foco de sua esperança na formação de um povo livre que possa desfrutar da existência numa terra na qual se respire o ar da liberdade.

A pretensiosa individualidade do personagem inicial é sacrificada no altar da utopia da solidariedade humana, caracterizando a mensagem do autor de que sempre vale a pena lutar para se alcançar um ideal.

A presente tradução foi confiada à reconhecida competência de Eugênio Amado, que hesitou ante as duas opções que se lhe apresentavam: traduzir o texto em versos, conforme está no original, ou vertê-lo em prosa, para facilitar o entendimento, mormente pelo fato de se tratar de uma peça teatral. As duas opções acabaram fundindo-se numa única, resultando num texto misto: em prosa para as falar individuais e "normais", a fim de conferir fluência às frases e assegurar a sua compreensão, deixando-se os versos com métrica, ritmo e rima para as falas coletivas, isso é, os coros, frequentes nesta obra, bem como para as obviamente poéticas, como as falas alegóricas, letras de música, fórmulas cabalísticas, preces, invocações e outras que tais.

Em termos de proporção, as páginas contendo apenas textos em prosa constituem 55% da obra, enquanto que os versos metrificados e rimados aparecem em 45% das laudas.

O resultado foi excelente, conferindo à presente versão um texto de mais fácil compreensão, e tornando-a ideal para as futuras encenações que a obra de Goethe certamente haverá de receber nos palcos nacionais.

Creditem-se também a Eugênio Amado as notas explicativas — mais de uma centena! — apostas ao pé das páginas, contendo os esclarecimentos tão necessários ao leitor dos nossos tempos, permitindo-lhe apreender de modo mais efetivo o espírito desta obra, escrita há quase dois séculos, por um intelectual de extrema cultura e erudição.

É com prazer e orgulho que a Editora Garnier oferece ao público esta que é uma das mais notáveis e consistentes obras-primas da Literatura mundial.

DEDICATÓRIA

Eis que de novo me rodeais, vultos etéreos que outrora vos mostrastes diante de minha turva vista. Será que desta vez tentarei reter-vos junto a mim? Meu coração será ainda capaz de semelhante loucura? Aproximai-vos, então! Podeis reinar, ressurgidos dos eflúvios e da névoa do passado, como algo impalpável a esvoaçar em torno de mim. Ao bafejo mágico de vosso cortejo, meu peito estremece com ardor juvenil.

Convosco trazeis a doce lembrança de dias felizes. Enquanto diante de mim passais, sombras queridas vão reaparecendo. Quais remotas tradições quase esquecidas, ressurgem os primeiros amores, as primeiras amizades. A memória cruel renova antigas dores, e mágoas esquecidas voltam a errar pelos labirintos da lembrança, trazendo à tona os nomes daquelas pessoas nobres que, apesar de acalentarem a esperança de tempos ditosos, terminaram seus dias antes de mim.

Não mais me ouvirão aqueles que escutaram meus primeiros cantos. O grupo amigo já se dispersou, e os ecos do passado se extinguiram. Quem agora escuta meu canto é uma multidão de estranhos, cujo aplauso antes me causa medo. Todos aqueles que outrora se regozijavam com meu canto, caso ainda vivam, devem errar dispersos pelo mundo.

Apossa-se de mim uma intensa nostalgia que há tempos não me afligia, trazendo-me a lembrança daqueles espíritos vetustos e serenos. Meu canto flutua sussurrante como o som de uma harpa eólia. Um calafrio me faz estremecer, e meus olhos se enchem de lágrimas, que vão caindo devagar. Meu duro coração se enternece, e tudo o que me pertence como se me foge, trazendo para a realidade presente aquilo que até então jazia distante e esquecido.

PRÓLOGO NO TEATRO

(O Diretor, o Poeta e o Cômico).

DIRETOR: Vós dois, que tantas vezes viestes em meu socorro em momentos de aperto e aflição, dizei-me: que acolhida esperais para a iniciativa que pretendemos empreender nestas terras da Alemanha? Eu muito gostaria de agradar as multidões, pois são elas que vivem e nos fazem viver. Já foi preparado o palco e montado o cenário; todos esperam o espetáculo que está por ser encenado. Aguardam-nos em seus lugares, olhos bem abertos, ansiosos por assistir a cenas maravilhosas. Sei como conquistar a simpatia do público, mas nunca me senti tão embaraçado como me sinto agora. Eles não estão acostumados ao que é bom; todavia, têm lido muito. Como conseguiremos que, além de fazer com que tudo pareça novo, tenha substância e seja agradável? Com efeito, eu gostaria de que as pessoas do povo viessem em chusma ao teatro, comprimindo-se e se empurrando para passar pela estreita porta da Salvação[1], e que, mesmo para a sessão vespertina, encenada antes das 4 horas, se aglomerassem todos diante da bilheteria, arriscando-se a quebrar o pescoço para entrar, como se disputando pão em tempos de fome. Alcançar esse milagre com pessoas tão diversas é algo que somente o Poeta poderia conseguir. Pois faze-o hoje, meu amigo.

POETA: Não me fales dessa turba variegada, cuja mera visão espanta e afugenta minha inspiração. Poupa-me do ondulante fluxo que, a nosso pesar, nos empurra em direção ao torvelinho. Não: leva-me a esse sereno oásis celeste, onde só para o Poeta floresce a autêntica alegria, onde com mão divina o amor e a amizade revestem nosso coração. O que brota de nosso peito, o que os lábios principiam a balbuciar, ora insipidamente, ora com graça, seja capaz de refletir a selvagem violência do instante. O que apenas rebrilha nasceu para o instante; o que é autêntico, permanecerá imperecível na posteridade.

CÔMICO: Que bom seria deixar de ouvir falar em posteridade! Se passo a me preocupar com ela, quem faria rir nestes nossos tempos? É o momento presente que todos querem e devem desfrutar. Nunca é demais a presença de uma pessoa divertida. Quem sabe expressar-se com graça não haverá de amofinar-se com os caprichos do público; antes desejará estar diante de numeroso auditório para comovê-lo de modo mais consistente. Por isso, age com bom senso: dá vazão à fantasia e a todos os seus coros, à razão, ao entendimento, à sensibilidade, à paixão, e isso sem deixar de lado a loucura.

DIRETOR: E, sobretudo, que haja ação! Se o público vem para assistir, que haja ao que assistir! Se diante de seus olhos lhe ofereces uma trama repleta dc lances, faze-o de maneira tal a deixar boquiaberta a multidão. Assim, granjearás fama e serás querido por todos. A massa só se empolga com o que tem a ver com ela. Cada pessoa escolhe aquilo que mais lhe apetece. Quem muito reparte, a cada qual um pouquinho dará, e desse modo todos sairão contentes do teatro. Se o que lhes ofereces se chama "peça", que seja dado peça por peça. Com essa receita, a fortuna te sorrirá. O que é representado com simplicidade é fácil de se imaginar. De nada te servirá apresentar a peça inteira da vianda, pois o público sempre irá reduzi-la a postas.

POETA: Não estás vendo, pois, como é reles tal ofício, e o pouco que tem a ver com o autêntico artista? Ao que parece, os conceitos da plebe se converteram em tuas máximas...

DIRETOR: Tal censura não me atinge. Quem quer trabalhar corretamente deve servir-se da ferramenta apropriada. Lembra-te de que terás de serrar madeira tenra; portanto, enfoca apenas aqueles para quem estás escrevendo. Aquele ali veio porque estava aborrecido; aquele outro acabou de sair de um lauto banquete; os piores são aqueles que acabaram de ler os jornais; em suma: vêm todos distraídos, como se estivessem seguindo para um baile de máscaras. Para melhor aparecer, as damas capricham na indumentária, e de graça representam sua comédia particular. Que imaginavas, postado nos píncaros inacessíveis de tua poesia? Que pode haver de errado numa sala cheia? Observa de perto esses mecenas: metade é fria, metade é rude. Um, terminado o espetáculo, acode ao jogo de cartas; outro, vai passar uma noite de amor nos braços de uma beldade. Por que então, pobre insensato, achas que a intenção de deleitar tal tipo de gente tanto aborrecimento causaria às amáveis musas? Ouve o que te digo: dá-lhes mais e mais, e mais ainda, e assim nunca te apartarás do teu objetivo. Tenta apenas embasbacar os homens; satisfazê-los é bem mais difícil. Que preferes: o entusiasmo ou a dor?

POETA: Busca outro escravo, que não eu! Deve o Poeta deixar frivolamente de aproveitar o supremo direito que a Natureza lhe concede? Como faz para comover os espíritos? Acaso não é a harmonia que, saindo de seu peito, interliga o mundo ao seu coração? Quando a Natureza, no seu constante fiar, prende ao fuso o fio de infinito comprimento; quando, provocando-nos enfado, a dissonante turbamulta, em falatório incessante, ressoa confusamente, quem é que, infundindo-lhe vida, reparte em parcelas harmônicas essa sequência monótona, conferindo-lhe novo ritmo? Quem atrai o isolado para a comunhão universal, propiciando-lhe escutar seus magníficos acordes? Quem faz com que se desencadeiem tormentas furiosas, com que refulja com magnificência o crepúsculo? Quem esparge belas flores primaveris ao longo da trilha que a amada vai pisar? Quem trança ramos singelos, tecendo a coroa de glória destinada a premiar o mérito? Quem mantém o Olimpo firme e os deuses unidos? É o homem, quando canaliza sua capacidade para tornar-se Poeta!

CÔMICO: Pois tira proveito, então, dessas forças formidáveis, e mergulha em teu labor criativo, do mesmo modo como se empreende uma aventura amorosa: duas pessoas se aproximam casualmente uma da outra, se entreolham e, pouco a pouco, enreda-se a trama. Brota a paixão, depois surgem tropeços e, apesar do encantamento, sobrevém a dor. Antes que se dê conta, acabou-se a novela. Faze disso aí um espetáculo. Lança mão da vida, em sua plenitude. Todos vivem a vida, mas poucos a conhecem. Mostra-a para eles, deixa-os assombrados. Pinta-a com pouca claridade e muita cor, muita ilusão e um vislumbre de verdade. É assim que se deve preparar o licor que a todos refresca e recompõe. Assim, a juventude em flor se reunirá diante de tua peça e escutará atentamente tua mensagem. Toda alma sensível sorverá em tua obra aquilo que lhe permitirá dar vazão a sua melancolia. Ora este, ora aquele se emociona, cada qual conforme o que traz no coração. Tanto estão dispostos a rir como a chorar. Elogiam a ação, aplaudem a figuração. Nada comove aquele que já atingiu a idade madura, mas sempre se alcançará a gratidão de quem ainda não se desenvolveu inteiramente.

POETA: Devolve-me então esse tempo, quando eu próprio ainda não me desenvolvera totalmente, quando brotava de meu peito um turbilhão, um repuxo de cantos; quando densa névoa me envolvia e meu alvorecer prometia milagres; quando colhia as mil flores que enchiam de beleza todos os vales. Nada tinha e, não obstante, nada me faltava; antes me sobrava o anseio pela verdade e o fascínio pelas ilusões. Devolve-me este impulso ardente, a intensa e pungente alegria, o ímpeto do ódio e o poder do amor — devolve-me minha juventude!

CÔMICO: Somente precisarias da juventude, amigo, se estivesses sendo acossado por inimigos em duro combate, se gentis donzelas viessem pendurar-se em teu pescoço, se te acenasse ao longe o prêmio de uma corrida, se, depois do torvelinho da dança, passasses o resto da noite em bebedeiras. Mas hoje, meu velho, só tens que tirar da lira, com talento e graça, as conhecidas notas, e, por caminhos suaves e sinuosos, prosseguir até a meta que tu mesmo estabeleceste. Nem por isso te admiramos menos. Não é, como se costuma dizer, que a velhice nos torne infantis, mas sim que ela nos alcança enquanto ainda não deixamos de ser crianças.

DIRETOR: Já falastes demais; agora, quero ação. Enquanto perdíeis tempo com futilidades, poderíeis estar realizando alguma coisa útil. Para que falar tanto de inspiração? Ela nunca aparece para os hesitantes. Já que vos proclamais poetas, tomai as rédeas da poesia. Sabeis do que precisamos: de bebidas fortes. Ponde-as, pois, a fermentar. O que hoje não for feito, amanhã falta fará. Portanto, não se deve desperdiçar um dia que seja. Quando se toma a decisão de criar, tem-se que agir com denodo e, se possível, sem perda de tempo. Não deixeis que arrefeça o entusiasmo, mas mantende-vos atuantes, pois é assim que se deve agir.

Sabeis que, em nossos palcos alemães, o que não falta são experiências. Por isso, nesse dia, não poupeis painéis, maquinismos, artifícios. Reproduzi as luzes celestes, tanto a maior quanto a menor. Recamai o firmamento de estrelas. Que não faltem a água, o fogo, os paredões de pedra, as plantas e os animais. Abrangei em vosso exíguo palco todo o círculo da Criação, e, sem pressa, mas também sem vagareza, percorrei todo o caminho que liga o inferno ao mundo e o mundo ao céu.

1. Cf. Mateus, 7, 14.

PRÓLOGO NO CÉU

(O Senhor e as Falanges Celestes; depois, Mefistófeles).

(Avançam os três Arcanjos).

RAFAEL: O Sol segue seu percurso predeterminado, unindo-se à harmonia do canto das esferas irmanadas, e culminando a carreira com estampido de trovões. Sem que se saiba o porquê, sua luz fortalece os anjos. As nobres e sublimes obras do Senhor permanecem tão esplêndidas como no primeiro dia da Criação.

GABRIEL: E, com velocidade inconcebível, a bela Terra gira sobre seu eixo, alternando o esplendor paradisíaco do dia com a noite profunda e aterradora. Vagas enormes rebentam ao pé dos rochedos, desfazendo-se em espuma junto a sua base. As rochas e as águas do mar misturam-se num turbilhão, arrastadas pelo rápido e eterno movimento da esfera terrestre.

MIGUEL: Tempestades rugem, participando do desafio entre o mar e a terra, entre a terra e o mar. Iracundas, vão formando uma cadeia poderosíssima que une num só conjunto o chão e o ar. Eis que um clarão ofuscante ilumina a senda a ser trilhada pelo trovão. Em meio a tudo isso, Senhor, teus mensageiros admiram o aprazível caminhar de teu dia.

OS TRÊS EM UNÍSSONO:
Aos anjos, a visão traz novo ardor,
embora não se saiba a explicação
de terem Tuas obras o esplendor
que tinham no raiar da Criação.

MEFISTÓFELES: Senhor, já que de outras vezes me perguntastes como iam as coisas pelo mundo, e visto que outrora a visão de meu semblante chegou a causar-vos prazer, eis-me aqui de novo em meio aos vossos servidores. Perdoai-me por não saber fazer uso de palavreado elegante, o que faz com que eles me escutem com ar zombeteiro. Minhas palavras toscas até poderiam fazer-vos rir, se não vos tivestes desacostumado ao riso. Nada sei sobre sóis e sobre esferas celestes, mas assisto aos tormentos que afligem o homem e os compreendo muito bem. Esse pequeno deus que habita a Terra continua como sempre foi, tão estranho como no dia em que o criastes. Ele viveria um pouco melhor se não lhe tivésseis concedido esse lampejo de luz celestial ao qual ele chama de "Razão", mas que somente usa para ser mais brutal que os próprios seres brutos. Com licença de Vossa Graça, comparo os homens aos grilos de pernas desnudas e compridas, que não param de saltar enquanto não pousam sobre a relva, onde se põem a entoar seu velho e conhecido canto. Se o homem ao menos permanecesse na relva... mas não: sempre tem de enfiar o nariz onde não é chamado...

O SENHOR: Não tens outro tipo de assunto a tratar? Só sabes vir a mim com reclamações? Será que na Terra nada de bom existe?

MEFISTÓFELES: Não, Senhor. Sinceramente: a mim me parece que tudo ali vai mal — como de costume. Chego a sentir pena dos homens, de tal modo é melancólica a vida que levam. Já nem mesmo me apetece atormentar esses pobres coitados.

O SENHOR: Conheces Fausto?

MEFISTÓFELES: O doutor?

O SENHOR: Meu servo.

MEFISTÓFELES: Um servo que tem um modo muito estranho de vos servir!... Nem a comida nem a bebida desse insensato têm a ver com a Terra. Sua inquietação o impele a buscar o inalcançável, embora ele tenha uma certa noção do quanto de loucura existe nessa busca. Ele perscruta no céu as mais belas estrelas, enquanto deseja alcançar na Terra os gozos mais sublimes. Nada que esteja perto ou longe sacia a ânsia inquieta que aflige seu peito.

O SENHOR: Se bem que atualmente ele me sirva de modo confuso, em breve haverei de reconduzi-lo à claridade. Quando a árvore deita renovos, sabe o jardineiro que em breve lhe haverão de brotar flores e frutos.

MEFISTÓFELES: Quereis apostar? Garanto que perdereis, caso concordeis em me conceder o direito de levá-lo comigo pela minha própria estrada.

O SENHOR: Enquanto ele viver na Terra, não te será proibido tentá-lo. Basta conviver com desejos e anseios para que esteja o homem sempre sujeito a errar

MEFISTÓFELES: Agradeço-vos, pois com os mortos nunca me entendi muito bem. O que aprecio são bochechas rosadas e cheias de viço. Diante de um cadáver, nunca fico muito à vontade; sinto o mesmo que sente um gato diante de uma ratazana.

O SENHOR: Bem, deixo-o a teu dispor. Afasta essa alma de seu destino original e, se fores capaz, podes desviá-la para as tuas trilhas. Leva-a para baixo, para junto de ti. Mas vais ficar envergonhado quando tiveres de reconhecer que um homem bom, ainda que se encontre extraviado numa senda escura, tem plena consciência de qual seja o bom caminho.

MEFISTÓFELES: Sendo assim, mãos à obra! Não quero desperdiçar o tempo, ainda mais porque não tenho receio algum de perder esta aposta. Permiti-me, quando isso ocorrer, que eu comemore o meu triunfo. Para que minha satisfação seja completa, ele terá de comer o pó da terra, como o fez minha tia, a célebre Serpente.

O SENHOR: Age como bem entenderes. Nunca odiei teus semelhantes. De todos os espíritos que me negam, o velhaco é o que menos me aborrece. O homem é demasiado propenso a relaxar. Logo se entrega ao ócio e à

indolência; por isso, é bom dar-lhe uma companhia que o estimule e o incite a agir, desempenhando o papel de seu demônio particular.
Quanto a vós outros, filhos legítimos de Deus, desfrutai da beleza plena, fecunda e rica. Que sua essência mutável, ativa e viva vos prenda nos doces laços do amor, e que possais fixar numa constante visão aquilo que está sempre a flutuar em vagas aparências.

(O Céu se fecha e os Arcanjos se dispersam).

MEFISTÓFELES: De vez em quando gosto de visitar o Velho, e evito indispor-me e romper com Ele. Reconheço ser muito generoso, da parte de tão excelso senhor, dignar-se de conversar até mesmo com o próprio diabo...

PRIMEIRA PARTE

A TRAGÉDIA

DE NOITE

(Num aposento gótico, estreito e de abóbadas altas, Fausto está sentado diante de sua escrivaninha).

FAUSTO: Ai de mim! Estudei Filosofia, Direito, Medicina e, ainda por cima e por desgraça, Teologia[2], tudo isso com a máxima aplicação e o mais profundo empenho, e agora eis-me aqui, pobre tolo, sabendo tanto quanto sabia inicialmente. Obtive os títulos de Licenciado e de Doutor, e faz dez anos que carrego meus discípulos para cima e para baixo, fazendo-os seguir em reta ou em curva, e tudo isso apenas para, ao final, constatar que eles e eu nada sabemos! Isso arrasa meus sentimentos! Claro está que sou mais sábio do que todos esses doutores, licenciados, escribas e pregadores que vivem por aí como um bando de néscios. Contudo, embora não me atormentem escrúpulos ou dúvidas e não me assalte o receio do inferno ou do demônio, não sinto dentro de mim o menor traço de alegria. Não tenho a pretensão de saber coisa alguma que faça pleno sentido, nem me gabo de poder ensinar algo que melhore a vida dos homens e mude seu rumo. Também não tenho haveres ou bens, nem honras, títulos ou comendas. Nem mesmo um cão gostaria de levar tal vida! Por isso, entreguei-me à Magia, para ver se as forças do mundo espiritual me haveriam de revelar certos mistérios, permitindo que eu me escuse de ensinar com amargo suor aquilo que não sei; para vir a conhecer o que está guardado no cofre secreto do mundo; para contemplar as forças criativas e as origens de todas as ideias, e assim nunca mais ter de recorrer a explicações confusas e vazias.

Ó luar de plenilúnio, quantas vezes esperei por ti diante desta escrivaninha, até que aparecias, taciturno amigo, iluminando meus livros e papéis. Quisera, ó Lua, que hoje iluminasses pela derradeira vez o meu penar. Ah, se eu pudesse percorrer a crista das montanhas sob tua suave claridade, penetrar nas grutas habitadas pelos espíritos, vagar na penumbra

da noite pelos prados e, depois de dissipadas todas as brumas do saber, banhar-me em teu rocio!
Oh! Por quanto tempo hei de permanecer encerrado neste cárcere? Neste covil maldito e úmido, no interior do qual até mesmo a luz do céu se torna turva, ao passar por estes foscos vitrais? Encerrado atrás de uma montanha de livros roídos por traças e cobertos de pó, destas brochuras baratas que se erguem mal-empilhadas do chão até o teto? Cercado de frascos e retortas, em meio a instrumentos e engenhocas que pertenceram a meus avós? É este o mundo em que vivo — se é que se pode chamá-lo de mundo...
E ainda te perguntas por que se confrange no peito o teu coração, tomado de ânsias e angústias? Por que uma dor inexplicável estanca tua energia vital? Em lugar da Natureza viva, em meio à qual fez Deus o homem, o que te rodeia são ossadas de animais e esqueletos humanos que apenas exalam podridão!
Vai embora daí! Sai para o vasto mundo, levando como único companheiro esse livro misterioso, escrito à mão pelo próprio Nostradamus. Com sua ajuda, identificarás o curso das estrelas, e, depois que a Natureza te servir de mestra, aumentarás em ti a força de tua alma, através dessa conversa entre dois espíritos. Em vão tratarás de explicar os sagrados símbolos, ajudado tão somente pela árida meditação. Vós, ó espíritos, que voais ao redor de mim, respondei-me, caso me escuteis.

(Abre o livro e examina o signo do Macrocosmo).

Ah, que sensação de prazer percorre de repente todos os meus sentidos, pelo simples fato de olhar este signo! Sinto-me como se a juvenil e sacrossanta felicidade vital me fluísse pelos músculos e veias com renovado ardor. Acaso foi um deus quem gravou esses signos que aplacam meu furor interno, enchem meu pobre coração de ventura e, com secreto impulso, me desvendam as forças naturais? Serei acaso um deus? Tudo agora se me figura claramente! Nesses traços puros se patenteia ante minha alma a Natureza em ação! Agora, sim, entendo o que disse o Sábio: "Não está fechado o mundo espiritual; fechados estão teus sentidos, morto está teu coração. Eia, discípulo, levanta-te e banha incansavelmente teu terreno peito na rubra aurora".

(Contempla o signo).

Como se entrelaça o conjunto das coisas, formando um todo, e como cada uma repercute na outra! Como vêm e vão as forças celestiais, transportadas que são em áureos cântaros! Num vaivém abençoado, descem do céu e perpassam sobre a Terra, conferindo harmonia a todo o universo!
Que espetáculo! Pena que não passe de um espetáculo!... Quando será que irei compreender-te, Natureza infinita? Onde estais, seios dos quais

escorre a vida, dos quais pendem o céu e a terra, e aos quais acode o sedento coração? Enquanto manais em torrentes e alimentais a Terra, eu aqui, sequioso, hei de morrer à míngua?

(Folheia o livro a esmo e avista o signo do Espírito da Terra).

Como é diferente o efeito deste signo sobre mim! É que estamos mais próximos um do outro, Espírito da Terra! Sinto que minhas forças afloram. Ardo por dentro como se tivesse acabado de beber um vinho novo. Sinto-me disposto a aventurar-me pelo mundo, enfrentando as dores e os prazeres que a Terra me trouxer, a afrontar as tempestades, sem me assustar com os rangidos da nave a soçobrar. Enche-se o céu de nuvens que ocultam a luz da Lua. A lâmpada se extingue, enquanto o ambiente se enche de vapores. Raios rubros coriscam sobre minha cabeça! Um sopro frio desce do teto e me invade o corpo. Sinto agora que flutuas aqui por perto, ó invocado Espírito! Mostra-te, então! Ah, é como se meu peito se estivesse rasgando de alto a baixo! Meus sentidos se preparam para experimentar novas sensações. Meu coração está completamente entregue a ti. Mostra-te, mesmo que tua visão me venha a custar a vida!

(Toma o livro e pronuncia em voz sussurrante o signo do Espírito. Surge uma chama avermelhada, dentro da qual se encontra o Espírito).

ESPÍRITO: Quem me invocou?

FAUSTO *(virando o rosto):* Que pavorosa visão!

ESPÍRITO: Tiraste-me de minha distante esfera e me atraíste para cá com palavras de grande poder. E agora?

FAUSTO: Vai-te! Tua visão me é insuportável!

ESPÍRITO: Suplicaste por minha vinda, rogaste por encontrar-me, por ouvir minha voz, contemplar meu semblante. O poderoso clamor de tua alma atraiu-me, e aqui estou. Que vergonhoso pavor foi esse que se apoderou de ti, ó super-homem? Onde está o apelo que saiu do fundo de tua alma? Onde o peito que engendrou um mundo, que o nutriu, que dele cuidou e que, num tremor de gozo, esticou-se todo, na tentativa de elevar-se a nossa altura, ao nível dos Espíritos? Onde está aquele Fausto cuja voz reboou clamando por mim? Agora, pela simples razão de ter sentido meu bafo, estremece até o âmago de seu ser, qual um verme assustadiço e encolhido...

FAUSTO: Poderia eu escapar de ti, filho da chama? Eis-me aqui, Fausto, teu semelhante.

ESPÍRITO: No fluxo e refluxo da vida, no vendaval da ação, vou para cima e para baixo, para o fundo e para a tona, para um lado e para o outro. Nascer e morrer são como um mar sem fim, um tecido de trama cambiante, uma vida flamejante que vou entretecendo no tear do tempo, urdindo para a Divindade seu manto de vivência.

FAUSTO: Tu que circulas por este vasto mundo, quão próximo me sinto de ti, Espírito infatigável!
ESPÍRITO: És semelhante a esse Espírito que concebes, mas não a mim.

(Desaparece).

FAUSTO *(caindo por terra):* Mas não a ti?! Eu, criado à imagem de Deus, nem sequer sou semelhante a ti?

(Alguém chama).

Oh, que azar! Já sei quem está batendo: é meu assistente... Lá vem ele desfazer este prazer que me invade, o maior que até hoje senti! Ah, criatura importuna e mesquinha, que hora achaste de interromper esta maravilhosa visão!

(Entra Wagner em roupão e gorro de dormir, com uma lâmpada na mão. Fausto se volta com ar de enfado).

WAGNER: Perdão, senhor; escutei-te a declamar — estarias acaso lendo alguma tragédia grega? Gostaria de ser iniciado nessa arte, que hoje em dia está em alta. Até já ouvi dizer que bem poderia um ator dar lições a um pregador.
FAUSTO: É verdade, mormente se o pregador também for ator, o que não é raro acontecer nos dias que correm.
WAGNER: Ah! Vivendo recluso em sua cela e vendo o mundo apenas nos dias de festa, e mesmo assim de longe, como se através de uma luneta, como então querer que ele possa dominar os ouvintes pela persuasão?
FAUSTO: Se não sentires por dentro, não conseguirás externar. Se não brotar de tua alma, não conseguirás atingir os corações com um sentimento forte e espontâneo. Podes até preparar teu guisado com sobejos alheios, soprando as velhas cinzas para reacender o fogo; com isso, talvez até consigas agradar as crianças e os símios, mas jamais lograrás comover um outro coração, se o que disseres não sair de dentro do teu.
WAGNER: O fato é que a oratória faz a fortuna do orador, mas, nessa arte, sinto que estou muito atrasado...
FAUSTO: Busca teu ganha-pão de maneira honrada, sem agir como um truão, soando guizos sem proveito. A razão e o bom-senso podem ser transmitidos sem grandes artifícios. Se for sério o que tens a dizer, terás de fato necessidade de usar palavreado rebuscado? Ao contrário: discursos bombásticos, seja qual for o tema que abordarem, acabam soando como o rumorejar das folhas secas, varridas pelo brumoso vento outonal.
WAGNER: Ah, meu Deus, é muita arte para a nossa curta vida! Enquanto me dedico ao estudo, sinto muitas vezes arderem a cabeça e o peito. Como é difícil encontrar os meios que nos levam até as fontes! Antes de chegar à metade do caminho, o pobre diabo já morreu!

FAUSTO: Seria o pergaminho uma fonte sagrada da qual basta um gole para saciar nossa sede por toda a eternidade? Não, não matarás tua sede de saber, se a água que fores beber não brotar de dentro de ti próprio.

WAGNER: Desculpa-me, mas permite que te confesse o enorme prazer que sinto de trasladar-me ao espírito de outras eras, de entender como pensaram os sábios antes de nós, e reconhecer como temos avançado no caminho do progresso.

FAUSTO: Sim, conseguimos chegar até as estrelas. Meu amigo, o passado é para nós um livro lacrado com sete selos. Isso que chamas de "espírito de outras eras" nada mais é que o espírito daquelas pessoas nas quais os tempos se refletem. E a verdade é que, amiúde, não passa de uma autêntica miséria, cuja mera visão nos afugenta, como se se tratasse de um saco cheio de imundícies. Pode ainda parecer um depósito de trastes velhos, ou lembrar um daqueles dramalhões históricos repletos de esplêndidas máximas morais e pragmáticas, que assentam bem na boca dos títeres.

WAGNER: Mas cada um de nós bem gostaria de saber em que consistem o mundo, o coração e a mente do homem.

FAUSTO: Saberia, quando muito, aquilo que normalmente se entende que seja o saber; porém, quem se atreve realmente, nesse particular, a pôr os pingos nos is? Os poucos que sabiam algo e que imprudentemente não recearam revelar o que traziam em seu generoso coração, expondo à plebe ignara seus sentimentos e seus pontos de vista, foram crucificados ou queimados vivos. Mas já se faz tarde, e vamos ter de interromper por aqui nossa conversa.

WAGNER: De bom grado permaneceria acordado a noite inteira, a fim de desfrutar desta conversa erudita. Amanhã, primeiro dia de Páscoa, permiti que vos faça mais uma ou duas perguntinhas. Tenho me empenhado diligentemente nos estudos, e já sei bastante, mas gostaria de saber tudo. *(Sai).*

FAUSTO *(a sós):* Quanto tarda a dissipar-se a esperança na cabeça de quem se apega a ninharias, daqueles que, escavando avidamente em busca de tesouros, ficam satisfeitos só por encontrar minhocas! Como é possível que neste lugar, onde me encontro rodeado por uma multidão de espíritos, se haja atrevido a deixar-se ouvir a voz de semelhante indivíduo? Mas, ai! — por esta vez devo agradecer ao mais mísero filho deste mundo o haver-me arrancado do desespero que ameaçava destroçar minha razão. A aparição foi tão assombrosa que me fez sentir como se não passasse de um anão.

Eu, imagem de Deus, que acreditava achar-me bem próximo da verdade eterna, já me tinha despojado de meu invólucro terreno e me comprazia comigo mesmo no fulgor e na claridade celestial; eu, que me sentindo superior a um querubim, deixava verter a força ativa pelas veias da Natureza e me atrevia, cheio de esperança, a desfrutar do ato de criar, privilégio de um deus! Não tardei a pagar caro por isso. Uma voz tonitruante me aniquilou!

Não posso me atrever a assemelhar-me a ti. Embora minha força tenha sido suficiente para trazer-te até aqui, elas me faltaram para conservar-te junto a mim. Naquele fantástico instante em que me senti ao mesmo

tempo tão grande e tão pequeno, tu me repeliste, arrojando-me com um golpe cruel ao destino incerto dos mortais. Quem me ensinará agora? Que devo evitar? Deverei obedecer àquele impulso? Tanto nossos atos como nossas paixões estorvam a sequência natural de nossa vida.
Ao que de melhor concebe a alma, vem sempre intrometer-se matéria estranha. Quando alcançamos o que é bom, damos-lhe o nome de loucura e de engano. Os nobres sentimentos que nos encheram de vida acabam cristalizados no caos do mundo. Se num voo audaz a imaginação se lança esperançosa ao céu, buscando um dia alcançar o infinito, basta um pequeno desvio para que, passado o entusiasmo inicial, ela soçobre no redemoinho do tempo.
A inquietude logo se aninha no fundo do peito, ali originando um secreto sofrer. Assim, o infeliz se agita inquieto, tomado de angústia e de temor, exibindo constantemente novas máscaras, conforme se encontre em casa ou na Corte; ora age como mulher, ora como criança; ora como fogo, ora como água; ora é adaga, ora é veneno; e, sobretudo, sempre se assustando com o que não o afeta e sempre lastimando o que não se perdeu.
Não sou como os deuses — é fácil constatar! Sou qual um verme que revolve o pó e que dele se nutre, mas que vem a morrer sob o pé do caminhante.
Então, o que me sufoca não é o pó acumulado nas centenas de prateleiras dessa alta parede? Não é o pó dessas mil velhas estantes que me cobre e sepulta nesta carunchosa morada? Acaso terei de ler, quiçá em milhares de livros, que em toda parte os homens vivem atormentados, e que só aqui e ali se encontra um que seja de fato feliz?
De que te ris sardonicamente, caveira descarnada? Como ocorreu comigo, também perdeste o siso? Como eu, também tu terias buscado a claridade diurna da verdade, desistindo da procura ao deparar, decepcionada, com o lúgubre crepúsculo?
Ó instrumentos, sei que zombais de mim com vossos dentes, rodas, cilindros e pranchas. Estive diante da porta da qual imaginei que seríeis a chave; entretanto, apesar de terdes entrado nas fechaduras, não conseguistes girar o ferrolho. Misteriosa em plena luz do dia, a Natureza não permite que lhe tirem o véu, e o que ela não revela ao teu espírito não a podes forçar a fazê-lo, ainda que uses alavancas e vazadores.
Tu, velho traste que ainda não usei, só estás aqui porque meu pai te utilizou. Tu, velho pergaminho, enegreceste com a fumaça da lâmpada que mantenho acesa sobre a escrivaninha. Mais me teria valido dissipar meus parcos haveres do que viver oprimido entre eles. Há que se ganhar aquilo que se herdou dos pais, para que seu se torne. O que não é usado, vem a transformar-se em carga pesada. Só pode nos servir o que o momento nos oferece.
Mas por que se fixa minha vista naquele pequeno frasco? Será ele como um ímã para os olhos? Por que, de repente, tudo se transforma em suave claridade para mim, como se, num soturno bosque, súbito me iluminasse o clarão da Lua?

Eu te saúdo, redoma singular, e com reverência te retiro dessa estante. Venero em teu conteúdo o engenho e a habilidade do homem. Tu, síntese de todos os licores soporíferos, extrato de sutil força mortal, concede teus favores a teu dono! Contemplo-te, e minha dor se atenua; tomo-te nas mãos, e minhas ânsias já se aplacam. Enquanto as ondas que me afligem a alma vão serenando pouco a pouco, sou transportado ao alto mar. O espelho das águas brilha a meus pés, e um novo dia me chama para novas praias.

Um carro de fogo se aproxima de mim, flutuando no ar em ligeiro vaivém. Estou disposto a seguir novos caminhos e alcançar novas esferas de pura atividade. Será que tu, que não passas de um verme nesta vida, merecerias esse prazer, antes próprio dos deuses? Sim, basta volver as costas ao sol que banha esta terra, oferecendo-as a sua cálida luz! Prepara-te para forçar as portas pelas quais todos evitam passar. Já é hora de demonstrar, com fatos, que a dignidade do homem não cede ante a majestade dos deuses, que não se atemoriza quando se posta diante desse escuro covil no qual a fantasia se condena a seu próprio tormento; que não se recusa a penetrar por essa estreita passagem, ao redor de cuja entrada rugem as chamas do inferno; e que pode, resoluta, decidir-se a dar esse passo, ainda que com o risco de adentrar o Nada.

Desce, pois, taça transparente e cristalina; deixa teu velho estojo, do qual por tantos anos me esqueci. Nas festas de meu pai rebrilhavas, alegrando os sisudos convivas, enquanto passavas de mão em mão. Era obrigação de quem bebia descrever em versos o esplendor e arte de teus relevos, e esvaziar-te de um só gole.

Isso me recorda as noites de minha mocidade. Neste instante não tenho vizinhos a quem repassar-te, nem preciso exibir meu engenho para descrever teus adornos. Só tenho, guardado dentro de ti, o licor que pronto me embriagará e que aos poucos encherá o vazio que trago dentro de mim. Seja este o último trago que eu mesmo preparei e servi. Dedico-o, de todo o coração, num brinde festivo e solene, à manhã.

(Leva a taça à boca. Repique de sinos e cânticos de coros).

CORO DOS ANJOS:
O Cristo ressuscitou!
Rejubilai-vos, mortais!
Do pecado que se herdou,
que até hoje vos marcou,
libertos agora estais.

FAUSTO: Que harmoniosa melodia! Que som cristalino é esse que afasta a taça de meus lábios? Estareis, ó sinos, anunciando já a primeira hora da festa pascal? Acaso, ó coros, estareis entoando o mesmo cântico reconfortante que, na noite da vigília pascal, saiu dos lábios dos anjos e serviu de testemunho à Nova Aliança?

MULHERES:
Com unguentos e mirra o embalsamamos;
aqui neste jazigo o sepultamos;
sobre alvíssimos panos o deitamos,
mas, de volta ao local, não mais o achamos!

CORO DOS ANJOS:
O Cristo ressuscitou!
Feliz de quem superou
a terrível provação,
mas que mesmo assim o amou,
alcançando a salvação!

FAUSTO: Por que me buscais com penetrante doçura, melodias celestiais, logo a mim, que estou mergulhado no pó? Soai onde haja corações mais sensíveis, e não para mim, que apenas escuto a mensagem, pois me falta a fé. Não me atrevo a alçar-me a essas esferas de onde procede a Boa Nova, embora este som que ouvi quando criança me chame de novo para a vida. Era então que o fausto do amor divino descia sobre mim durante a serena tranquilidade desta festa. Soavam os sinos repletos de presságios, e a oração me causava um ardente prazer. Um inefável anseio me impelia a caminhar pelos bosques e prados. Entre mil lágrimas ardentes, sentia que um mundo surgia diante de mim. Esse cântico me fazia recordar as animadas brincadeiras infantis e a sensação de liberdade trazida pela primavera. Hoje, a lembrança, desses sentimentos pueris me fez desistir do passo extremo que pretendia dar. Prossegui soando, ó hinos celestiais! As lágrimas me caem, e a terra me retém!

CORO DOS DISCÍPULOS:
Quem estava sepultado
já não se acha ali ao lado,
ascendeu, ressuscitou
e saudosos nos deixou;
já desfruta da ventura
de não mais ser criatura,
pois tornou-se criador.
Mas nós vamos ter um dia
a jubilosa alegria
de rever o Salvador.

CORO DOS ANJOS:
O Cristo ressuscitou
e, da corrupção terrestre,
para sempre se livrou.
Demonstrai ao nosso Mestre
o vosso profundo amor:

Sua palavra pregai,
seu consolo anunciai,
proclamai-o Salvador.
Se convosco Ele já está,
convosco sempre estará.

DIANTE DA PORTA DA CIDADE

(Pessoas de diferentes tipos saem pela porta).

ALGUNS APRENDIZES:
Aonde estais indo com tal pressa?

OUTROS:
Ao pavilhão de caça, ora essa!

OS PRIMEIROS:
Nós vamos por outro caminho,
o que vai dar lá no moinho.

UM APRENDIZ:
Que tal irmos a Wasserhof?
Vai haver lá um rega-bofe!

OUTRO:
Por aquele horrível caminho
ninguém quer ir! Irás sozinho!

OS SEGUNDOS:
E tu, por onde vais seguir?

TERCEIRO APRENDIZ:
Por onde a turma decidir.

QUARTO APRENDIZ:
Então vamos até Burgdorf,
dar uma volta lá na feira.
Ali só tem moça bonita
e uma cerveja de primeira!

QUINTO APRENDIZ:
Pensei que, após aquela surra,
não voltarias lá tão cedo!

Ali não ponho mais os pés!
Aquela terra me dá medo!

UMA CRIADA:
Já que é assim, não vou continuar.
Para a cidade vou voltar.

OUTRA CRIADA:
Lá nos álamos, certamente,
ele estará, esperando a gente.

A PRIMEIRA:
E de que serviria a mim
ir encontrar teu namorado?
Ele só quer dançar contigo
e passear sempre a teu lado...

A OUTRA:
Acontece que ele me disse
que hoje viria acompanhado
daquele amigo bonitão,
o de cabelo cacheado!...

ESTUDANTE:
Caramba! Vê como essas moças
andam depressa! Eia! Atrás delas!
Melhor que tabaco e cerveja,
só mesmo as criadinhas belas!

UMA JOVEM:
Esses moços são bem folgados!
Deixam as moças educadas,
para sair, sem pejo algum,
correndo atrás dessas criadas!

SEGUNDO ESTUDANTE
(dirigindo-se ao primeiro):
Refreia o passo, que atrás vêm
duas moças bem vestidinhas.
Eu conheço todas as duas,
pois elas são minhas vizinhas.
Já, já seremos alcançados
e, depois de umas palavrinhas,
estaremos de braços dados...

PRIMEIRO ESTUDANTE:
Eu não me faço de inocente.
Lucra quem age com malícia,
pois a mão que varre no sábado,
no domingo te faz carícia...

UM BURGUÊS:
Odeio o novo Burgomestre!
Além de ser incompetente,
tem-se mostrado um insolente,
e nada faz pela cidade!
Confesso que sinto saudade
daquele outro de antigamente!...
Agora, que vamos fazer?
Nada! É melhor obedecer,
pois, senão, ele vai querer
arrancar o couro da gente!

UM MENDIGO
(cantando):
Ó senhoras e senhores
de distinto parecer,
tende dó de minhas dores,
de meu triste padecer;
feliz é só quem concede,
neste dia tão radioso,
a esmola que o pobre pede
a um coração generoso.

OUTRO BURGUÊS: Nos domingos e feriados, não conheço diversão melhor que ficar conversando sobre guerras e batalhas, principalmente sabendo que os combates entre os povos estão sendo travados bem longe de nós, lá na Turquia. Aqui, como é bom ficar sentado junto à janela da taberna, copo na mão, apreciando a visão das barcas enfeitadas que seguem rio abaixo! E à noite, quando voltamos para casa, não podemos senão bendizer estes tempos de paz.

TERCEIRO BURGUÊS: Também sou dessa opinião, vizinho! Lá longe, que uns e outros se rachem as cabeças, e que se danem todos, desde que em nossa casa continue tudo na velha e santa paz.

UMA VELHA
(dirigindo-se às moças):
Oh, que moçoilas mais garbosas!
A juventude! Como é bela!
A rapaziada se embasbaca

ao ver uma linda donzela!
Deixai de lado essa soberba
e me escutai com atenção,
pois eu posso proporcionar
o que procurais ocultar
bem no fundo do coração!

UMA DAS JOVENS:
Vamos! Não quero que me vejam
com essa bruxa, esse espantalho,
que, na noite de Santo André,
leu minha sorte no baralho
e me fez ver, no pensamento,
quem vai pedir-me em casamento!

A OUTRA MOÇA:
No meu caso, ela consultou
a sua bola de cristal
e nela eu vi meu pretendente:
um moço de aspecto marcial!
Tomara que seja um tenente,
quem sabe, mesmo um capitão?
Por mais que o busque, infelizmente,
a procura tem sido em vão...

SOLDADOS
Eu quero conquistar
aquela fortaleza,
seus muros escalar
com bravura e destreza.
Também vou conquistar
as deusas da beleza,
prêmio espetacular
para tão alta empresa!
Ouço o som do clarim
chamando o batalhão,
se não for o festim
será a destruição.
A moça e a fortaleza
nós vamos conquistar,
para tão alta empresa,
prêmio espetacular.
O soldado valente
não para de marchar;

tudo o que houver à frente,
ele vai conquistar.

(Fausto e Wagner).

FAUSTO: Os rios e riachos já estão livres do gelo, graças à doce e vivificante chegada da primavera. A cor verde da esperança reveste todo o vale. Velho e decrépito, o inverno se retira para os ásperos montes, de onde, vez que outra, envia tempestades de granizo que matizam de branco as planícies. Mas o sol, que não gosta da cor alva, logo faz brotar a vida, em colorida agitação. Embora não haja flores nesta região, os trajes vistosos dos moradores suprem sua falta. Olha a cidade aqui de cima e contempla a variegada multidão que se escoa através de sua porta escura e funda, sequiosa por desfrutar do sol. Todos querem celebrar a Ressurreição do Senhor, já que também ressuscitaram. Acabam de deixar suas residências sombrias e acanhadas, libertando-se da tirania cruel das fábricas e oficinas, da opressora sensação que lhes provocam seus tetos e fachadas, suas ruas estreitas e tortuosas, depois de terem passado a noite na igreja, no piedoso e sacro velório. Agora, seguem rumo à luz. Vê! Vê o açodamento com que essa gente se dispersa pelos campos e jardins! Vê como o rio está coalhado de barcos alegres e velozes! Aquela barcaça ao longe, de tão cheia, está quase a ponto de soçobrar. Nas serpeantes veredas das montanhas rebrilham ao longe os trajes domingueiros. Já escuto o rumor que vem da vila: é como se o povo estivesse no céu! Tanto os graúdos como os pequenos proclamam satisfeitos: *"Aqui, sim, sou gente, aqui eu posso sê-lo!"*

WAGNER: Além de me sentir honrado por estar aqui convosco, Doutor, quero externar também o quanto acho proveitosa vossa companhia. De fato, eu não gostaria de estar só, pois detesto tudo o que é tosco e rude. O som dos violinos e a gritaria do poviléu compõem para mim um alarido odioso. Todos estão alvoroçados, como se possuídos por algum espírito maligno. Entretanto, a toda essa barafunda dão o nome de alegria e de música!...

CAMPONESES
(cantando e bailando debaixo de uma tília):
Para o baile vestiu-se o pastor.
Pôs o jaleco, um lenço de cor,
fitas e faixas, para enfeitar,
e sob a tília pôs-se a dançar.
Já lá se achavam todos da aldeia,
comemorando a data festiva,
ao som da música que incendeia,
moços e moças: Hurra! Eia! Viva!

Soa a rabeca, o povo se inflama
e, mais que todos, nosso pastor,

que logo escolhe alguém para dama
e se aproxima, conquistador.
Dá-lhe um tapinha, bem no traseiro,
mas a escolhida pula e se esquiva:
"Que é isso? Deixa de ser grosseiro!"
Ao que ele replica: *"Hurra! Eia! Viva!"*

Os ágeis pés mal tocam o chão;
pares girando, vestes voando;
em todas faces, vermelhidão,
todos arfantes, todos suando;
uns dançam juntos, outros sozinhos,
mas de rodopiar ninguém se priva.
Mesmo quem para, anima os vizinhos:
"Dá-lhe! Dança mais! Hurra! Eia! Viva!"

Todos girando, de braços dados,
nada de angústias, tristezas, dores;
aproveitando, os mais atirados
fazem propostas, juram amores.
"Comigo, não, viu? Menos confiança!
Não estás noivo?" Vil negativa.
Eis que uma cede, abandona a dança,
sai de fininho e é... hurra, eia, viva!

(Prosseguem os gritos e o som da rabeca).

UM VELHO CAMPONÊS: Ah, Doutor, como nos honra, de vossa parte, não vos esquecerdes de nós, mesmo neste dia de festa. Como é bom saber que, em meio a esse tumulto de gente, existe uma pessoa tão sábia como sois. Tomai desta jarra, a mais bela que temos, e que acabamos de encher do vinho mais refrescante. Desejo não só que sacieis a sede, como que dure vossa vida tantos dias quantas gotas haja aqui dentro!

FAUSTO: Bebo com prazer essa bebida refrescante, e brindo a todos vós com gratidão.

(Pessoas do povo acorrem para reunir-se a seu redor).

O VELHO CAMPONÊS: De fato, apreciamos que vos digneis de aparecer por aqui nos dias alegres, do mesmo modo que nos assistiu nos dias negros. Já vosso pai conseguiu arrancar da fúria mortal da febre um bom número de pessoas que aqui se encontram, quando debelou a peste. Nessa época de vossa juventude, também o Doutor ia de casa em casa, prestando assistência aos enfermos. Muita gente morreu, mas não vós, que saístes ileso daquela dura provação. Quem o próximo ajuda, por sua vez recebe a ajuda Daquele que está lá em cima.

TODOS:
Um brinde a esse sábio ilustre,
por todos nós celebrado!
Que sempre nos preste ajuda,
como até hoje tem prestado.

FAUSTO: Inclinemo-nos ante o Altíssimo, que nos ensina a ajudar e que sempre nos envia Sua ajuda.

(Continua seu caminho com Wagner).

WAGNER: Que sensação deveis experimentar ao ver como sois admirado pelo povo! Feliz aquele que pode obter tal preito de gratidão, em virtude de seus dotes. Ao ver-vos, os pais vos mostram aos filhos explicando-lhes quem sois. À vossa passagem, todos acodem para saudar-vos. A rabeca para de tocar, e os que estavam dançando fazem uma pausa. A multidão abre alas para que sigais vosso caminho, enquanto atiram ao ar seus barretes, demonstrando um respeito tal, que é como se ali estivesse passando o Santíssimo.

FAUSTO: Vamos chegar até aquelas pedras. Ali descansaremos. Muitas vezes estive aqui, meditando e fazendo sacrifícios de preces e jejuns. Rico de esperanças e firme em minha crença, com lágrimas, suspiros e de mãos postas em súplica, acreditava que com isso obrigaria o Senhor a dar cabo daquela peste. O aplauso popular me soa como escárnio. Oh! Se pudesses ler dentro de meu peito o quão pouco, filho e pai, somos merecedores de tais louvores! Meu pai, homem sincero de intenções, acalentava ideias visionárias acerca da Natureza e de seus ciclos sagrados. Procedia com honradez, mas a seu modo, isolado naquele laboratório tenebroso, em companhia de seus discípulos. Após experimentar incontáveis fórmulas, chegou à conclusão de que deveria misturar os elementos contrários; assim, tomava uma substância masculina, o "leão vermelho"[3], livre e audaz, e a casava em banho-maria com uma substância feminina, a "flor-de-lis"[4], submetendo-as à tortura do fogo vivo e flamejante. Em seguida, passava-as para outra retorta de cristal, sua nova câmara nupcial, para ali dentro ver surgir a substância resultante, a "rainha jovem", que ele considerava a mais eficaz das panaceias. Os pacientes acabavam por morrer, e ninguém perguntava se algum deles tinha sido curado. E assim foi que, com nossos elixires e licores, fizemos, nestas montanhas e vales, mais estragos do que a própria peste! Eu mesmo ministrei a muitos o veneno, assistindo a sua agonia até vê-los sucumbir. Quanto a mim, sobrevivi, e hoje escuto os louvores que dirigem a este torpe assassino...

WAGNER: Como podeis atormentar-vos com isso? Não basta ao homem honrado exercer, íntegra e conscientemente, a arte que lhe foi ensinada? Se admirastes vosso pai na juventude e com prazer aprendestes a ciência que ele vos ensinou, agora, na idade adulta, fareis o possível para expandi-la, o mesmo fazendo vosso filho com relação à ciência que lhe ensinardes.

FAUSTO: Oh! Feliz aquele que ainda nutre a esperança de não submergir neste mar de confusão! Ignoramos o que é necessário, e só sabemos aquilo que de nada nos serve. Mas não vamos empanar a beleza deste momento aprazível com pensamentos tristonhos. Vê como resplandecem, em meio à relva, todas essas choças, banhadas pela luz do sol poente! O astro-rei se afasta e se esconde, mas o dia continua, pois sua luz vai iluminar e proporcionar uma nova vida a um outro lugar. Ah, como eu gostaria de ter asas, para erguer-me do chão e acercar-me do sol cada vez mais! Então, no fulgurar perene do ocaso, veria a meus pés a paisagem serena do mundo, os cumes das montanhas refulgindo ao sol e os vales cobertos pela sombra, enquanto torrentes de ouro se escoariam nos leitos de prata dos regatos. Esse voo divinal não seria impedido pelos montes agrestes e escarpados. Meus olhos assombrados veriam ao longe o mar, como que se abrindo em suas estreitas enseadas. Mas eis que por fim parece derreter-se o deus Sol, sem que minha ânsia igualmente se dissipe. Procuro, pressuroso, beber-lhe a luz eterna, tendo à frente o dia e atrás a noite; os céus sobre a cabeça, e aos pés as ondas do mar. Um belo sonho tenho, enquanto o sol se esvai! É uma pena que o corpo não possa adquirir asas tão fácil e rapidamente quanto o pode o espírito! Entretanto, é uma tendência inata em cada um de nós deixar que o sentimento nos leve para o alto e para frente quando vemos gorjear a cotovia perdida no céu azul, pairar a águia sobre os escarpados cimos revestidos de pinheiros, e o grou a sobrevoar planuras e mares, de regresso a seu torrão natal.

WAGNER: Também tenho minhas fantasias, mas nunca senti tal desejo. Os bosques e os prados logo me provocam enfado, e nunca invejei as asas que os pássaros têm. Como são diversas as maneiras como os prazeres do espírito nos levam de livro em livro, de página em página! É assim que as tediosas noites de inverno se tornam agradáveis e belas, e uma sensação de tranquilidade se espalha por todo o corpo. E — ah! — quando temos a sorte de deparar com um interessante pergaminho, é como se o céu descesse até onde nos encontramos...

FAUSTO: Tens consciência apenas de um impulso; se o outro te ocorrer, faze tudo para evitá-lo. Duas almas habitam no meu peito, e uma delas está sempre querendo separar-se da outra. Uma, com renitente amor à vida, se agarra firmemente ao mundo servindo-se de seus membros preênseis; a outra abandona decididamente o pó e ascende às esferas dos nobres ancestrais. Ah, se for mesmo verdade que existem no ar espíritos que flutuam entre a terra e o céu, que eles desçam até aqui, deixando sua neblina dourada, e me transportem a uma nova vida repleta de cores. Se eu tivesse um manto mágico dotado do poder de me conduzir para terras longínquas, seria ele meu mais precioso traje, e não o trocaria nem mesmo por um manto real!

WAGNER: Não mencioneis essa conhecida horda de espíritos que se espalha em chusmas pelo ar, e que, provindo de todo lado, nos traz maldades sem fim. Chegam os espíritos do norte, com seus ventos cortantes que tanto estrago provocam; chegam outros do leste, trazendo consigo o ar quente e seco que dá cabo de nossos pulmões; do sul, lá do deserto, enviam-nos os ventos ardentes que quase fazem ferver nossas cabeças, e do poente nos chegam os ventos úmidos que, de início, refrescam, para depois inundarem nossos campos e prados. Eles gostam de escutar-nos, para tramarem melhor como causar-nos dano; fingem obedecer, porque lhes apraz lograr-nos; apresentam-se como enviados do Céu, sussurrando com voz angelical suas mentiras...

Mas basta: é hora de voltar, pois já começa a escurecer. O ar está esfriando e a cerração começa a se espalhar. Ao cair da noite é que se aprecia o calor do lar. Mas por que parastes de repente, fitando atentamente o horizonte? O que podeis estar enxergando em meio a esta penumbra?

FAUSTO: Vês aquele cão negro que ali vai, andando por entre os campos e searas?

WAGNER: Já o estou vendo faz algum tempo, mas não lhe dei maior importância.

FAUSTO: Olha bem para ele. Que te parece que seja?

WAGNER: Um cãozinho da raça *poodle* que fareja o chão em busca da pista de seu dono.

FAUSTO: Não reparaste que, enquanto descreve curvas, ele vem chegando cada vez mais perto de nós? E, se não me falha a vista, que vai deixando um rasto de fogo por onde passa?

WAGNER: Nada mais vejo que um *poodle* preto peludo. Talvez estejais tendo uma alucinação.

FAUSTO: Parece que ele está traçando no chão uns laços mágicos que acabarão atando nossos pés.

WAGNER: O que estou vendo é um cão andando em torno de nós inseguro e temeroso, porque, em vez do dono, deparou com dois estranhos.

FAUSTO: O círculo se estreita! Ele se aproxima!

WAGNER: Não estais vendo que não se trata de um fantasma, e sim de um cão que grunhe, que rosna, que se arrasta pelo chão, que agita a cauda; enfim: que age como agem todos os cães?

FAUSTO: Passa aqui! Vem cá!

WAGNER: É um animalzinho esperto. Se a gente se detém, ele para e fica esperando; se alguém atirar ao longe alguma coisa, ele logo irá buscá-la; se ela cair no rio, ele não hesitará em saltar dentro da água para apanhá-la.

FAUSTO: Tens razão; não vejo sinal algum de que se trate de um fantasma. Tudo o que faz é fruto de adestramento.

WAGNER: Até os sábios se sentem atraídos por um cão esperto e bem adestrado. Sim, esse aí merece vossa simpatia, pois é um dedicado aprendiz de muitos estudantes.

2. Todo o saber humano estaria contido nessas quatro disciplinas, segundo se acreditou até o final do século XIX,

3. Óxido de mercúrio, na linguagem simbólica dos alquimistas.

4. Ácido nítrico.

ESCRITÓRIO

FAUSTO *(entrando acompanhado do cão):* Deixei para trás prados e campinas cobertos pelo negrume da noite, pela escuridão que, com um sagrado terror repleto de presságios, acorda em nós aquilo que de mais nobre existe dentro da alma. Qual um sonho, desvaneceram-se em mim os anseios selvagens, e em seu lugar desperta agora o amor pelos homens e voltado para Deus.

Quieto, cão! Não fiques correndo de um lado para o outro. Que estás farejando aí nesse canto? Vai deitar atrás do fogão, que é onde fica o meu melhor coxim. Na trilha escarpada, divertiste-nos com tuas correrias; cumpre agora que eu cuide de ti, tratando-te como um hóspede sossegado e bem-vindo.

Ah, quando nessa estreita cela a lâmpada volta a arder, sua luz amiga infunde claridade em nosso peito, iluminando a alma que se conhece a si própria. A razão recomeça a se fazer ouvir, e a esperança volta a florescer. Cresce dentro de nós o desejo de alcançar as fontes de onde brota a vida. Para de rosnar, cãozinho! Os ruídos animais não combinam com a sonoridade sagrada que agora ressoa dentro de minha alma. Estamos acostumados a ver os seres humanos rindo daquilo que não entendem, resmungando contra o que é bom e o que é belo, mas que com frequência os aborrece. O rosnar dos cães seria comparável a tais resmungos? Mas — ah! — já não sinto satisfação dentro do peito, por mais que deseje senti-la e para tanto me empenhe. Por que há de secar tão cedo a fonte, deixando-nos de novo sedentos? Quantas vezes experimentei tal sensação! Sei até mesmo como satisfazer essa carência. Temos de aprender a valorizar o sobrenatural, ansiando pela revelação, que em lugar algum refulge com maior dignidade e formosura que no Novo Testamento. Sinto o impulso de abrir este volume que contém o texto original e, com honesto labor, traduzir de novo o relato sagrado em minha querida língua alemã.

(Abre o volume e se põe a ler).

Diz aqui: *"No princípio era o Verbo"*. Ou seja, era a Palavra. Já começo a encontrar dificuldades. De quem obter ajuda para prosseguir? Não concordo em atribuir ao Verbo tamanho valor. Tenho de traduzir essa frase de outro modo. Se é que o Espírito me ilumina, aqui se diria então: *"No princípio era a Ideia"*. Medita bem, pois essa é a frase inicial, a primeira. Não deixes que tua pena se apresse. Será que a ideia tudo cria, e que por meio dela tudo se realiza? Talvez ficasse melhor assim: *"No princípio era a Energia"*. Contudo, no mesmo instante em que escrevo, algo me

diz que acabarei por não manter essa versão. É o Espírito que por fim me está ajudando. Entendi sua mensagem, e agora posso escrever confiante: *"No princípio era a Ação"*.
Se queres partilhar o quarto comigo, cão, para de latir. Não quero ter de suportar a companhia de tão importuno conviva. Um de nós dois terá de sair daqui. Com desgosto, retiro teu direito de desfrutar de minha hospitalidade. Abro a porta e te libero: podes ir para onde quiseres. És livre. Mas... que vejo? Pode ocorrer isso na Natureza? Trata-se de uma ilusão provocada pela sombra, ou seria mesmo a realidade? Como pode esse cão crescer e inchar assim tão de repente? Como pode aumentar assim tão inesperadamente, assumindo essa forma, que não é a de um cão? Teria entrado nesta casa um fantasma? Eis que assume o aspecto de um hipopótamo, com olhos de fogo e dentes pavorosos! Mas hei de dominá-lo! Para essa criatura do inferno, valer-me-ei da "Chave de Salomão"![5]

ESPÍRITOS:
Neste quarto há uma prisão.
Tem lá dentro um camarada
que está a debater-se em vão,
qual raposa aprisionada.
Finalmente ele está prestes
a sair dessa masmorra,
e, se auxílio não lhe destes,
dai-lhe agora, antes que morra:
perto dele revoai,
dai-lhe alento, incentivai,
para que saia sem dores.
Esta ajuda lhe devemos,
pois dele já recebemos
Inumeráveis favores.

FAUSTO: Para enfrentar esse ente infernal, valer-me-ei do Conjuro dos Quatro[6]:

"Que arda em fogo a Salamandra
e que a Ondina se contorça!
Que desapareça o Silfo!
Que o Duende faça força!"

Quem nada sabe sobre os elementos, sobre sua enorme força, sobre suas propriedades, nunca conseguirá dominar os espíritos.

Salamandra vai arder na chama;
leva Ondina a corrente que arrasa;
no meteoro, eis que o Silfo se inflama;
traze auxílio, ó Duende, de casa.
Foi-se o fogo e não restou nem brasa!

Nenhum dos quatro elementos está dentro do animal, que se mostra tranquilo, apenas rangendo os dentes. Ainda não consegui perturbá-lo. Mas ele terá de me ouvir, pois apelarei para outros esconjuros ainda mais poderosos.

Por acaso, criatura, escapaste do inferno? Contempla então o Símbolo diante do qual se inclina prostrado o bando que vive nas trevas!

Ah, vejo que começas a inchar e que teus pelos já se eriçam! Oh, criatura depravada e torpe, assassino vil, então és capaz de sentir a presença daquele cuja origem é insondável, daquele cujo Nome não se enuncia, do enviado do Céu?

Escondido aí atrás do fogão, estás inchado como um elefante, e em breve encherás todo este quarto! Vejo que desejas escapar. Não tentes fugir pelo teto! Deita aqui aos pés de teu amo! Não costumo fazer ameaças em vão! Obedece, ou usarei o Tríplice Fogo para te reduzir a cinzas! Não ouses enfrentar-me, ou serei obrigado a lançar mão desse que é meu mais forte recurso!

MEFISTÓFELES *(ao dissipar-se a névoa, sai de trás da estufa sob a figura de um escolar viajante):* Por que essa gritaria toda? Que desejas que eu faça por ti?

FAUSTO: Era isso o que estava dentro daquele cão? Esse escolar ambulante? Dá vontade de rir!

MEFISTÓFELES: Ao erudito mestre, minhas saudações. Fizeste-me suar um bocado!

FAUSTO: Como te chamas?

MEFISTÓFELES: Essa pergunta me parece boba para alguém que despreza o Verbo, alguém que, desdenhando do que é aparente, busca a essência das coisas, explorando-as até o fundo.

FAUSTO: No teu caso, meu caro, é possível chegar-se à essência pelo simples conhecimento do nome. Isso ocorreria, por exemplo, se eu soubesse com toda a certeza que teu apelido seria "Deus das Moscas", pois é como se traduz Belzebu, ou "Corruptor", ou ainda "Pai da Mentira". Então: quem és?

MEFISTÓFELES: Sou parte da força que só deseja o Mal, mas sempre causa o Bem.

FAUSTO: Que queres dizer com esse enigma?

MEFISTÓFELES: Sou o Espírito que sempre nega! E ajo assim coberto de razão, pois, já que tudo quanto nasce merece ser exterminado, melhor seria então que nem tivesse nascido. Por isso, minha autêntica natureza é constituída disso que chamas de pecado e destruição — numa palavra: é constituída do Mal.

FAUSTO: Por que te defines como parte de um todo, se apareces todo inteiro diante de mim?

MEFISTÓFELES: Vou revelar-te uma verdade: o homem, pelo fato de julgar-se um mundo, imagina ser um todo; quanto a mim, sei que sou parte de uma parte que no princípio era tudo; sou uma parte das trevas que deram origem à luz, essa soberba luz que disputa à Mãe-Noite a antiga primazia e seu lugar no espaço. Porém, por mais que se esforce, não conseguirá superá-la, pois está presa aos corpos, deles emana e a eles embeleza. Independente disso, um simples corpo opaco a pode deter. Espero que essa disputa não dure muito tempo, e que a luz por fim venha a sucumbir junto com esses mesmos corpos.

FAUSTO: Agora entendi qual é teu honroso mister: como não podes destruir as grandes coisas, tens de contentar-te com dar cabo das pequenas.

MEFISTÓFELES: Com certeza, e é por isso que pouca coisa realizo. Por mais que me empenhe, não consigo destruir o que se opõe ao Nada, ou seja, o Algo, esse mundo tão tosco. Apesar das ondas e tormentas, dos terremotos e incêndios, ao final voltam a se harmonizar o mar e a terra. E a essa maldita invenção que é a vida, tanto a humana como a animal, tampouco há um modo de acabar com ela. A quantos já enterrei! Não obstante, o sangue volta a fluir, novo e fresco, e tudo continua como dantes... É de enlouquecer! No ar, na água, na terra brotam milhares de germes, não importando se o meio é seco ou úmido, se é quente ou frio! Se o fogo não me tivesse sido reservado, nada teria sobrado para mim.

FAUSTO: Quer dizer que estendes diante do eterno poder criador e salvador teu frio punho diabólico, que cerras impotente, cheio de rancor. Sendo assim, por que não tentas fazer algo diferente, ó estranho filho do caos?

MEFISTÓFELES: Vamos pensar nisso com muito carinho, mas de uma próxima vez. Posso ir-me agora?

FAUSTO: Não compreendo por que me pedes licença para sair. Agora que te conheço, vem visitar-me sempre que quiseres. Para ires embora, usa a janela, ou a porta, ou mesmo a chaminé, como preferires.

MEFISTÓFELES: Tenho de confessar-te uma coisa. Há um pequeno obstáculo que me impede de sair daqui: a estrela de cinco pontas pendurada ali na soleira da porta[7].

FAUSTO: Perturba-te tanto assim esse símbolo? Dize-me então, filho do inferno, como foi que conseguiste entrar aqui? Como conseguiste burlar esse Espírito?

MEFISTÓFELES: Olha bem para ela: não está bem desenhada. O ângulo que se dirige para fora, como podes ver, está mais aberto que os outros.

FAUSTO: A sorte me favoreceu! És meu prisioneiro! Mas será que consegui isso por mera casualidade?

MEFISTÓFELES: Ao entrar aqui aos saltos, o cão não reparou nele. Mas agora que eu assumi o aspecto de demônio, não posso sair desta casa.

FAUSTO: Mas por que não sais pela janela?

MEFISTÓFELES: Há uma lei que se aplica tanto ao demônio como aos fantasmas: por onde tiveres entrado, por ali sairás. Para a entrada, temos opção; para a saída, somos escravos.

FAUSTO: Então também no inferno existem leis? Fico contente de saber. Quer dizer que podemos firmar pactos?

MEFISTÓFELES: Poderás usufruir de tudo o que for combinado, sem que coisa alguma te seja escamoteada. Mas explicar tudo isso leva tempo;

por isso, vamos marcar um encontro para outro dia. Desta vez rogo-te encarecidamente que me deixes ir embora.

FAUSTO: Fica mais um pouco e fala-me dessas coisas.

MEFISTÓFELES: Deixa-me sair! Logo estarei de volta, e então poderás perguntar-me o que quiseres.

FAUSTO: Não fui eu quem te pescou; foste tu que caíste propositalmente na rede. Quem conseguir agarrar o diabo, trate de mantê-lo preso, pois tão cedo não voltará a pegá-lo!

MEFISTÓFELES: Já que é assim tão forte teu desejo, vá lá, estou disposto a fazer-te companhia, mas com a condição de poder distrair-te com minhas artes.

FAUSTO: Dou-te de bom grado minha permissão, mas espero que essas artes me sejam deleitosas.

MEFISTÓFELES: Amigo, verás que teus sentidos maior prazer experimentarão aqui e agora do que experimentaram durante todo um monótono ano. Ouvirás o cantar dos espíritos ternos, brindando-te com belas imagens reais, que nada têm de mágica ou de ilusão. Sentirás prazeres olfativos e palatais, e todos os teus sentimentos acabarão por inflamar-se. E chega de prólogo: estamos prontos, vamos começar.

ESPÍRITOS:

Desfaçam-se os tetos todos
que impedem passar a luz,
para que possamos ver
a beleza, que seduz,
do sol contra o céu azul!
Tratem de desvanecer
as pesadas nuvens negras,
para que possamos ver
as estrelas cintilantes,
tão lindas e tão distantes.

Entre elas vai-se esgueirando
essa beleza sem par
dos gentis filhos dos céus
sobre nós a flutuar,
trazendo a doce esperança
de um tempo só de bonança.

Grinaldas de cores vivas
descem do céu aos milhares,
espalhando colorido
por campos, hortas, pomares,
recobrindo até os recantos
cheios de graça e de encantos,
onde amantes, com ternura,

firmam a solene jura,
repetida com frequência
de se entregar um ao outro
durante toda a existência.

Por entre a folhagem densa,
veem-se a videira e os sarmentos,
dos quais pendem fartos cachos,
com seus frutos sumarentos.
As uvas são atiradas
dentro do enorme lagar,
sendo em seguida pisadas
para um regato formar.
Em vez de água, flui o vinho.
numa veloz correnteza,
despenhando-se em cascatas
de inenarrável beleza,
para, por fim, se espraiar
e, no lago assim formado,
ter, das colinas distantes,
o reflexo estampado.

Um enorme bando de aves
curte o indizível prazer
de se aproximar do sol,
para em seguida descer
e sobrevoar as ilhas,
espalhadas pelo mar.
Vistas ao longe, parecem
que ora sobem, que ora descem,
sobre as ondas a flutuar.

Eis que se escutam sussurros
e murmúrios, num coral
que se espalha sobre as águas
e por todo o litoral.
Veem-se figuras que bailam
com leveza e agilidade,
refletindo a luz do sol
sob o céu da cor de jade.
Algumas galgam os montes
e alcançam as cumeadas;
outras flutuam sem medo
sobre as ondas encrespadas,
enquanto outras alçam voo

ondulando pelos ares.
E todas, voando em pares,
estão a buscar o quê?
Buscam, nas terras distantes,
nas estrelas cintilantes,
graça, amor, serenidade:
buscam a felicidade.

MEFISTÓFELES: Ele adormeceu! Procedestes muito bem, ternos filhos do ar! Com que habilidade conseguistes deixá-lo inconsciente! Estou em dívida convosco por este concerto. Quanto a ti, Fausto, não és o homem capacitado a manter preso o demônio. Embalai-o, silfos, com o vosso cantar mavioso; afogai-o num mar de delírios! Já no que tange a romper o feitiço da soleira da porta, para tanto preciso de um dente de rato. E não terei de procurar muito, pois já estou escutando o ruído de um a correr por aí, e que logo me dará ouvidos.
O senhor das ratazanas e dos ratos, das moscas e rãs, dos piolhos e percevejos, ordena-te que saias e roas esta soleira tão rápido como se untada de azeite estivesse. Podes começar. Mãos à obra! O que me está prendendo aqui é o canto superior interno da soleira. Mais outra dentada, e tudo acabado! Quanto a ti, Fausto, continua sonhando. até que nos tornemos a ver.

FAUSTO *(despertando):* Então fui logrado outra vez? Dissipou-se assim a força de tantos espíritos? Será que tudo não passou de uma quimera, e que apenas sonhei com o demônio na pele de um cão, e que ambos depois se me escaparam?

5. Livro que ensina como invocar os Quatro Elementos da Natureza, muito popular no século XVI.

6. Trata-se dos símbolos usados por Paracelso para representar os quatro elementos (fogo, água, ar e terra)

7. A estrela de cinco pontas era um talismã para espantar os maus espíritos. Considerava-se que cada ponta representava uma das letras do nome de Jesus.

ESCRITÓRIO

(Fausto e Mefistófeles).

FAUSTO: Quem bate? Pode entrar. Quem vem atormentar-me?

MEFISTÓFELES: Sou eu.

FAUSTO: Então entra.

MEFISTÓFELES: Tens de dizer três vezes. Falta uma.

FAUSTO: Entra!

MEFISTÓFELES: É assim que eu gosto. Espero que possamos entender-nos. Para dissipar teu mau humor, vim vestido de fidalgo, com traje vermelho bordado de ouro, capa de cetim, pena de galo no chapéu, adaga de lâmina larga e afiada. Sugiro que, sem mais delongas, envergues traje idêntico, para que, liberado de peias, sintas como a vida de fato pode ser.

FAUSTO: Qualquer que seja o traje que eu envergue, sempre hei de sentir as aflições decorrentes da estreiteza da vida terrena. Sou muito velho para brincar, mas muito novo para morrer sem sentir desejos. Que poderá o mundo me oferecer?

"Renuncia! Tens de renunciar" — é este o eterno preceito que continuamente ressoa em nossos ouvidos, e que de hora em hora nos é repetido em voz roufenha e compassada, Já pela manhã desperto sobressaltado, e bem que poderia chorar amargamente só de prever que o novo dia transcorrerá veloz sem que eu satisfaça um só dos meus desejos. Mais uma vez será sufocada toda e qualquer esperança de ser feliz, e mais uma vez serão frustrados todos os planos que porventura minha mente abrigar.

E quando sobrevém a noite, vou-me deitar desassossegado. Nem no leito consigo repousar, pois sou assaltado por horríveis pesadelos. Meu espírito interior pode até me provocar profundas comoções; não obstante, apesar de ter o domínio completo sobre todas as minhas forças, não pode fazer com que elas atuem no mundo exterior, o que acabou por me convencer de que a vida consiste numa carga pesada, levando-me a detestá-la e a desejar a morte.

MEFISTÓFELES: Ninguém considera a morte como uma aparição bem-vinda.

FAUSTO: Feliz de quem, no ardor da lide, tinge em sangue os louros da vitória; daquele que, depois do delirante baile, é arrebatado nos braços da amante! Oh, pudesse eu, ante a voz do grandioso Espírito, cair sem forças, transportado de amor!

MEFISTÓFELES: É... mas houve alguém, numa certa noite, que acabou desistindo de beber daquela poção de aspecto turvo...

FAUSTO: Parece que te agrada a prática da bisbilhotice.

MEFISTÓFELES: Não estou a par de tudo o que acontece, mas sei um bocado...

FAUSTO: Embora um cântico suave e conhecido, que trouxe consigo os ecos dos bons tempos, tenha afastado de minha mente a ideia de me arrojar no tenebroso abismo, despertando o que me resta de sentimentos infantis, agora amaldiçôo tudo o que a alma engendra com artes de logro e sedução, tudo aquilo que, cegando-nos pela lisonja, acaba nos prendendo nesta caverna atroz. Maldito seja o presunçoso conceito que de si mesma faz a mente cega! Maldita a ilusão dos sentidos que tanto confunde nossa alma! Maldito tudo aquilo que nos leva a sonhar com a vanglória da fama e do renome. Maldito seja tudo aquilo que nos enche de orgulho porque aparenta pertencer-nos: fortuna e bens, esposa e filhos, criados e agregados. Maldito seja Mammon[8] quando, acenando-nos com a promessa de glórias e riquezas, nos incita a empreender façanhas imprudentes, e quando nos oferece coxins para nosso indolente prazer! Maldito seja o balsâmico suco que das uvas se extrai! Maldita seja a mais refinada carícia do amor! Maldita a esperança! Maldita a fé! E, acima de tudo, maldita seja a paciência!

CORO DOS ESPÍRITOS
(invisível):
Ai que dor, que dor tamanha!
Com mão de extremo poder,
realizaste a façanha
de destruir e abater
este mundo esplendoroso!
Um semideus, sem piedade,
deu-lhe um final tenebroso,
deixando-nos com saudade
daquele tempo de gozo.
Tristonhos, nós levaremos
nossos destroços ao nada.
É justo que lamentemos
a beleza destroçada.
Ó gentil filho da Terra,
de poder superior,
reconstrói-a, te rogamos,
e com maior esplendor.
Recompõe-na em tua mente
com capricho e inteligência,
pois assim vais conferir
um novo curso à existência,
e novas canções, então,
outra vez ressoarão.

MEFISTÓFELES: Eis aí os meus meninos! Escuta como incitam, com sabedoria, ao prazer e à ação, convidando-te a deixar para trás a solidão que atrofia os sentidos e estanca o fluxo dos humores, e a se atirar na amplidão do mundo. Para de aviventar o rancor que, qual abutre, te vai devorando a vida. Por pior que seja a tua companhia, ela te fará sentir que és um homem entre os homens. Não estou sugerindo, com isso, que desapareças por entre a multidão. Não faço parte dos grandes, mas, se quiseres seguir junto comigo pela vida afora, aqui estou a teu dispor. Serei teu companheiro constante e, se assim preferires, teu humilde criado e servo.

FAUSTO: E o que quererás receber em troca?

MEFISTÓFELES: Concedo-te um longo prazo para quitar tua dívida.

FAUSTO: Nada disso! O demo é um egoísta que nada concede pelo amor de Deus. Expõe claramente quais são as tuas condições, pois um criado de tua laia põe a casa em grande risco.

MEFISTÓFELES: Quero colocar-me a teu serviço *aqui*. Depois que me deres o sim, não me deterei nem descansarei. Porém, quando voltarmos a nos encontrar *lá*, deverás pagar-me na mesma moeda.

FAUSTO: O futuro não me preocupa muito. Se destruíres este mundo e o converteres em ruínas, outro depois surgirá. Mas é nesta terra que vicejam minhas alegrias, e é este sol que ilumina minhas aflições. E uma vez que deles, mais cedo ou mais tarde, terei de me separar, então seja o que for! Não quero nem saber se há no Além ódio ou amor, ou se existe lá naquelas esferas o que esteja *em cima* e o que esteja *embaixo*.

MEFISTÓFELES: É por isso mesmo que bem podes arriscar-te. Vem comigo! Nos próximos dias deleitar-te-ei com a visão de meus poderes. Presenciarás aquilo que homem algum jamais viu.

FAUSTO: Que poderás conceder-me, pobre diabo? Acaso podem teus pares compreender as elevadas aspirações da mente humana? Sabes o que tendes a oferecer? Alimentos que não saciam, ouro fluido que nos escapa por entre os dedos qual azougue, um jogo em que nunca se ganha, uma beldade que, embora abraçada contra meu peito, se compromete com o vizinho usando a linguagem do olhar, o esplêndido e divino prazer da honra, que rápido se esvai qual meteoro... Mostra-me frutos que já nasçam podres, e árvores que reverdeçam a cada novo dia.

MEFISTÓFELES: Não terei problemas quanto a isso. Posso muito bem conceder-te os tesouros que quiseres. Sim, meu amigo, já se aproxima o tempo em que poderemos desfrutar tranquilamente das boas coisas da vida.

FAUSTO: Se chegar o dia em que eu me estenda e relaxe ociosamente, que ali permaneça para sempre, e se então fores capaz de iludir-me com lisonjas, deixando-me plenamente satisfeito comigo mesmo, seja esse então para mim meu derradeiro dia. Nisso consistirá minha aposta.

MEFISTÓFELES: Está aceita!

FAUSTO: Trato feito. Se alguma vez eu disser ao instante que passa: *"Permanece! És tão belo!"*, poderás acorrentar-me, que com prazer te seguirei. Que dobrem então os sinos de Finados, pois estarei pronto a servir-te. O relógio estará parado, os ponteiros terão caído, o tempo terá findado para mim.

MEFISTÓFELES: Pensa bem no que dizes, pois não pretendo esquecê-lo.

FAUSTO: Terás pleno direito de lembrá-lo! Não fiz esta aposta impensadamente. Se alguma vez for tomado pelo êxtase, tornar-me-ei escravo, não importa de quem.

MEFISTÓFELES: Hoje mesmo, no banquete em homenagem ao novo Doutor, estarei servindo como criado. Só peço uma coisa: por amor à vida, ou à morte, gostaria que assumisses por escrito esse compromisso.

FAUSTO: Ah, pedante, queres que eu escreva algo? Jamais conheceste um homem de palavra? Não é bastante para ti que eu tenha comprometido minha vida apenas com a palavra que empenhei? Se as torrentes do mundo não me detiveram, um compromisso escrito é que o fará? Se tal loucura se apoderou de meu coração, quem ousará livrar-me dela? Feliz daquele que no peito traz a fidelidade, pois não lhe hão de pesar os sacrifícios! Um pergaminho escrito e selado é um fantasma que a todos espanta. Já na pena a palavra morre, e o papel e a cera são tudo o que resta. Que exiges de mim, espírito maligno? Bronze, mármore, pergaminho, papel? Que escreva com cinzel, buril, ou pena? Deixo-te livre a escolha.

MEFISTÓFELES: Por que tanto teatro, tanto exagero? Qualquer papel serve, desde que assines com uma gota de sangue...

FAUSTO: Se for assim que desejas, vamos lá com essa farsa.

MEFISTÓFELES: O sangue é uma substância muito especial.

FAUSTO: Não tenhas medo de que eu rompa o acordo. O que agora mesmo te prometo está ao alcance de minhas forças. Minha soberba cresceu tanto, que agora passei a pertencer a tua classe. O Espírito sublime me tratou com desdém, e a Natureza já não se revela diante de meus olhos. Rompeu-se o fio do meu pensamento, e faz tempo que a Ciência me aborrece. Possam as paixões que ardem dentro de mim derreter-se nos abismos da sensualidade. Que se esconda todo milagre atrás de um impenetrável e mágico véu. Que os acontecimentos se sucedam vertiginosamente, consumidos pela voragem do tempo! Que se alternem aleatoriamente dores e prazeres, triunfos e fracassos. O homem somente se afirma como tal quando em atividade incessante.

MEFISTÓFELES: Não te serão impostos quaisquer limites ou condições. Se preferires apenas experimentar superficialmente isso ou aquilo, faze-o como bem entenderes. Não sejas tolo: usa e abusa do que estou pondo a teu dispor.

FAUSTO: Já te disse que não se trata apenas de simples prazeres. Interessam-me, isso sim, os que provocam vertigem, aqueles mais pungentes, o ódio que excita, o enfado que reconforta. Liberto da ânsia do saber, meu peito jamais se recusará a padecer qualquer tipo de dor. Quero sentir dentro de mim tudo aquilo que os homens algum dia já sentiram. Quero experimentar pessoalmente os mais sublimes ideais e os mais baixos instintos, abrigando no peito deleites e dores, para destarte ampliar meu próprio ser, convertendo-o numa síntese da humanidade, para, ao final, sucumbir junto com ela.

MEFISTÓFELES: Confia em mim, que há milhões de anos mastigo sem cessar esse áspero bocado. Homem algum, do berço à sepultura, teve de digerir esse velho fermento! A totalidade, podes crer, foi reservada para Deus. Por todo o sempre, a luz eterna O cerca, enquanto que, para nós, só foi deixada a densa treva, e, para vós, a alternância do dia e da noite.

FAUSTO: Mesmo assim, é isso que eu quero.

MEFISTÓFELES: Combinado. Mas há uma coisa que me atemoriza: é muita arte para pouca vida. Acho que deverias, primeiro, aprender a viver. Associa-te com algum poeta e deixa que ele se empenhe em encontrar ideias e coroar tua cabeça laureada com outras nobres qualidades: a coragem do leão, a rapidez do cervo, o sangue ardente do italiano, a tenacidade dos filhos do Norte. Delega-lhe a incumbência de descobrir o segredo de unir a magnanimidade e a astúcia com o cálido impulso juvenil que, obedecendo a um plano, te encaminhe na arte de amar. Se eu viesse a conhecer alguém assim, dar-lhe-ia o apelido de Microcosmo.

FAUSTO: Que sou, então, se não me é possível alcançar, com meu próprio valor, a coroa da humanidade, aquela para a qual tendem todos os meus sentidos?

MEFISTÓFELES: És aquilo que és, nem mais, nem menos. Ainda que ponhas na cabeça uma basta cabeleira postiça e calces sapatos de saltos altos, continuarás sendo aquilo que és.

FAUSTO: Sinto que acumulei em vão os tesouros do espírito humano. Quando medito, não brota força alguma dentro do meu peito, não fico um pelo mais alto, nem me aproximo um dedo do Infinito.

MEFISTÓFELES: Ah, meu prezado, enxergas as cousas tais como o vulgo as vê. É preciso agir com mais argúcia, antes que o prazer de viver se nos escape. Que diabo! As mãos, os pés, a cabeça e até o traseiro são teus, mas não será por isso menos teu tudo aquilo que puderes desfrutar e que está regurgitando de vida? Se podes comprar seis cavalos, suas forças não passam a ser tuas? Sem que percas tua condição humana, não podes galopar com vinte e quatro patas? Portanto, deixa de lado essas ideias e sai pelo mundo afora! Tem em mente que quem muito fica a cismar age igual a um animal que, incitado por um espírito maligno, fica a girar em torno de si próprio, numa descampado árido, sem saber que perto dali existem belas pradarias verdejantes.

FAUSTO: Como vamos começar?

MEFISTÓFELES: Vamo-nos embora, e sem perda de tempo, desse antro de sofrimento. Que vida é essa em que nada mais fazes senão aborrecer-te e aborrecer a moçada? Deixa isso para teu vizinho, o Senhor Pança! De que vale ficar aí desfiando palha? O que sabes de melhor, não te atreves a dizê-lo aos rapazes... Aliás, já estou escutando as passadas de um deles aí no corredor!

FAUSTO: Agora não posso recebê-lo.

MEFISTÓFELES: Há longo tempo esse rapaz está esperando: não podemos deixá-lo ir embora desapontado. Anda, dá-me tua capa e teu barrete. Esse disfarce me assenta bem. *(Veste-se).* Deixa-o comigo! Um quarto de hora me basta. Enquanto isso, trata de preparar-te para a nossa viagem.

(Fausto sai).

MEFISTÓFELES *(já envergando aos trajes de Fausto):* Bastará que eu despreze a Razão e a Ciência, as mais poderosas forças do homem, e dê asas ao espírito da trapaça e às artes do ilusionismo e da magia, para que o tenha incondicionalmente em minhas mãos. O destino dotou-o de uma ânsia de avançar sem se deter, e de aspirações irrefletidas que ultrapassam os prazeres do mundo. Pois eu hei de arrastá-lo pelos meandros de uma vida agitada, fornecendo-lhe aquilo que é irrelevante e insignificante. Em breve, não mais saberá viver sem mim, e eu o deixarei manietado. Para aumentar sua insaciabilidade, farei passar comida e bebida diante de seus sequiosos lábios, e ele debalde haverá de clamar por alívio. Ainda que ao demônio ele não se entregasse, mesmo assim iria sucumbir!

(Entra um estudante).

ESTUDANTE: Cheguei há pouco e, reverentemente, logo quis vir aqui conhecer e escutar aquele de quem todos me falam com respeito.

MEFISTÓFELES: Parabéns te dou por tua educação. Estás diante de um homem como outro qualquer. Em que outros locais estiveste anteriormente?

ESTUDANTE: Rogo-vos que me aceiteis como vosso discípulo. Vim com toda a disposição. Trouxe algum dinheiro e tenho sangue jovem e saudável. Minha mãe não queria que eu partisse, mas eu anseio por aprender algo com respeito às Leis.

MEFISTÓFELES: Então vieste ao lugar certo.

ESTUDANTE: Falando francamente: o meu desejo era ir embora já! Estas aulas ministradas entre paredes não me deixam lá muito à vontade, O espaço é muito limitado. Não se vê coisa alguma verde, nem sequer uma árvore, e, sentado nos bancos das aulas, noto que pouca coisa escuto, vejo e sinto.

MEFISTÓFELES: Mera questão de se acostumar. No início, mesmo os bebês não aceitam de bom grado o peito materno. De modo idêntico, aos poucos acostumar-te-ás ao seio da Ciência, desfrutando dele a cada novo dia com maior deleite.

ESTUDANTE: Bem que eu gostaria de já estar nesse regaço, mas como farei para chegar lá?

MEFISTÓFELES: Antes que eu te ensine, dize-me: que faculdade escolheste?

ESTUDANTE: Desejo obter uma certa erudição e saber o que existe sobre a Terra e sob o céu, ou seja, conhecer a fundo a Ciência e a Natureza.

MEFISTÓFELES: Estás no bom caminho. Cuida de não te desviares.

ESTUDANTE: Estou disposto a segui-lo, de corpo e alma, mas confesso que me agradaria ficar livre e poder distrair-me nos feriados.

MEFISTÓFELES: Emprega bem o tempo, pois ele não para. A disciplina te ensinará a aproveitá-lo. Por isso, querido amigo, o conselho que te dou é que te matricules logo de início no Colégio de Lógica. Ali adestrarão teu pensamento, impondo-lhe botinas apertadas para que possas avançar pelas sendas do espírito, sem ires atrás de ninharias, vagando a esmo por aí. Um dia aprenderás que as coisas até então feitas sem pensar, como por exemplo comer e beber, exigirão de ti que previamente contes um, dois, três antes de iniciá-las. O certo é que a máquina do pensamento é como aquelas das tecelagens, nas quais basta uma pisada para movimentar mil fios de uma só vez. Feito isso, a lançadeira se põe a funcionar, subindo e descendo, e cada movimento seu mil tramas acarretará. O filósofo que analisar esse tema haverá de demonstrar-te que é assim, porque, se o primeiro assim for, assim será o segundo, e assim serão o terceiro e o quarto. E se o primeiro e o segundo não forem assim, o terceiro e o quarto nunca assim serão. Isso o sabem todos estudantes, embora nenhum deles se torne um tecelão. Quem quer conhecer e descrever algo vivo, começa por deitar-lhe fora o espírito, para assim estudá-lo parte por parte. O problema é que, desse modo, não terá como estudar os vínculos espirituais. É o que se denomina "manipular a Natureza", expressão usada em Química para debochar de si própria.

ESTUDANTE: Não consigo entender-vos completamente.

MEFISTÓFELES: Com o tempo entenderás melhor, depois de aprenderes como reduzir todas as coisas, classificando-as corretamente.

ESTUDANTE: Sinto-me tonto, como se me girasse na cabeça uma roda de moinho!

MEFISTÓFELES: Mais tarde, antes de estudares outras coisas, dedica-te à Metafísica. Verás como se pode compreender com clareza o que não cabe na mente humana. Com o auxílio dela, precisando ou não, sempre teremos a nossa disposição uma frase brilhante. Neste semestre, antes de tudo, procede da melhor forma: assiste a cinco lições por dia, e entra em sala tão logo soe a campainha. Prepara com capricho a lição a ser ministrada, estudando muito bem os assuntos, pois assim verás que nada dizem os mestres diferente daquilo que consta no livro. E esforça-te por tomar notas de tudo o que escutares, como se quem estivesse lecionando fosse o próprio Espírito Santo.

ESTUDANTE: Não precisas dizer-me isso duas vezes! Sei que se trata de um ótimo conselho, pois quando se tem o preto sobre o branco, pode-se ir pra casa sem problemas.

MEFISTÓFELES: Mas, antes, escolhe tua faculdade!

ESTUDANTE: Não me dou bem com o Direito.

MEFISTÓFELES: Não vou condená-lo por isso. Sei o que ocorre com essa doutrina. A Lei e o Direito se transmitem como moléstia incurável, de geração em geração, de um lugar ao outro. A Razão se converte em algo absurdo; a bondade, em prejuízo, e ai de ti se pertenceres à segunda geração de descendentes! Com o direito natural que conosco nasceu, ninguém se preocupa.

ESTUDANTE: Com isso, fazeis com que aumente a minha aversão. Ditoso aquele que escuta vossas lições! Começo a cogitar de estudar Teologia.

MEFISTÓFELES: Não que eu queira influenciar-te, mas, no que concerne a essa ciência, é difícil evitar que a pessoa acabe seguindo pelo caminho errado. Tanto veneno nela existe que mal se pode distingui-la da Medicina. O bom sistema consiste em dares ouvidos a apenas um mestre, confiando cegamente em suas palavras. E restringe-te definitivamente às palavras, pois assim entrarás pela porta segura do templo da Certeza.

ESTUDANTE: Mas algum conceito deverá estar contido nessas palavras!

MEFISTÓFELES: Claro! Mas não há por que te angustiares, pois justamente onde faltar um conceito é que as palavras melhor se encaixarão. Com as palavras se pode discutir acertadamente; com elas se pode construir um sistema, nelas podemos crer. Não há que delas se tirar sequer um jota.

ESTUDANTE: Perdoai incomodar-vos com tantas perguntas, mas permiti que ainda vos importune com um pedido. Acaso poderíeis dar-me um conselho sincero sobre a Medicina? Três anos são tempo muito curto para estudar um campo tão vasto. Mas quando nos guia um bom conselho, é possível caminhar com maior segurança.

MEFISTÓFELES *(falando consigo mesmo)*: Estou cansado de me fingir de sóbrio. Vou voltar ao papel de demônio. *(Em voz alta)*: É fácil compreender o sentido da Medicina. Ela estuda o grande e o pequeno, para por fim deixar tudo ao deus-dará. Perdes teu tempo suando numa vã perseguição atrás dessa ciência. Ninguém aprende mais do que lhe permite sua capacidade de aprender. O homem vitorioso é aquele que sabe aproveitar seu momento. Tens boa constituição física e não te falta audácia. Se confiares em ti, todos farão o mesmo. Aprende especialmente a dominar as mulheres, a escutar suas queixas sem fim, seus mil achaques, que com remédios simples se curam. Bastará que te comportes com razoável decência para que as tenha todas a teus pés. O simples título que ostentas irá convencê-las de que tua arte é superior à dos outros homens. Logo de início, não hesites em fazer coisas que outro levaria anos para conseguir. Aprende a tomar-lhes o pulso, a examiná-las com olhar atrevido e fogoso, a apalpar-lhes a esbelta cintura, para conferir se estariam ou não usando um espartilho demasiado apertado...

ESTUDANTE: Isso aí me soa bem! Dá para ver o onde e o como.

MEFISTÓFELES: Querido amigo, toda a teoria é cinzenta, mas é verde a áurea árvore da vida.

ESTUDANTE: Juro que me sinto como se estivesse sonhando! Poderia incomodar-vos algum outro dia, para escutar o que tendes a dizer sobre os fundamentos de vossa sabedoria?

MEFISTÓFELES: No que depender de mim, não haverá problema.

ESTUDANTE: Não posso ir embora sem apresentar-vos meu álbum de lembranças, pedindo-vos que nele escreva alguma coisa.

MEFISTÓFELES *(lendo enquanto escreve)*: *"Sereis como Deus, conhecedores do Bem e do Mal"*.

(Fecha o álbum reverentemente e, depois que o estudante se despede, comenta):

Bastará que sigas o conselho de minha tia, a Serpente, e um dia a semelhança com Deus haverá de te causar desgosto!

(Entra Fausto).

FAUSTO: Aonde iremos?

MEFISTÓFELES: Para onde quiseres! Visitaremos o mundo grande e o mundo pequeno. Que prazer e que proveito não haverás de tirar de tal viagem!

FAUSTO: Apesar de minha longa barba, falta-me naturalidade no trato social. Não creio que seja proveitosa a tentativa, por não saber como agir na vida mundana. Sinto-me tão pequeno entre os homens, tão acanhado...

MEFISTÓFELES: Meu bom amigo, tudo haverá de vir no seu devido tempo. Logo que adquirires confiança em mim, aprenderás a viver.

FAUSTO: E como sairemos? Onde estão a carruagem, os cavalos e o cocheiro?

MEFISTÓFELES: Basta abrirmos as capas, que elas nos transportarão pelos ares. Para esta ousada viagem, porém, não deverás levar coisa alguma contigo. O ar aquecido, que já tenho aqui adrede preparado, nos alçará do solo. Como estamos leves, logo subiremos. Meus parabéns por tua nova vida!

8. Palavra aramaica empregada no Evangelho para personificar as riquezas da iniquidade.

TABERNA DE AUERBACH, EM LEIPZIG

(Reunião de alegres camaradas).

FROSCH: E aí, minha gente? Ninguém bebe, ninguém ri? Já-já vos ensinarei a não ficar com essas caras amarradas! Mas logo vós outros, que costumais arder em chamas, por que estais hoje como se fôsseis palha molhada?

BRANDER: A culpa é tua, que nenhum ato ridículo ou gesto maluco nos mostraste!

FROSCH *(despejando-lhe uma jarra de vinho na cabeça):* Pois aí tendes os dois.

BRANDER: Um porco em dobro, eis o que és!

FROSCH: Recebeste o que me tinhas acabado de pedir.

SIEBEL: Para fora quem quer brigar! Aqui dentro, o negócio é cantar, é beber, é gritar! Hei, hei, hei!

ALTMAYER: Ai de mim, estou perdido! Por favor, algodão para os meus ouvidos, que esse sujeito os está querendo estourar!

SIEBEL: Quando o teto produz eco é que se sente a potência da voz do baixo.

FROSCH: Vamos lá! Os incomodados que se retirem. Laraiá, laraiá!

ALTMAYER: Laraiá, laraiá!

FROSCH: As gargantas estão afinadas!

(Cantando):
O Sacro Império Romano[9]
Como pode estar de pé?

BRANDER: Repugnante! Uma canção política e soturna! Esquece essa história de Sacro Império Romano e trata de dar graças a Deus por todos os teus dias. Quanto a mim, me dou por feliz de não ser imperador nem chanceler, embora reconheça a falta que faz um comandante. Vamos eleger o nosso Papa! Como sabeis, o importante é a qualidade. É ela que eleva o homem.

FROSCH
(canta):
Vai, rouxinol, e diz a minha amada
Que eu penso nela até de madrugada.

SIEBEL: Deixa a amada em paz e muda de assunto.

FROSCH: Ninguém vai me impedir de declarar a ela o meu amor!

(Canta):
Abre-se o trinco, na noite deserta;
Abre-se o trinco, e eis que ela desperta
para fechá-lo ao amanhecer.

SIEBEL: Isso! Canta para ela! Exalta e louva a bem-amada! Vamos ver quem de nós dois vai rir por último! A mim, ela enganou; a ti, fará o mesmo. O que ela apreciaria mesmo seria refocilar-se com algum duende numa trilha escura, e que um bode velho passasse por ela a galope e lhe berrasse "boa noite" quando os dois estivessem voltando de um conciliábulo realizado no alto do Blocksberg[10]. Para essa sirigaita seria bom demais um rapaz de carne e osso. A única saudação que ela merece é que lhe joguem pedras na vidraça da janela!

BRANDER (*esmurrando a mesa*): Atenção todos! Escutai o que tenho a dizer! Haveis de confessar, senhores, que sou um sujeito que sabe viver. Temos aqui pessoas apaixonadas e muito bem educadas. Ao mesmo tempo em que lhes damos boa noite, temos de brindá-las com algo. Portanto, atenção! Em homenagem aos apaixonados, vou cantar a canção que está em voga! Peço que me ajudeis a cantar o estribilho.

(Canta).
Numa despensa havia uma rata
que só comia manteiga e nata.
Tinha uma pança em forma de zero,
como a que tinha o Doutor Lutero.
Mas a copeira, que a descobriu,
lhe deu veneno, e ela o ingeriu;
com isso, a vida tornou-se dor,
qual se abrigasse no peito o amor.

TODOS EM CORO:
Qual se abrigasse no peito o amor.

BRANDER:
Com sensação de sede inclemente,
pôs-se a roer o que via em frente,
e em todo charco ou poça que via,
nele parava e a água bebia.
Mas nada disso lhe adiantou,
pelo contrário, a dor aumentou
e, além da sede havia o calor,
qual se abrigasse no peito o amor.

TODOS EM CORO:
Qual se abrigasse no peito o amor.

BRANDER.
Quando, por fim, chegou a tardinha,
cruzou correndo toda a cozinha;
sem dar por si, entrou no fogão,
a contorcer-se com aflição.
Viu-a a copeira nessa agonia
e riu contente, pois, o que via?
Um ser tomado de angústia e dor,
qual se abrigasse no peito o amor.

TODOS EM CORO:
Qual se abrigasse no peito o amor.

SIEBEL: Como se divertem esses rapazes simplórios! Parece que lhes apraz ouvir discorrer sobre esse tema do envenenamento dos ratos!

BRANDER: Gostas deles?

ALTMAYER: O careca barrigudo se comove com a desgraça dos infelizes. É que ele vê, na ratazana inchada, sua própria imagem refletida!

(Entram Fausto e Mefistófeles).

MEFISTÓFELES: Para início de conversa, quero introduzir-te na companhia de gente alegre, a fim de conheceres o prazer de viver. Para esses daqui, todo dia é dia de festa. Com pouco talento e muita alegria, giram e dançam em seus estreitos círculos, como gatinhos correndo atrás do rabo. Enquanto não se queixam de dor de cabeça, o taberneiro não hesita em vender-lhes fiado, e assim vivem todos satisfeitos e despreocupados.

BRANDER; Esses aí, de aspecto estranho, parecem ser viajantes. Eu diria que não faz nem uma hora que aqui chegaram.

FROSCH: Tens razão. É por isso que adoro minha Leipzig. É como uma pequena Paris, que deixa sua marca nas pessoas.

SIEBEL: De onde crês que vêm esses forasteiros?

FROSCH: É o que logo iremos saber. Com um copinho e com a facilidade com que se extrai um dente, vou arrancar o que quiser desses tipos. Pelo ar altivo e desdenhoso que possuem, eu diria que são da classe alta.

BRANDER: Pois aposto que não passam de charlatães.

ALTMAYER: Talvez sejam.

FROSCH: Vede como troçarei deles.

MEFISTÓFELES *(dirigindo-se a Fausto):* A gentalha jamais suspeita da minha presença, mesmo quando os estou pegando pelo gasganete.

FAUSTO: Nossos cumprimentos a todos os senhores!

SIEBEL: Sejam bem-vindos, cavalheiros! *(Baixo, olhando de soslaio para Mefistófeles):* Por que será que esse aí puxa de uma perna?[11]

MEFISTÓFELES: Permitis que nos sentemos convosco? Já que aqui não se tem um bom trago, que ao menos possamos desfrutar de vossa boa companhia.

ALTMAYER: Vossa Excelência parece estar acostumado à boa vida.
FROSCH: Saístes com atraso de Rippach? Por acaso ceastes na casa do Mestre Hans?[12]
MEFISTÓFELES: Não, hoje só o vimos de passagem. Outro dia, porém, estivemos conversando com ele, que nos falou muito de vós, que sois seus primos, pedindo que mandássemos suas lembranças para todos. *(Inclina-se para Frosch).*
ALTMAYER *(em voz baixa):* Essa terás de engolir. O sujeito entende do riscado.
SIEBEL: Esperto como ele só!
FROSCH: Deixa estar que o pego no primeiro descuido.
MEFISTÓFELES: Se não me engano, ao chegarmos, escutamos um coral de vozes bem afinadas. O canto deve ressoar muito bem sob estas abóbadas altas.
FROSCH: O prezado leva jeito de ser um exímio cantor.
MEFISTÓFELES: Oh, não! Como cantor, sou fraco, embora goste muito de cantar.
ALTMAYER: Então, canta alguma coisa para nós.
MEFISTÓFELES: Conheço diversas canções. Posso cantar uma, se assim quiserdes.
SIEBEL: Pois canta uma nova.
MEFISTÓFELES: Chegamos há pouco da Espanha, a bela terra do vinho e das canções.

(Canta):
Faz muito tempo houve um rei
que uma pulga quis criar...

FROSCH: Ouvistes? Uma pulga! Isso, sim, é que é um hóspede distinto!

MEFISTÓFELES
(recomeçando a canção):
Faz muito tempo houve um rei
que uma pulga quis criar.
Tanto amou aquele inseto
que o decidiu adotar.
Chamando o seu alfaiate,
fez a recomendação:
"Tira as medidas e faze
calça, camisa e gibão."

BRANDER: Não se esqueça o alfaiate de medi-la com o máximo rigor, e, se tem estima por sua cabeça, que não lhe deixe prega alguma nas calças!

MEFISTÓFELES:
Vestida com finas sedas,
ficou diferente de antes,
do seu gibão pendem fitas,
uma cruz de ouro e brilhantes.

Para ministro de estado,
não custou a nomeação,
nem tardou a cerimônia
da grã condecoração.

Seus parentes granjearam
fama, renome e respeito.
passando a picar, na Corte,
todos, a torto e a direito.

As damas e os cortesãos
muito despeito sentiam
pois, mesmo quando picados,
nem coçar-se eles podiam.

Conosco é bem diferente,
tal vexame não passamos,
pois, se uma pulga nos pica,
entre as unhas a esmagamos!

CORO
(jubiloso):
Pois, se uma pulga nos pica,
Entre as unhas a esmagamos!

FROSCH: Bravo! Bravíssimo! Foi ótimo!
SIEBEL: É isso aí que as pulgas merecem!
BRANDER: Há que segurá-las entre as unhas e esmagá-las.
ALTMAYER: Viva a liberdade! Viva o vinho!
MEFISTÓFELES: Eu bem gostaria de erguer um brinde à liberdade, se vosso vinho fosse de melhor qualidade.
SIEBEL: Não queremos ouvir-te dizer isso de novo.
MEFISTÓFELES: Se eu tivesse certeza de que o taberneiro não se iria ofender, de bom grado serviria aos distintos senhores o vinho superior de minha adega.
SIEBEL: Pode trazer, e deixa o patrão comigo.
FROSCH: Serve-nos um bom trago e cantaremos em teu louvor. Mas não nos venhas com amostras acanhadas, porque eu, para julgar, preciso ter a boca cheia.
ALTMAYER *(em voz baixa):* Eles parecem ser do Reno.
MEFISTÓFELES: Arranjai-me uma pua.
ALTMAYER: Aí atrás do taberneiro há um cesto cheio de ferramentas.
BRANDER: Para quê? Será que tens escondidos alguns tonéis atrás da porta?
MEFISTÓFELES *(pega uma pua e se dirige a Frosch):* Que vinho gostarias de provar?
FROSCH: Mas que significa isso? Tendes vinhos de vários tipos?

MEFISTÓFELES: Ofereço a cada qual seu preferido.

ALTMAYER *(a Frosch):* Vejo que já estás lambendo os beiços!

FROSCH: Bem, já que posso escolher, prefiro tomar um vinho do Reno, pois é da mãe-pátria que nos vem o que há de melhor.

MEFISTÓFELES *(enquanto vai furando um buraco no canto da mesa, defronte ao lugar ocupado por Frosch):* Arranja-me um pouco de cera para fazer tampões.

ALTMAYER: Ah, são truques de ilusionismo!

MEFISTÓFELES: Que vinho vais querer?

BRANDER: Quero vinho de Champagne, e bem espumante.

MEFISTÓFELES *(continua girando a pua, enquanto o outro vai preparando e colocando os tampões de cera):* Não se pode estar constantemente evitando os artigos estrangeiros. Com frequência se encontra o que é bom vindo de longe. Um alemão autêntico não suporta um francês, mas bebe com prazer seus vinhos.

SIEBEL *(enquanto Mefistófeles se aproxima de seu lugar):* Pois confesso que não gosto dos secos. Dá-me um copo de genuíno vinho doce.

MEFISTÓFELES *(girando a pua):* Já, já sairá daqui um tócai.

ALTMAYER: Olha-me bem nos olhos, senhor. Acaso estarás querendo passar a perna em todos nós?

MEFISTÓFELES: Que estás dizendo? Seria um desaforo tentar ludibriar hóspedes tão distintos! Rápido, dize-me francamente que vinho queres que te sirva.

ALTMAYER: Qualquer um. E não faças tantas perguntas.

(Depois que os buracos abertos foram todos tapados).

MEFISTÓFELES
(com gestos grandiosos):
Nasce a uva da cepa da videira,
nasce o chifre da testa do bode.
O vinho é suco, a cepa é madeira;
a mesa é de pau e também pode
produzir o vinho e até o vinagre;
podeis crer: trata-se de um milagre!

Portanto, as tampas tirai
e do vinho desfrutai.

TODOS
(enquanto tiram os tampões e despejam nos copos o vinho desejado):
Eis a fonte da alegria.
que nossa sede sacia!

MEFISTÓFELES: Tende cuidado de não derramar uma gota sequer.

TODOS
(cantando):
Nós somos canibais e glutões,
Vamos comer quinhentos leitões.

MEFISTÓFELES: Todos estão muito à vontade. Vê como se divertem!

FAUSTO: Gostaria de ir embora já

MEFISTÓFELES: Fica mais um pouco e verás como se manifestará a bestialidade em todo o seu esplendor.

SIEBEL *(descuido, derrama o vinho, que ao cair no chão se inflama):* Socorro! Fogo! Socorro! São as labaredas do inferno!

MEFISTÓFELES *(dirigindo-se à chama):* Sossega, elemento amigo. *(Dirigindo-se aos compadres):* Isso aí foi apenas uma fagulha que escapou do Purgatório.

SIEBEL: Que estás fazendo? Vais pagar caro por isso. Creio que não sabes com quem estás tratando.

FROSCH: Que não te atrevas a repetir essa brincadeira!

ALTMAYER: Acho melhor pedir-vos que vos retireis daqui.

SIEBEL: Que pretendes, senhor? Queres divertir-te à nossa custa com esses truques baratos?

MEFISTÓFELES: Cala a boca, tonel de vinho!

SIEBEL: Ah, seu cabo de vassoura! Ainda por cima te atreves a nos insultar?

BRANDER: Espera para ver a chuva de pauladas que vamos te aplicar!

ALTMAYER *(arranca da mesa um tampão e logo sai uma labareda do orifício):* Ui! Estou queimando!

SIEBEL: Bruxaria! Vamos dar cabo dele!

(Tiram suas facas dos bolsos e se aproximam de Mefistófeles).

MEFISTÓFELES
(com gestos solenes):
Imagens falsas e irreais:
vós, que os sentidos transtornais,
estai aqui.
estai ali!

(Ficam todos aturdidos, entreolhando-se).

ALTMAYER: Onde estou? Que lugar lindo!

FROSCH: Será que estou vendo um vinhedo?

SIEBEL: Os cachos estão ao alcance da mão!

BRANDER: Debaixo dessas folhas verdes, que cachos! Que uvas!

(Agarra Siebel pelo nariz. Os outros repetem seu gesto
entre si, enquanto erguem suas facas).

MEFISTÓFELES *(prosseguindo com os gestos solenes):* Ó Ilusão, tira-lhes as vendas dos olhos. Pronto: agora já sabeis como é que o diabo se diverte!

(Desaparece com Fausto, enquanto os companheiros se soltam uns dos outros).

SIEBEL: Que foi que aconteceu?
ALTMAYER: Como?
FROSCH: Este aqui era o teu nariz?
BRANDER *(a Siebel):* O teu está aqui na minha mão!
ALTMAYER: Isto que aconteceu me deixou de pernas bambas. Trazei-me uma cadeira, antes que eu caia.
FROSCH: Alguém poderia me explicar o que foi que aconteceu?
SIEBEL: Onde está aquele sujeito? Se o pego, não me escapa vivo!
ALTMAYER: Acho que o vi sair pela porta cavalgando um tonel. Meus pés estão pesados como se fossem de chumbo. *(Voltando para a mesa).* E o vinho parou de manar!
SIEBEL: Foi tudo um engodo, uma mistificação.
FROSCH: Pois sinto dentro de mim como se de fato tivesse bebido vinho.
BRANDER: E como foi aquilo das uvas?
ALTMAYER: Agora quero ver quem diz que não se deve crer em milagres...

9. Fundado por Oto, o Grande em 962, o Sacro Império Romano Germânico só foi dissolvido em 1808, ano em que se publicou a primeira edição do Fausto.
10. Montanha da cordilheira do Harz na qual se acreditava que eram realizadas reuniões de bruxas e cerimônias pagãs.
11. Reza a tradição que, por ter caído do céu, o diabo teria quebrado a perna.
12. Personagem imaginário, mencionado nas brincadeiras dos estudantes como a personificação da mentira.

COZINHA DA BRUXA

(Sobre um fogareiro aceso vê-se um caldeirão. No vapor que dele sai podem-se divisar diversos vultos. Uma macaca está sentada diante do fogareiro, mexendo cuidadosamente o conteúdo do caldeirão, para evitar que ele derrame. A seu lado estão o macaco e os macaquinhos, aquecendo-se. As paredes e o teto estão ataviados com os mais extravagantes apetrechos de bruxaria).

(Entram Fausto e Mefistófeles).

FAUSTO: Enoja-me esta horrenda bruxaria! E tu me prometeste que eu iria encontrar minha cura neste antro de horror? Para tanto, terei de pedir conselhos a uma velha? E essas repelentes artes culinárias acaso terão o poder de tirar-me trinta anos dos costados? Ai de mim, se é que não conheces uma solução melhor! Será que não se encontra na Natureza, ou por inspiração de algum espírito sagaz, um bálsamo adequado a tal fim?

MEFISTÓFELES: Amigo, apreciei tua perspicácia. Com efeito, para fazer-te mais jovem, existe um meio natural, mas que vem descrito noutro livro, num capítulo secreto.

FAUSTO: Quero saber que meio é esse.

MEFISTÓFELES: Trata-se de um meio que não requer dinheiro, medicina ou feitiçaria: Vai agora mesmo para o campo e põe-te a roçar e a cavar; mantém teu pensamento dentro de um círculo restrito; consome alimento frugal e pouco temperado; busca a companhia do rebanho e não te recuses a adubar o chão que ceifas! Crê-me, esse é o método ideal para se chegar jovem aos oitenta!

FAUSTO: Não estou acostumado a essa vida, e sequer sei como empunhar uma enxada. Não me apetece pensar em viver com tamanha limitação.

MEFISTÓFELES: Sendo assim, não poderás prescindir do auxílio da bruxa.

FAUSTO: Mas por que teria de ser justamente a velha? Não poderias tu mesmo preparar a beberagem?

MEFISTÓFELES: Seria para mim uma tremenda perda de tempo! Antes mil pontes construir! Além de não dominar essa arte e essa ciência, falta-me a necessária paciência para me aplicar anos e anos nesse estudo e na longa espera de que a fermentação faça seu efeito. E como é difícil obter os ingredientes exóticos que essa poção exige! Foi o demônio quem ensinou a receita, mas ele próprio não sabe prepará-la. *(Apontando para os animais):* Veja só que tipos bonitinhos! Essa ali é a aia, esse ali o criado. *(Dirigindo-se aos animais):* Pelo que vejo, a dona da casa não se encontra aqui neste instante.

OS ANIMAIS.
Foi cear e deu no pé.
Saiu pela chaminé.

MEFISTÓFELES: Que tempo ela costuma gastar quando assim sai?

OS ANIMAIS:
O mesmo que dispendemos
quando as patas aquecemos.

MEFISTÓFELES *(dirigindo-se a Fausto):* Que te parecem esses graciosos bichinhos?

FAUSTO: Os mais sem-graça que já vi.

MEFISTÓFELES: Pois olha, uma conversa como esta é precisamente a que mais prazer me proporciona!

(Dirigindo-se aos animais): Então, dizei-me, que mingau é esse que estais cozinhando nesse panelão?

OS ANIMAIS
Para os pobres, uma sopinha:
é o que aqui se cozinha.

MEFISTÓFELES: Sendo assim, tereis muitos comensais.

O MACACO
(acercando-se de Mefistófeles e tentado bajulá-lo):
Vem jogar dados comigo,
porque quero ficar rico.
Faze-me ganhar, amigo;
senão, muito triste eu fico.
Se um bom dinheiro eu ganhar,
por sensato irei passar.

MEFISTÓFELES: Como esse símio ficaria feliz se pudesse apostar na loteria!

(Nesse instante, os macaquinhos se põem a brincar
com uma grande bola dourada, fazendo-a girar).

O MACACO
É assim que o mundo caminha:

sobe e desce sem parar,
nunca para de rodar.
Ressoa como um cristal,
e à toa pode quebrar.
Está vazio no centro,
brilha por fora e por dentro,
cheio de vida como eu.
Tem cuidado, filho meu,
pois um dia morrerás,
como o mundo, que é de barro
e que em cacos se desfaz.

MEFISTÓFELES: E esse crivo, para que serve?

O MACACO
(apanhando o crivo):
Se tu fosses um ladrão,
os que olharem pelo crivo
a ti reconhecerão.

*(Corre até onde se encontra a macaca e a faz
olhar através do crivo, dizendo):*
Espia através do crivo,
para o ladrão conhecer.
Podes seu nome dizer?

MEFISTÓFELES (*acercando-se do fogo):* E para que serve a caçarola?

O CASAL DE MACACOS
Tão simplório e toleirão!
Desconhece a caçarola,
assim como o caldeirão!

MEFISTÓFELES: Que bicho mais mal-educado!

O MACACO:
Com esse abano na mão,
senta-te aqui, meu irmão.

(Insta com Mefistófeles para que se sente numa poltrona).

FAUSTO *(que até então estivera diante do espelho, ora se aproximando, ora se afastando dele):* Que vejo? Que visão celestial se reflete neste espelho mágico? Oh, Cupido, empresta-me tuas asas ligeiras e leva-me para junto dela! Ah, receio que ela se esvaia caso dela me aproxime! Esta é a mais bela imagem de mulher que já contemplei! Como é possível ser assim tão formosa? Creio que, no corpo reclinado dessa mulher, esteja contida a síntese de toda a beleza que os céus criaram. Será que algo semelhante possa existir na Terra?

MEFISTÓFELES: Claro! Se Deus labutou durante seis dias, e no último se parabenizou pela obra que realizou, é porque deve ter produzido algo muito bem imaginado. Por esta vez, farta-te de vê-la. Vou ajudar-te a encontrar esse pequeno tesouro, e feliz daquele que tiver a boa sorte de levá-la para casa como esposa.

(Fausto permanece olhando para o espelho, enquanto
Mefistófeles se estende na poltrona, fica brincando
com o abano e continua falando):

Aqui estou, sentado como um rei no trono. Eis-me de cetro na mão; só me falta a coroa.

OS ANIMAIS
(que até então não haviam parado de fazer macaquices, trazem agora para Mefistófeles uma coroa, em meio a grande alarido):
Se dessa tua cabeça
suor e sangue escorrer,
põe sobre ela esta coroa,
que ninguém vai perceber.

(Caminhando desajeitadamente com a coroa nas mãos, acabam por parti-la em dois pedaços, pondo-se então a girar e a saltar):
Acabou-se o que era doce,
mas era fácil prever
que isto iria acontecer...

FAUSTO *(diante do espelho):* Ai de mim! Estou prestes a ficar louco!

MEFISTÓFELES *(apontando para os animais):* Até eu estou começando a ficar de cabeça tonta.

OS ANIMAIS:
Sim, muita sorte nós temos
e, se tudo aqui der certo,
mil ideias nós teremos.

FAUSTO *(como antes):* Meu peito começa a arder. Afastemo-nos daqui o quanto antes.

MEFISTÓFELES *(mantendo a postura de antes):* Bem, ao menos temos de reconhecer que são uns poetas muito sinceros.

(O panelão, do qual a Macaca se havia descuidado, começa a ferver, deixando sair uma labareda que sobe pela chaminé. Uma bruxa desce através da chama, emitindo gritos pavorosos).

A BRUXA: Ai, ai, ai! Maldito animal, porcalhona condenada! Tu te descuidaste do caldeirão, deixando que tua ama se chamuscasse, bicho desgraçado! *(Súbito, se dá conta da presença de Fausto e Mefistófeles):* Que houve aqui? E vós quem sois? Que quereis? Quem vos deixou entrar? Que ardam vossos ossos no fogo do inferno!

(Remexe a caldeira com a escumadeira fazendo respingar chamas sobre Fausto, Mefistófeles e os animais, que começam a guinchar).

MEFISTÓFELES
(golpeando as vasilhas de cristal e as panelas com o abano que tem nas mãos):
Para o chão agora irão
o mingau e o caldeirão;
teus vidros, que em caco estão,
tua mistificação;
vê se agora, assombração,
ages com educação!

(A Bruxa recua, tomada de pavor e susto, enquanto ele prossegue):

Não me estavas reconhecendo, espantalho? E então, abantesma, não te recordas de teu amo e mestre? Não sei o que me impede de aplicar-te uma bordoada e destruir a ti e a teus monstrinhos! Perdeste o respeito ao gibão vermelho? Já não te lembras de quem é que usa a pena de galo? Acaso te ocultei meu rosto? Tenho de anunciar-me pelo meu nome?

A BRUXA: Ai, ai, ai, senhor, perdoai essa grosseira recepção, mas é que não vi vossas veneráveis patas de cavalo, nem vossos digníssimos chifres!

MEFISTÓFELES: Desta vez escapas, pois há tempos que não nos víamos. Até mesmo ao demônio se estendeu o refinamento, que hoje retoca a aparência de todo o mundo. É coisa do passado aquele conceito nórdico do diabo. Chega de chifres, de rabo, de garras. E, quanto aos pés, dos quais não posso prescindir, sei que me causaria um certo constrangimento exibi-los em público como eles são. Por isso, como o fazem certos rapazes, faz algum tempo que adotei a moda das botas de cano alto.

A BRUXA *(dançando):* Quase perdi o tino e o entendimento. Eis aqui de novo entre nós o Príncipe Satã!

MEFISTÓFELES: Mulher, mulher, não tornes a repetir esse título!

A BRUXA: Por quê? Que mal faz?

MEFISTÓFELES: Faz já tempo que ele foi escrito no livro das fábulas, sem que por isso os homens tenham melhorado. Estão livres do Maligno, mas os males permaneceram. Chama-me de Senhor Barão, que assim fica melhor. Sou um cavalheiro igual aos outros, não precisas duvidar de meu sangue azul. Vê aqui o meu brasão de armas *(faz um gesto obsceno).*

A BRUXA *(rindo descomedidamente):* Há, há, há! Esse é o vosso estilo! Continuais galhofeiro, como sempre o fostes.

MEFISTÓFELES: Amigo, presta atenção: é esta a maneira de se lidar com as bruxas.

A BRUXA: Agora, dizei-me, senhores, que quereis de mim?

MEFISTÓFELES: Uma boa talagada do seu famoso licor. Mas quero daquele mais velho, cujo efeito redobra com o passar dos anos.

A BRUXA: Com muito gosto. Aqui tenho uma garrafa do licor que eu mesmo costumo beber de vez em quando, e que não tem fedor algum. Ofereço-vos uma taça, com todo o prazer. *(Em voz baixa):* Mas se este sujeito beber sem estar preparado, é certo que não viverá nem uma hora mais.

MEFISTÓFELES: Trata-se de um bom amigo, e o licor lhe fará muito bem. Quero que desfrute do supra-sumo de tuas artes culinárias. Traça um círculo, reza os esconjuros e serve-lhe uma taça cheia.

(A Bruxa, com estranhos gestos, traça um círculo e vai depositando dentro dele estranhíssimos objetos. Entrementes, os vidros *começam a retinir, as panelas a ressoar e emitir música. Finalmente ela traz um livro e chama os macacos para dentro do círculo, fazendo com que eles lhe sirvam de mesa e segurem a tocha. Com um gesto, ordena que Fausto se aproxime).*

FAUSTO *(dirigindo-se a Mefistófeles):* Dize-me, que vai acontecer depois de tudo isso? Esses truques ridículos, esses gestos malucos, essa mistificação de mau gosto, há muito que os conheço e os odeio.

MEFISTÓFELES: Eh, que bobagem! Isso é só uma farsa! Não sejas tão sério. Do mesmo modo que os médicos, também ela tem de fazer uma certa encenação, para que o licor produza seu efeito.

(Impele Fausto para dentro do círculo).

A BRUXA
(começa a declamar com ênfase um parágrafo do livro):
Se sábio já és,
faze, então, de um, dez;
verás: sobram dois,
triplica-os depois,
duplica uma vez
e iguala-os a três:

rico ficarás.
Com o quatro se faz
o cinco, que é o seis;
aplica essas leis:
terás sete e oito.
Não sejas afoito;
se o nove demora,
faze um noves-fora:
o dez vira um,
e o nove, nenhum.
Tabuada de bruxa é assim:
o começo é igual ao fim.

FAUSTO: Acho que a velha está delirando!

MEFISTÓFELES: Pois ainda falta muito para que isso acabe. É assim todo esse livro. Sei disso muito bem, pois perdi muito tempo com ele. Uma contradição perfeita é tanto misteriosa para os sensatos como para os tontos. A arte, amigo, tanto é velha como é nova. Com ela se difundiu para a posteridade o erro, ao invés da verdade: com o três e o um e com o um e o três. Assim se diz e assim se ensina, sem que alguém o conteste. Quem vai discutir com os loucos? Basta que o homem escute palavras misteriosas para crer que elas lhe oferecem assunto para profundas meditações.

A BRUXA
(prosseguindo):
A enorme potência
que tem a ciência
mantém-se escondida,
mas a quem não pensa
que ela compensa,
ela é concedida.

FAUSTO: Que disparates são esses que ela está dizendo? Minha cabeça está a ponto de estourar! Parece-me estar escutando um coro de cem mil dementes!

MEFISTÓFELES: Basta, basta, Dona Sibila. Traze a bebida e enche a taça até a borda. Essa poção não lhe fará mal algum, pois meu amigo é um sujeito de alta graduação, que muitos outros tragos já teve de engolir.

(Muito cerimoniosamente, a bruxa derrama a bebida
num copo. Quando Fausto a leva aos lábios,
surge uma tênue chama).

MEFISTÓFELES: Vamos, vira essa taça de um gole só! Logo tu, que não receias ficar cara a cara com o diabo, agora te assustas ao ver uma chamazinha?

(A Bruxa rompe o círculo e Fausto sai).

MEFISTÓFELES: Vem para fora! Não fiques aí parado!

A BRUXA: Que esse trago não te traga estrago.

MEFISTÓFELES *(dirigindo-se à bruxa):* Se quiseres em troca algum favor, pede-me durante a Noite de Walpurgis[13].

A BRUXA: Levai convosco esta canção. Se a cantardes de vez em quando, logo sentireis o seu efeito.

MEFISTÓFELES *(dirigindo-se a Fausto):* Vamos depressa e deixa-me guiar-te. Terás de suar, para que o poder da poção te invada por dentro e por fora. A partir de agora, ensinar-te-ei a apreciar a nobreza do ócio, e breve notarás com íntimo prazer o despertar de Cupido, que volta a saltar dentro de ti.

FAUSTO: Deixa-me enxergar de novo, no espelho, a imagem daquela belíssima mulher!

MEFISTÓFELES: Não, não! Logo verás em pessoa a mulher de beleza ideal. *(Em voz baixa):* Com essa bebida no corpo, logo enxergarás Helena encarnada em cada mulher que vires...

13. A festa de Santa Walpurgis (ou Valburga), monja beneditina que viveu na Alemanha durante o século VIII, é comemorada na noite de 30 de abril para 1º de maio. Segundo a tradição, trata-se da noite em que se realiza o Grande Conciliábulo das Bruxas, no alto do Brockenberg, ponto culminante do maciço do Harz.

UMA RUA

(Fausto cruza com Margarete).

FAUSTO: Formosa dama, poderia atrever-me a vos oferecer meu braço e minha companhia?

MARGARETE: Não sou dama, tampouco formosa, e posso muito bem voltar para casa sem a companhia de quem quer que seja.

(A jovem continua andando).

FAUSTO: Céus, que moça mais linda! Nunca vi nada igual! Cheia de recato e modéstia, misturados a um certo ar de desdém. Tem lábios rubros e rosto iluminado. Jamais a haverei de esquecer! Gravou-se em meu peito a sua imagem, no momento em que, de olhos baixos, repeliu meus galanteios. Senti estremecer por dentro!

(Chega Mefistófeles).

FAUSTO: Tens de conseguir-me essa jovem.

MEFISTÓFELES: Qual?

FAUSTO: Essa aí que acabou de passar.

MEFISTÓFELES: Aquela ali? Acabou de conversar com seu confessor, que lhe perdoou todos os pecados. Eu me ocultei no confessionário e pude constatar que se trata de uma menina inocente, que só tem a confessar pecadilhos insignificantes. Não tenho poder algum sobre ela.

FAUSTO: Ela já deve ter passado dos quatorze.

MEFISTÓFELES: Falas como um autêntico devasso, que gostaria de colher todas as flores que encontra, imaginando não haver honra nem decência que não se possam tirar. Mas nem sempre é assim que a coisa acaba.

FAUSTO: Ora, falso moralista, não me venhas com sermões! Digo-te em alto e bom som: se esta noite não sentir o palpitar de seu sangue juvenil ao estreitá-la em meus braços, estará rompido o nosso trato quando soar a meia-noite.

MEFISTÓFELES: Mas pensa só no tanto de providências que eu teria de tomar, fazendo e desfazendo! Seriam necessárias ao menos umas duas semanas para consegui-lo!

FAUSTO: Dispusesse eu apenas de sete horas, e não necessitaria do demônio para seduzir essa criaturinha.

MEFISTÓFELES: Estás presunçoso como um francês, mas não te apresses. De que te servirá chegar ao prazer de maneira tão pressurosa? O maior gozo é aquele que se alcança pouco a pouco, lançando mão de todo tipo de embuste. Assim agindo, por fim dominarás inteiramente tua bonequinha, tal como se lê em certos contos estrangeiros.

FAUSTO: Não preciso agir assim para me satisfazer.

MEFISTÓFELES: Pois então vamos conversar sem rodeios. Fica sabendo que, no caso dessa bela menina, nada se conseguirá agindo assim tão rápido. Há que se recorrer à astúcia.

FAUSTO: Traze-me algo do tesouro desse anjo. Leva-me até seu quarto de dormir! Quero ter o lenço que lhe cobriu o colo, e que meu desejo amoroso a envolva e estreite como uma liga!

MEFISTÓFELES: Para que vejas o quanto me comove teu penar e que de fato te quero ajudar, não vamos perder tempo algum: hoje mesmo levar-te-ei até seu quarto.

FAUSTO: E poderei vê-la? Será minha?

MEFISTÓFELES: Não. Ela deverá estar na casa de uma vizinha. O que poderás fazer, enquanto acalentas a esperança de futuras alegrias, será respirar o mesmo ar que ela respira.

FAUSTO: Podemos ir já?

MEFISTÓFELES: Creio que ainda é muito cedo.

FAUSTO: Arranja-me um presente para levar-lhe. *(Sai).*

MEFISTÓFELES: Presentes, já? Pois que seja! Assim, ele acabará conseguindo o que quer. Conheço lugares esquecidos, onde se acham enterrados velhos tesouros. Vou fazer-lhes uma visita. *(Sai).*

ENTARDECENDO

(Um quarto pequeno e asseado).

MARGARETE *(fazendo tranças nos cabelos):* Daria qualquer coisa para saber quem seria aquele cavalheiro. Dava para notar, pelo ar galhardo, tratar-se de alguém de sangue nobre. Se não o fosse, não teria procedido com tamanho atrevimento. *(Sai).*

(Entra Mefistófeles, seguido de Fausto).

MEFISTÓFELES: Entra sem fazer ruído. Vem!

FAUSTO *(depois de uma pausa):* Por favor, deixa-me sozinho.

MEFISTÓFELES *(examinando o lugar):* Nem toda mocinha é assim tão asseada... *(Sai).*

FAUSTO *(olhando ao redor):* Bem-vinda sejas, doce luz do crepúsculo que agora te infiltras neste santuário. Toma conta de meu coração, ó doce sofrimento de amor, que te alimentas do orvalho da esperança! Que sensação de serenidade, de ordem, de contentamento aqui se respira! Quanta fartura, em tanta escassez! Quanta bem-aventurança em tão exígua cela!

(Deixa-se cair numa poltrona de couro localizada junto à cama).

Acolhe-me agora tu que, na alegria e na dor, recebeste de braços abertos tantos que em ti se sentaram. Quantas vezes crianças terão subido neste trono paterno! Quiçá até mesmo minha doce amada, de bochechas rosadas, em agradecimento pelo presente de Natal recebido, tenha aqui beijado a mão enrugada do avô. Sinto-me, ó criança, como que envolvido por teu espírito de ordem e vigilância que, com materno cuidado, te ensinou a estender sobre a mesa, dia após dia, a toalha limpa, e a alisar a areia que teus pés pisam. Ó, mão amada, que, como se tivesse divino poder, fez com que, graças a ti, essa choça se convertesse num reino celestial. E aqui? *(Ergue a cortina do leito).* Um frenesi se apodera de mim! Aqui queria passar horas inteiras! Aqui, a Natureza formou em doce sonho esse anjo feito carne; aqui esteve dormindo a criança, o peito transbordante de calor e vida; aqui, num enleio santo e puro, se criou a sua imagem divina.

Mas e tu, Fausto, que foi que te trouxe aqui? Sinto-me comovido no íntimo de minha alma! Que queres? Por que bate tão forte teu coração? Pobre Fausto, já não te reconheço! Porventura paira uma nuvem de encanto a meu redor? O que me trouxe até aqui foi o desejo de satisfazer um prazer imediato, e agora me desfaço num sonho amoroso... Será que não passamos de um joguete ante cada mudança de ares? Se ela aparecesse agora, pagarias bem caro pelo teu atrevimento! O grande libertino derreter-se-ia aniquilado a seus pés, tornando-se um ser insignificante.

MEFISTÓFELES: Rápido! Lá vem ela!

FAUSTO: Sim, vamo-nos! Jamais voltarei aqui!

MEFISTÓFELES: Aqui tenho um cofrezinho bem pesado, que encontrei não sei onde. Põe-no em seu armário, e te garanto que ela vai até ficar sem fala. Pus nele várias coisas, na intenção de conseguir outras. O fato é que criança é sempre criança, e brincadeira é sempre brincadeira.

FAUSTO: Não sei se devo.

MEFISTÓFELES: Ainda perguntas? Acaso preferes guardar para ti este tesouro? Peço-te, então, Dom Avarento, que não me faças perder o dia. E me dispenses de esforços vindouros. Nunca imaginei que fosses pão-duro! Então eu dou tratos à bola, machuco minhas mãos, e para quê — para nada?

(Põe o cofrinho no armário e fecha a porta).

Vem, e depressa! Enquanto estou fazendo o que posso para submeter essa jovem e doce menina aos caprichos e desejos de teu coração, tu ficas aí como se estivesses numa sala de aula, esperando a chegada, em carne e osso, da cinzenta personificação da Física e da Metafísica! Ora! Vamos embora! *(Saem).*

MARGARETE *(com um candeeiro):* Está tão abafado, tão quente aqui!...

(Abre a janela).

Curioso: lá fora não está quente, mas sinto calor, não sei por quê. Gostaria de que mamãe voltasse para casa. Sinto correr-me o corpo um calafrio. Acho que não passo de uma pobre mulher medrosa e tonta.

(Começa a cantar, enquanto tira a roupa).

Houve outrora um rei de Tule
(mais fiel não podia haver).,
rica taça de ouro fino
deixou-lhe a amada, ao morrer.

Era seu maior tesouro,
e aos banquetes a levava;
se umedeciam seus olhos
quando os lábios lhe encostava.

Ao se aproximar a morte,
todos seus bens calculou;
legou tudo a seus herdeiros,
mas a taça reservou.

Convidou para um banquete
seus súditos mais leais
e os reuniu no castelo
de seus régios ancestrais.

Avisou, tomando um trago,
ser o último que bebia,
e arrojou a amada taça
ao mar, que abaixo rugia.

As águas do mar bravio
para longe a carregaram,
e os lábios do velho rei
nunca mais outra tocaram.

(Abre o armário para arrumar seus vestidos e avista o cofrezinho).

Como teria chegado até aqui este cofrezinho, se estou certa de ter trancado muito bem o armário? É maravilhoso! Que terá dentro? Talvez alguém o tenha trazido como penhor, para pedir um empréstimo a minha mãe. Tem uma chavezinha presa nele. Acho que vou abri-lo agora mesmo.

(Abre o cofre).

Que é isso? Deus do céu! Nunca vi nada igual em minha vida! Com estas joias, qualquer dama nobre poderia comparecer às mais solenes cerimônias! Será que este colar e estes brincos ficam bem em mim? A quem pertencerá essa maravilha?

(Enfeita-se com as joias e se posta diante do espelho).

Bastariam estes brincos — ah, se fossem meus! — para mudar completamente minha aparência! De que servem a beleza e a juventude? Tudo isso pode ser muito bom e bonito, mas fica só nisso, e quem te louva o faz quase que só por mera questão de educação. Quanto ao ouro, a este todos perseguem, e tudo dele depende. Ai de nós, as pobrezinhas!...

PASSEIO

(Fausto, pensativo, anda de um lado para o outro. Mefistófeles se aproxima dele).

MEFISTÓFELES: Por todos os amores algum dia desdenhados! Por todos os elementos infernais! Quisera conhecer a pior das blasfêmias para poder proferi-la!

FAUSTO: Que se passa contigo? Que mosca te picou? Nunca te vi com uma cara pior!

MEFISTÓFELES: Eu me encomendaria agora mesmo ao diabo, se não fosse um deles.

FAUSTO: Estás perturbado? Que te deu para ficares aí a berrar como um possesso?

MEFISTÓFELES: As joias que reuni para Gretchen, um padreco safado as levou! Ao vê-las, a mãe dela ficou morta de medo. É uma mulher de olfato apurado, pois vive com o nariz dentro do missal. Tem por hábito ficar cheirando todos os móveis para ver se são sagrados ou profanos. Bastou ver as joias para compreender imediatamente que não eram lá muito bentas, e exclamou: *"Minha filha, bens como este, ganhos injustamente, aprisionam a alma e consomem o sangue. Vamos consagrá-lo à Mãe de Deus, e seremos recompensadas com o maná dos céus"*. A pequena Gretchen torceu o nariz, imaginando tratar-se de um caso típico de cavalo dado, e não por parte de algum ímpio, mas sim de alguém generoso e delicado. A mãe mandou chamar um padre que, quando pressentiu o quanto valia aquilo, arregalou o olho e disse: *"Agistes com muito bom senso, entregando o que não vos pertence. A Igreja tem um bom estômago: já devorou países inteiros, sem nunca ter indigestão. Só ela, minhas caras, tem o poder de digerir riquezas iníquas"*...

FAUSTO: Isso é de uso geral. O judeu e o rei fazem o mesmo.

MEFISTÓFELES: Dito isto, levou consigo bracelete, colar, brincos e anéis, como se não passassem de bagatelas, agradecendo da mesma forma que o teria feito por ganhar um cesto de avelãs! Foi-se dali depois de prometer-lhes a recompensa celeste, deixando-as para trás profundamente edificadas.

FAUSTO: E Margarete?

MEFISTÓFELES: Vive agora intranquila, sem saber o que quer e o que tem de fazer, lembrando o tempo todo das joias e imaginando quem é que poderia tê-las deixado ali.

FAUSTO: Fico aflito ao saber da preocupação de minha amada. Arranja-lhe novas joias! Aquelas outras eram de pouco valor.

MEFISTÓFELES: Sim, claro! Para Vossa Excelência, tudo é brincadeira de criança...

FAUSTO: Faze-o e me coloco a teu dispor. Faze amizade com a vizinha dela. Não sejas desanimado, demônio; vai agora buscar novas joias.

MEFISTÓFELES: Pois não, Grão-Mestre, farei conforme ordenas, com gosto e de coração.

(Fausto sai).

Um louco enamorado mandaria incendiar o sol, a lua e as estrelas, só para alegrar a sua amada... *(Sai).*

CASA DA VIZINHA

MARTHE *(sozinha):* Que Deus perdoe meu marido. Não me fez bem algum. Foi percorrer o mundo e me deixou sozinha na miséria. Nenhum mal lhe fiz. Deus sabe que o amei de verdade. *(Chora).* Talvez já tenha morrido, coitado! Se ao menos eu tivesse a certidão de óbito...

(Chega Margarete).

MARGARETE: Dona Marthe!

MARTHE: Que há de novo, Gretchen?

MARGARETE: As pernas me tremem tanto, que mal me mantenho de pé. Voltei a encontrar um cofrezinho em meu armário. Desta vez é de ébano e contém joias ainda mais valiosas que as do primeiro.

MARTHE: Nem uma palavra a tua mãe, ou ela voltará a dar um presente para o confessor.

MARGARETE: Ei-las. Vê como são lindas!

MARTHE *(enfeitando Margaret com as joias):* Ó criatura ditosa!

MARGARETE: Que azar: não posso deixar-me ver com elas, seja na rua, seja na igreja.

MARTHE: Pois vem visitar-me com frequência e usa tuas joias enquanto estiveres aqui. Passeia com elas diante do espelho durante uma hora seguida. Com isso, teremos ambas uma boa diversão. Logo surgirão ocasiões e festas nas quais aos poucos poderás deixar-te ver pelas pessoas. Primeiro, usa uma correntinha; depois os pingentes de pérolas... Provavelmente tua mãe nem irá notar, mas, caso o note, acharemos um modo de enganá-la.

MARGARETE: Mas quem será que trouxe esses cofrezinhos? Não consigo imaginar quem o teria feito.

(Chamam à porta).

Deus do céu, pode ser minha mãe!

MARTHE *(espiando através da cortina):* É um cavalheiro desconhecido. Pode entrar!

(Entra Mefistófeles).

MEFISTÓFELES: Peço desculpas às damas por ter tomado a liberdade de entrar. *(Recua respeitosamente diante de Margarete).* Quero falar com a senhora Marthe Schwerdtlein.

MARTHE: Sou eu. Que desejais?

MEFISTÓFELES *(falando-lhe em voz baixa):* Por ora, quero apenas conhecer-te, minha senhora. Vejo que estás com uma visita de cerimônia. Perdoa-me se te importunei; voltarei à tarde.

MARTHE *(em voz alta, para Margarete):* Vê que coisa mais curiosa: este cavalheiro te está tomando por uma dama da nobreza...

MARGARETE *(em voz alta):* Valha-me Deus, quanta amabilidade de vossa parte, senhor! Não passo de uma pobre moça de sangue plebeu. Essas joias e alfaias não são minhas.

MEFISTÓFELES: Não são somente as joias! É teu porte e é teu altivo olhar. Apreciaria poder permanecer aqui durante algum tempo.

MARTHE: Que notícias trazeis de meu marido? Porventura está pedindo que lhe mande dinheiro?

MEFISTÓFELES: Oxalá fossem melhores do que as que trago. Espero que não me queiras mal por isso, mas teu marido morreu e manda lembranças.

MARTHE: Morreu? Pobre dele e pobre de mim! Ó dor! Meu marido morreu! Vou desmaiar!

MERGARETE: Oh, minha cara amiga, não é caso de desespero!

MEFISTÓFELES: Escutai meu triste relato.

MARTHE: Nunca mais voltarei a amar outra pessoa. Esta perda me deixará desconsolada até morrer.

MEFISTÓFELES: A alegria tem sua dor, e a dor sua alegria.

MARTHE: Contai-me como foram seus últimos momentos.

MEFISTÓFELES: Jaz sepultado em Pádua, junto de Santo Antônio. Repousa em frio e eterno leito, mas em terra consagrada.

MARTHE: Nada mais trouxestes para mim?

MEFISTÓFELES: Sim, trouxe o pedido de um grande e difícil favor: que mandeis rezar trezentas missas em sua intenção. Quanto ao mais, meus bolsos estão vazios.

MARTHE: Como? Nem um medalhão, uma joia? Nem aquilo que o mais modesto trabalhador braçal guarda no fundo do saco como recordação, conservando-o ainda que tenha de passar fome e mendigar?

MEFISTÓFELES: Senhora, sinto imenso dó até no fundo de minha alma, mas ele não desbaratou seu dinheiro. Também se arrependeu profundamente de seus pecados e muito chorou sua desgraça.

MARGARETE: Oh, como nós, os seres humanos, somos infelizes! Hei de fazer com que muitos réquiens sejam rezados em sua intenção.

MEFISTÓFELES: Bem que mereces casar-te em breve. És uma jovem de muito bom coração.

MARGARETE; Ainda não chegou a ocasião.

MEFISTÓFELES: Se não arranjares marido, poderás conseguir um amante. É uma dádiva do céu poder ter entre os braços alguém a quem se ama.

MARGARETE: Aqui nesta terra não é este o costume.

MEFISTÓFELES: Pode não ser o costume, mas costuma acontecer...

MARTHE: Contai-me mais.

MEFISTÓFELES: Estive junto de seu leito de morte, um catre imundo, de palha mofada. Morreu como cristão. Vendo que tinha deixado muita coisa para trás, lamentou-se: *"Tenho profunda vergonha do que fiz em vida, deixando meu trabalho e minha esposa. A lembrança dela me aflige. Se ela ao menos pudesse perdoar-me em vida..."*

MARTHE *(chorando):* Oh, que homem bom... Faz muito tempo que já o perdoei.

MEFISTÓFELES: *"Mas Deus bem sabe que a culpa dela ainda é maior que a minha..."*

MARTHE: Isso é mentira! Quem diria! Mentindo ao pé da cova!

MEFISTÓFELES: Embora eu não entenda muito disso, creio que ele estava delirando em seus momentos finais, quando disse: *"Não tive tempo para me divertir. Primeiro, vieram os filhos; além disso, era preciso arranjar pão — e mais que apenas o pão! Assim, nem mesmo meu próprio quinhão eu pude comer em paz."*

MARTHE: Quer dizer que esqueceu minha fidelidade e meu amor, as fadigas que sofri dias e noites!

MEFISTÓFELES: Oh, não, ele pensou em ti de coração. *"Ao sair de Malta"* — disse — *"pedi a Deus com fervor por minha mulher e meus filhos, e o Céu me foi propício, pois nosso navio apresou uma galera turca que levava um tesouro pertencente ao Grão-Sultão. Minha valentia teve recompensa, e eu recebi minha parte, como era justo, e muito bem medida."*

MARTHE: Talvez o tenha enterrado! Mas onde?

MEFISTÓFELES: Ninguém sabe aonde o vento terá levado esse segredo... Acontece que, na época em que ele andava errante por Nápoles, uma linda dama se enamorou dele e lhe deu tantas e tais provas de amor e de fidelidade, que até no leito de morte ele ainda dela se lembrava.

MARTHE: Esse infame, esse ladrão dos próprios filhos! Nem a miséria, nem a escassez o impediram de levar a cabo sua vida vergonhosa.

MEFISTÓFELES: Mas foi por causa dela que ele morreu. Quanto a ti, se eu estivesse em teu lugar, guardaria um recatado ano de luto até encontrar um novo amor.

MARTHE: Ah, Deus, dificilmente eu poderia encontrar um como o meu primeiro marido! Não existe um outro que seja tão louco, e ao mesmo tempo tão terno. Seu único defeito era gostar da vida errante e ser um grande apreciador da mulher do próximo, do vinho estrangeiro e do maldito jogo de dados.

MEFISTÓFELES: Então te digo que, se me fosse assegurada essa mesma tolerância que para com ele demonstras, podes estar certa de que aceitaria trocar contigo as alianças de noivado.

MARTHE: Vê-se logo que o cavalheiro gosta de brincar!

MEFISTÓFELES *(para si):* Vou tratar de ir-me embora. Essa aí é capaz de pegar pela palavra até mesmo o próprio diabo!...

(A Margarete):

E como vai o teu coração?

MARGARETE: Que quereis dizer com isso, senhor?

MEFISTÓFELES *(para si):* Santa e inocente criatura! *(Em voz alta):* Adeus, senhoras!

MARGARETE: Deus vos acompanhe.

MARTHE: Antes, porém, dizei-me uma coisa: como poderia conseguir um documento que ateste onde se acha enterrado meu marido? Sou amiga da ordem e, além disso, sempre gostei de ler os obituários das gazetas semanais.

MEFISTÓFELES: É fácil, boa mulher. Bastam duas testemunhas para se estabelecer a verdade. Tenho um companheiro distinto que poderá se apresentar comigo diante do juiz. Vou trazê-lo aqui.

MARTHE: Oh, fazei-me esse favor!

MEFISTÓFELES: Esta donzela nos dará a honra de sua presença? Esse meu amigo, além de ser um bom rapaz, é muito viajado e se porta com grande distinção quando em companhia de jovens damas.

MARGARETE: Diante dele eu coraria de vergonha!

MEFISTÓFELES: Não precisas enrubescer diante de nenhum rei da terra.

MARTHE: No jardim que há nos fundos de minha casa estaremos esta tarde à espera dos senhores.

NA RUA

(Fausto e Mefistófeles).

FAUSTO: Como está indo a coisa? Está dando certo? Vamos conseguir?

MEFISTÓFELES: Ah, bravo! Não precisas ficar aflito. Não demora, e a tal Gretchen será tua. Esta tarde irás encontrá-la na casa de sua vizinha Marthe, que até parece feita de encomenda para agir como cigana e alcoviteira!

FAUSTO: Muito bom!

MEFISTÓFELES: Mas teremos de lhe prestar um favor.

FAUSTO: Vale a pena trocar favores.

MEFISTÓFELES: Teremos de prestar um testemunho de que os restos mortais de seu marido descansam em Pádua e estão enterrados em solo sagrado.

FAUSTO: Oh, quanta esperteza! Agora teremos de viajar até lá!

MEFISTÓFELES: Não se trata disso, *sancta simplicitas*! Terás de testemunhar sem te informares previamente.

FAUSTO: Se não existe outra saída, pode-se dizer que teu plano fracassou inteiramente.

MEFISTÓFELES: Oh, santo varão, é isso então que me tens a dizer? Será esta a primeira mentira que irás pregar em toda a tua vida? Já não formulaste definições mais radicais de Deus, do mundo e de tudo o que nele se move, e até do homem e do que se agita no íntimo de seu peito? Não o fizeste com coração audaz e mente tranquila? Se olhares para dentro de ti, não terás de confessar que sabes tanto acerca disso como o sabes a respeito da morte do senhor Schwerdtlein?

FAUSTO: És e sempre serás um mentiroso, um sofista.

MEFISTÓFELES: Ah, como se tu também não fosses igual! Pois amanhã, com toda a honra, não irás aturdir a pobre Margarete, jurando-lhe amor eterno?

FAUSTO: Farei isso de coração.

MEFISTÓFELES: Bonito! Logo lhe falarás da lealdade eterna, do amor constituído de um único desejo poderosíssimo. E tudo isso também terá saído do coração?

FAUSTO: Claro que terá! Basta! Se sinto algo intenso e busco um nome para esse sentimento, que é uma espécie de fogo que me consome, mas não o encontro, e busco no mundo das palavras as mais elevadas para designar esse fogo que me queima, e por fim o chamo de infinito, acaso isso seria um logro, uma diabólica mentira?

MEFISTÓFELES: Mas tenho razão.

FAUSTO: Pois escuta com atenção, e sobretudo não me canses mais. Quem sempre faz questão de ter razão, basta apoiar-se na eloquência para acabar tendo razão. Vamos logo, pois já estou farto de tanta conversa fiada. Além do mais, desconfio que talvez estejas coberto de razão.

JARDIM

(De braços dados, passeiam Margarete com Fausto e Mefistófeles com Marthe).

MARGARETE: Já notei que o senhor é muito amável e não se importa de se rebaixar a conversar comigo, nem que seja apenas para me causar vergonha. Quem já viajou tanto há de estar acostumado a aceitar tudo por cortesia. Sei muito bem que minha modesta conversação não poderia entreter um homem tão experiente.

FAUSTO: Teu olhar e uma só palavra que me diriges são mais deleitáveis para mim que toda a sabedoria do mundo. *(Beija-lhe a mão).*

MARGARETE: Não façais tal! Como podeis beijá-la? É tão grossa, tão áspera! Pudera, com o tanto de coisas em que tenho de trabalhar! Minha mãe é muito exigente a esse respeito.

(Passam para um lado).

MARTHE: E o senhor, vai viajar de novo?

MEFISTÓFELES: Os negócios e o dever não me dão trégua Com que dor eu deixo certos lugares nos quais bem que gostaria de me deter...

MARTHE: Nos verdes anos calha bem vaguear pelo mundo. Mas eis que chegam os maus tempos, e ter de seguir solteirão para a tumba nunca assentou bem a quem quer que fosse...

MEFISTÓFELES: Há tempos que essa ideia me vem aterrorizando.

MARTHE: Então, estimado senhor, decidi-vos enquanto ainda é tempo.

(Passam para o lado).

MARGARETE: Sim, quando os olhos não veem, o coração não sente. Sabeis muito bem manejar a cortesia, mas por certo tendes muitos amigos por aí, e todos muito mais inteligentes do que eu.

FAUSTO: Ah, minha querida! Pois fica sabendo que isso que chamas de inteligência as mais das vezes não passa de vaidade e insensatez.

MARGARETE: Como?

FAUSTO: A simplicidade e a inocência não sabem apreciar seu sagrado valor. Ignoram que a modéstia e a humildade são os supremos dons que a Natureza generosamente nos concede.

MARGARETE: Gostaria de que pensásseis em mim ao menos de vez em quando, pois, quanto a mim, sobra-me tempo para recordar-vos.

FAUSTO: Ficas sozinha com frequência?

MARGARETE: Sim, nossa casa é pequena, mas tem de ser cuidada Não temos empregada, por isso, sou eu quem tem de cozinhar, varrer, costurar, cerzir, correr de lá para cá de manhã à noite, pois minha mãe é muito exigente em tudo. Não que tivéssemos de viver com miséria, pois meu pai nos deixou uma boa herança em dinheiro, além de uma casa e um pomar no campo. Agora, porém, estou bastante tranquila, já que meu irmão assentou praça e foi mandado para a frente de batalha, e minha irmãzinha morreu. Tive muito trabalho com a pequena, mas mesmo assim não me importaria de voltar a penar por causa dela. Eu lhe tinha tanto amor!

FAUSTO: Se ela se parecia contigo, um anjo seria.

MARGARETE: Fui eu quem a criou, e por isso ela era muito apegada a mim. Quando nasceu, meu pai havia morrido pouco antes. Chegamos a dar minha mãe como perdida, de tão mal que ela passou. Mas ela reagiu e se foi recuperando pouco a pouco, embora não tenha podido nem pensar em dar o peito à pobre criaturinha, tendo eu mesma de criá-la com leite e água. Por isso, ela ficou como se fosse minha. Era entre meus braços e em meu colo que se sentia à vontade, rindo e esperneando, e assim foi crescendo.

FAUSTO: Sem dúvida, ela te deu muitas alegrias.

MARGARETE: Mas também me trouxe horas bem difíceis. Quando chegava a noite, eu colocava seu berço junto de minha cama e, apenas ela se mexia, eu despertava. Tinha de alimentá-la e, muitas vezes, de deitá-la junto a mim. Quando não se calava, tinha que me levantar da cama e acalentá-la de um lado para o outro do quarto. Ao amanhecer, me lavava e ia ao mercado, depois acendia o fogão, e isso todo santo dia. Levando uma vida assim, meu senhor, nem sempre se está de bom humor. Por outro lado, sabem melhor a comida e o sonho.

(Passam a um lado).

MARTHE: Nós, mulheres, passamos um mau bocado, pois é muito difícil mudar a opinião de um solteirão.

MEFISTÓFELES: Em se tratando de alguém como tu, eu bem que seria capaz de enveredar pelo bom caminho.

MARTHE: Dizei-me, senhor, será que até hoje não encontrastes alguém? Ninguém teria prendido vosso coração em algum lugar?

MEFISTÓFELES: É como diz o ditado: *"Casa própria e boa esposa valem mais do que ouro e pérolas"*.

MARTHE: Acaso o que desejastes vos foi recusado?

MEFISTÓFELES: Sempre fui recebido com toda a cortesia.

MARTHE: O que estou perguntando é se nunca sentistes algo mais sério por alguém.

MEFISTÓFELES: Ninguém pode brincar quando se trata de mulher.

MARTHE: Oh, não me estais entendendo...

MEFISTÓFELES: Sinto deveras, mas uma coisa eu entendi: tu até que és bem amável.

(Passam a um lado).

FAUSTO: Não me reconheceste, meu anjo, quando entrei no jardim?

MARGARETE: Claro que sim. Foi por isso que baixei os olhos para o chão.

FAUSTO: Perdoas a liberdade que tomei? O atrevimento que tive quando saías da igreja?

MARGARETE: Fiquei aturdida. Nunca tal coisa me havia acontecido. Ninguém jamais pôde dizer algo mau a meu respeito. Cheguei a imaginar que minhas maneiras vos teriam sugerido estar diante de alguma moçoila sem pudor e sem recato, daquelas de quem qualquer um se acerca sem receio de ser repelido. Devo confessar-vos, porém, que algo em vós me deve ter atraído, pois mais tarde me recriminei acerbamente por não estar sentindo maior hostilidade contra a vossa pessoa.

FAUSTO: Meu doce amor!

MARGARETE: Um momento!

(Colhe do chão um malmequer e vai arrancando as pétalas uma por uma).

FAUSTO: Que pretendes fazer? Um ramalhete?

MARGARETE: Não, é apenas uma brincadeira.

FAUSTO: Em que consiste?

MARGARETE: Afastai-vos, pois não quero que zombeis de mim.

(Continua arrancando as pétalas e sussurrando):

FAUSTO: Que estás murmurando?

MARGARETE *(a meia voz):* Bem me quer, mal me quer...

FAUSTO: Doce e querido anjo!

MARGARETE *(continua):* Bem me quer, mal me quer, bem me quer, mal me quer — (arranca alegremente à última pétala) — e bem me quer!

FAUSTO: Sim, criança, toma como um oráculo o que te disse a flor. Ele te ama. Compreendes o que isso significa? Ele te ama.

(Toma-lhe as mãos).

MARGARETE: Eu estremeço toda!

FAUSTO: Não, não tremas! Deixa que meu olhar e que a pressão de minhas mãos te expressem o que é impossível explicar: a entrega total, o sentimento de felicidade eterna! Sim, eterna, pois seria desesperador se ela um dia viesse a acabar. Não, para ela não pode haver um fim, nunca, jamais!

(Margarete aperta-lhe as mãos, desprende-se e foge. Fausto fica parado durante um momento, pensativo, e logo a segue).

MARTHE *(chegando):* Já está anoitecendo.

MEFISTÓFELES: Temos de ir embora.

MARTHE: Por mim, pediria que ficásseis mais um pouco, mas esse povo da cidade é maldoso. Parece que ninguém tem outra ocupação senão vigiar os passos de seu vizinho. E se alguém se deixa pilhar, logo surge o falatório... Mas... e o nosso casalzinho?

MEFISTÓFELES: Seguiram por aquela alameda, como se fossem aves migratórias!

MARTHE: Parece que ele está apaixonado.

MEFISTÓFELES: E ela também. E assim segue o mundo seu curso...

NA ESTUFA

MARGARETE *(entra de um salto, fecha a porta, põe o dedo nos lábios e espia por uma greta):* Ele já vem!
FAUSTO: Não me enganas, ó menina levada! Já te encontrei. *(Beija-a).*
MARGARETE *(abraçando-o e devolvendo o beijo):* Oh, meu amor. Como te quero!

(Mefistófeles bate à porta).

FAUSTO *(batendo o pé com irritação):* Quem vem lá?
MEFISTÓFELES: Um bom amigo.
FAUSTO: Um animal!
MEFISTÓFELES: Já é hora de irmos embora.
MARTHE *(chegando):* Sim, já é tarde, senhor.
FAUSTO: Posso acompanhar-te?
MARGARETE: Não! Minha mãe seria capaz de... bem... adeus!
FAUSTO: Já que tenho de ir-me, adeus.
MARTHE: Adeus!
MARGARETE: Até mais ver.

(Fausto e Mefistófeles se vão).

MARGARETE: Deus do Céu! Que não há de pensar de mim um homem desses? Fico tomada de vergonha quando estou diante dele, e só sei dizer sim a tudo que me pede! Não passo de uma pobre menina ignorante! Não sei o que possa ser que ele teria visto em mim.

(Sai).

BOSQUE E GRUTA

FAUSTO *(sozinho)*: Ó Espírito sublime, a mim me concedestes tudo quanto vos pedi. Não foi em vão que me revelastes o vosso semblante dentro do fogo. Destes-me por reino a magnífica Natureza e a força necessária para senti-la e desfrutá-la. Não me concedestes apenas uma visão distante e passiva, mas deixastes que eu sondasse seu fundo seio, como se fosse o peito de um amigo.

Fazeis desfilar diante de mim o conjunto dos seres vivos, e me ensinastes a conhecer meus irmãos nas plácidas frondes das árvores, no ar e na água. E quando na mata ruge e geme a tormenta, fazendo envergar os altivos pinheiros e jogando-os de encontro às ramas e aos troncos das árvores vizinhas, ou mesmo quando os derrubais, fazendo com que o fragor da queda ecoe na colina, produzindo um som surdo e oco, então me levais a uma escondida caverna, e ali fazeis com que me veja a mim mesmo e me sejam revelados os secretos prodígios de meu coração. E ao surgir diante de meus olhos a cândida Lua, que tudo apazigua, flutuam sobre mim, saídas do úmido bosque e das encostas rochosas, formas prateadas que mitigam meu desejo de contemplação.

Ah, mas também me mostrastes que nada ligado ao homem é perfeito. A par deste prazer que me leva cada vez mais para perto dos deuses, me impingistes o companheiro ao qual não posso renunciar, por mais frieza e descaramento que demonstre, ao me humilhar diante de mim mesmo; por mais que, com seu palavrório oco, reduza a nada todas as vossas dádivas. Ele atiça em meu peito o fogo selvagem que me faz cobiçar essa bela imagem. Assim, vivo oscilante, indo do desejo ao prazer e, quando o alcanço, voltando a ansiar pelo desejo.

(Mefistófeles entra).

MEFISTÓFELES: Quer dizer então que já estás farto de levar esse tipo de vida? Como pudeste apreciá-la durante tanto tempo? Experimentar é bom, mas depois há que se tentar buscar algo novo.

FAUSTO: Apreciaria muito que tivesses outra coisa para fazer do que ficar a molestar-me num dia lindo como este.

MEFISTÓFELES: Que bom! Com prazer vou deixar-te descansar. Não é preciso que assumas uma postura tão grave para dizer-me isso. Não se perde grande coisa deixando de lado um companheiro tão grosseiro, insensato e mal-humorado como és. Tenho muito que fazer durante todo o dia. Pela cara, nunca se adivinha o que é que poderia agradar a esse cavalheiro, e o que é que não se lhe pode dizer.

FAUSTO: Bonito modo tens de te dirigires a mim! Além de tudo, ainda queres que te agradeça pelos aborrecimentos que me causas!

MEFISTÓFELES: Pobre ente terreno! Como poderias viver sem mim? Faz tempos que te curei dos disparatados devaneios da imaginação. Se não fosse por mim, já terias sido varrido da esfera terrestre. Por que te vais refugiar nas cavernas e fendas das rochas como uma coruja? Acaso és um sapo para te alimentares aí do musgo tenro que brota nas rochas úmidas? Bela perda de tempo! Ainda carregas dentro de ti teu título de Doutor...

FAUSTO: Se soubesses que nova força vital me é suscitada por essa caminhada pelos ermos, terias sido suficientemente diabólico para roubar-me essa felicidade.

MEFISTÓFELES: Ah, que prazer sobrenatural obtém quem se estende à noite nos montes, ao relento, abarcando a terra e o céu com deleite, e vai inchando até converter-se num deus; quem consegue penetrar a fundo no tutano do mundo, sentindo no seu íntimo o desfilar dos seis dias da criação; quem desfruta desse êxtase com não sei que orgulhoso poder, integrando-se a tudo o que existe, tomado de emoção, para depois alcançar a mais elevada *(faz um gesto grosseiro)* e inefável intuição!...

FAUSTO: Ih! Que coisa vexaminosa!

MEFISTÓFELES: Se isso não te apraz, e outra coisa não sabes senão dirigir-me uma reprimenda assim tão educada, lembra-te de que, diante de ouvidos castos, não se deve mencionar aquilo que os castos corações não podem renunciar. Concedo-te o prazer de te enganar de vez em quando, mas não por muito tempo. Estás outra vez sem rumo, Se continuas assim, encalharás nos arrecifes da loucura, do medo e do horror. Basta! Se tua amada aqui entrar, tudo lhe parecerá sombrio e turvo. Não sais de teus pensamentos, pois ela te ama loucamente. Quanto a ti, no princípio teu amor transborda furiosamente, como um regato após o degelo. Porém, depois que o excesso de água tiver sido despejado na alma, teu regato voltará a correr placidamente. Acho que, depois que se cansar de ficar enfurnado nos bosques, Vossa Excelência bem poderia retribuir o amor que lhe devota esse pobre animalzinho adolescente. O tempo se lhe tornou insuportavelmente longo. Quando ela chega à janela e vê as nuvens a passar sobre as antigas muralhas da cidade, sempre canta: *"Ah, se eu fosse um passarinho"*. Faz isso o dia inteiro, e durante toda a noite. Algumas vezes está alegre, mas na maior parte do tempo está tristonha. Às vezes chora até mais não poder, mas eis que, súbito, assume um ar tranquilo. Durante todo o tempo, porém, está enamorada.

FAUSTO: Ah, víbora, víbora!

MEFISTÓFELES *(falando consigo mesmo):* Sim, e pronto para te dar um bote!

FAUSTO: Afasta-te, Maligno, e não te atrevas a pronunciar o nome da mulher que amo. Não voltes a despertar em meus sentidos já algo transtornados o desejo de possuir seu tenro corpo.

MEFISTÓFELES: Que vais ganhar com isso? Ela crê que fugiste, e de certa forma tem razão.

FAUSTO: Estou perto dela e, mesmo que estivesse longe, não poderia esquecê-la nem perdê-la. Invejo até mesmo o Corpo de Cristo quando, ao comungar, ela o roça com seus lábios!

MEFISTÓFELES: Muito bem, amigo! Muitas vezes também te invejei por causa daqueles gêmeos que pastam entre as rosas...

FAUSTO: Sai daqui, alcoviteiro!

MEFISTÓFELES: Ora! Rio-me de teus insultos. O mesmo Deus que criou o homem e a mulher reconheceu como sendo o mais nobre dos ofícios a arte de facilitar-lhes as ocasiões de encontro. É branda demais a punição que te espera: estás prestes a seguir até o quarto de tua amada, não até a morte.

FAUSTO: De que vale o gozo celestial que me invade quando estou entre seus braços, se basta que me abrigue no calor de seu peito para me sentir atribulado? Serei acaso um fugitivo sem refúgio, um monstro sem objetivo nem descanso, qual uma cascata que cai de rocha em rocha até precipitar-se no fundo abismo, espumando de raiva e ardendo em desejo? Enquanto ela, com sua sensualidade infantil e contida, vivia em sua pequena cabana dos Alpes, às voltas com as tarefas domésticas de seu pequeno mundo, eu, o odiado de Deus, não deveria contentar-me com levar comigo as rochas e despedaçá-las? Tive, além disso, de sepultar sua paz! Ó inferno, precisavas mesmo deste sacrifício? Ó demônio, abrevia o tempo de minha angústia. O que tiver de ser, que seja agora. Que seu destino caia sobre mim, e que ela junto a mim venha a sucumbir.

MEFISTÓFELES: Mais uma vez voltas a ferver e a arder! Corre, insano, a consolá-la! Quando um imbecil como tu não vê a saída, logo imagina que tudo acabou. Um viva para quem não perde a valentia. Pouco falta para que estejas inteiramente endemoninhado, e não conheço nada mais ridículo que um demônio tomado de desespero.

QUARTO DE MARGARETE

MARGARETE
(sozinha, movendo a roca):
Foi-se embora a minha paz,
dói no peito o coração,
e a calma que na alma eu tinha
transformou-se em aflição.

Sinto-me enterrada viva
quando ele não aparece,
tudo fica tenebroso,
minha vista até escurece;
foge-me o senso, e eu me sinto
perdida no imenso mundo,
tomada de dor e mágoa,
num desespero profundo.

Foi-se embora a minha paz,
dói no peito o coração,
e a calma que na alma eu tinha
transformou-se em aflição.

Espio pela janela,
e por perto ele não vem;
saio à rua, sondo ao longe,
mas nunca vejo meu bem.
Sua figura galharda,
o seu elegante andar,
sua boca sorridente,
o fogo de seu olhar,
a magia das palavras
que mil desejos me ensejam,
suas mãos, quando me tocam,
seus lábios, quando me beijam...

Foi-se embora a minha paz,
dói no peito o coração,
e a calma que na alma eu tinha
transformou-se em aflição.

Tenho um único desejo:
que é de encontrá-lo, por fim,
de aninhar-me entre seus braços,
de mantê-lo junto a mim,
de beijá-lo loucamente,
sem ao menos me importar
com que, no mar de seus beijos,
eu viesse a naufragar.

JARDIM DE MARTHE

(Margarete e Fausto).

MARGARETE: Promete, Heinrich!
FAUSTO: De todo o coração.
MARGARETE: Responde-me, então: qual teu pensamento com respeito à religião? Embora sejas um homem honesto e de bons sentimentos, receio que não lhe dês grande importância.
FAUSTO: Não te aborreças com isso, querida! Importa, mesmo, é que eu seja bom para ti. És meu amor, e por ti daria meu corpo e meu sangue. Não quero roubar de quem quer que seja seus sentimentos, nem afastá-lo de sua Igreja.
MARGARETE: Não basta isso. Também é preciso ter fé.
FAUSTO: Será mesmo?
MARGARETE: Tu terias fé, se eu tivesse algum poder sobre ti... Nem mesmo os Santos Sacramentos tu respeitas!
FAUSTO: Claro que respeito!
MARGARIDA: Jamais os procuras! Faz muito tempo que não vais à missa, nem te confessas. Crês em Deus?
FAUSTO: Ó querida criança, quem pode dizer sinceramente que crê em Deus? Pergunta aos sacerdotes e doutores: suas repostas antes parecem zombar de quem perguntou.
MARGARETE: Quer dizer que não crês?
FAUSTO: Não me compreendas mal, mulher de lânguido olhar. Quem se atreve a chamá-Lo pelo nome e a asseverar que Nele crê? E quem, caso perceba Sua presença, atrever-se-ia a dizer que não crê? Se Ele tudo abrange e tudo sustenta, a todos nós também abrangerá e sustentará. Não se arqueia a abóbada celeste sobre nós? Não se assenta firmemente o chão por debaixo de nossos pés? Não assomam no firmamento, mirando-nos com simpatia, as estrelas eternas? Quando fito com meus olhos teu olhar, não desperta em ti um sentimento que toca fundo teu coração e tua mente, fundindo o visível e o invisível num mistério eterno, que flutua a teu lado, transtornando teu juízo? Se esse teu sentimento for de júbilo, chama-o como quiseres; chama-o de felicidade, de coração, de amor, de Deus! Não tenho nome para ele; só sei que esse sentimento é tudo. Nomes não passam de sons; são como uma fumaça que tolda a visão da fogueira celeste.
MARGARETE: Tudo isso é muito bom, muito bonito; é mais ou menos o mesmo que o padre diz, só que com outras palavras.

FAUSTO: É o que dizem todos os corações, em toda parte onde brilha o sol, cada qual em sua língua. Por que não eu, na minha?

MARGARETE: Ao ouvido, tais palavras não soam mal, mas há nelas algo que não me convence, e é que elas não são cristãs.

FAUSTO: Oh, menina adorável!

MARGARIDA: Faz tempo que me dói ver-te em companhia de uma certa pessoa.

FAUSTO: A quem te referes?

MARGARIDA: Revolta-me até o fundo da alma ver-te em companhia desse sujeito com quem costumas estar. Nada na vida me transtorna mais do que sentir sobre mim aquele seu terrível olhar.

FAUSTO: Oh, bonequinha, não precisas ter medo dele!

MARGARIDA: Sua presença faz meu sangue ferver. Costumo me dar bem com todas as pessoas; porém, o tanto que me apraz estar contigo é inversamente proporcional ao incompreensível terror que ele me desperta. Ademais, tenho para mim que ele não passa de um farsante, e que Deus me perdoe se estou fazendo um mau juízo!...

FAUSTO: Também tem de haver gente estranha. neste mundo.

MARGARETE: Não gostaria de ter de conviver com alguém como ele, que já assoma à porta sempre com o mesmo ar de ira e sarcasmo. Logo se vê que coisa alguma lhe importa. Ele traz escrito na cara que não consegue gostar de quem quer que seja. Eu, que me sinto tão bem em teus braços, tão solta e feliz, basta vê-lo para que meu coração se sinta oprimido e angustiado!

FAUSTO: Ah, os pressentimentos desse meu anjo...

MARGARETE: Esta sensação me domina tanto, que até passo a não querer-te mais, tão logo ele se acerca. Perto dele, não consigo nem rezar, e isso aflige a minha alma. Será que não sentes o mesmo, Heinrich?

FAUSTO: É só antipatia, isso que sentes.

MARGARETE: Agora, tenho de ir embora.

FAUSTO: Será que nunca terei oportunidade de descansar uma hora em teu seio, encostar meu peito contra o teu, unir nossas almas?

MARGARETE: Se eu dormisse sozinha, deixaria aberta a tranca da porta, mas acontece que durmo com minha mãe, que tem sono leve. Se nos surpreendesse, eu cairia morta ali mesmo.

FAUSTO: Não te preocupes com isso, meu anjo. Eis aqui um pequeno frasco. Bastam três gotinhas na bebida que ela tomar, para que a Natureza a envolva num sono profundo e propício.

MARGARETE: Que não faria por ti? Confio que isso não lhe fará mal.

FAUSTO: Se fizesse, acha que te daria o frasco, minha querida?

MARGARETE: Só ao ver-te, meu amor, não sei o que é que me sujeita inteiramente a tua vontade. Tanto já fiz por ti, que quase não me resta mais o que fazer.

(Sai. Entra Mefistófeles).

MEFISTÓFELES: A macaquinha já se foi?

FAUSTO: Espionando outra vez?

MEFISTÓFELES: Escutei tudo o que ela te disse, ponto por ponto. Estão catequizando o Doutor! Espero que te faça bem. As moças de hoje anseiam por transformar seu amado num sujeito puro e piedoso, como se usava no passado. É assim que elas raciocinam: *"se ele ceder neste particular, obedecer-nos-á quanto a tudo o mais"*.

FAUSTO: Ó monstro, não compreendes que, para essa alma leal, enamorada e cheia de fé, a única coisa que a aflige e atormenta é o temor de que seu amado esteja chafurdando na perdição do pecado?

MEFISTÓFELES: Sensual e ultrassensível galã, não vês que essa mocinha te está trazendo de rédeas curtas?

FAUSTO: Mistura grotesca de fogo e escória!

MEFISTÓFELES: E que, ainda por cima, sabe interpretar muito bem o que se esconde por trás de uma fisionomia? Ela fica aturdida em minha presença. De fato, meu disfarce não me permite ocultar certas intenções. Ela pressente que sou uma espécie de gênio, senão mesmo o próprio demônio. Então, quer dizer que... esta noite... ?

FAUSTO: Que te importa saber?

MEFISTÓFELES: É que também pretendo desfrutar disso aí.

JUNTO À FONTE

(Margarete e Lieschen, com seus cântaros).

LIESCHEN: Ficaste sabendo do que aconteceu com a Bárbara?

MARGARETE: Nada escutei. Não converso com muita gente.

LIESCHEN: Fiquei sabendo hoje cedo, pela Sibylle, que ela acabou por deixar-se seduzir. Foi o que resultou de sua enorme arrogância.

MARGARETE: Verdade?

LIESCHEN: Já é voz corrente que, agora, ela tem de alimentar duas pessoas, cada vez come e bebe.

MARGARETE: Ai!

LIESCHEN: Está colhendo o que plantou. Ficava o tempo todo agarrada àquele moço! Passeava com ele para lá e para cá, ia com ele a todos os bailes, era a primeira a chegar a todo lugar em que houvesse vinho e doces. E ela crente de que ele a achava linda! A descarada não se envergonhava de aceitar e ostentar os presentes que ele lhe dava. No princípio, retribuía com beijos; depois, com carícias, até que, por fim, lá se foi sua flor...

MARGARETE: Coitada!

LIESCHEN: Lá vens tu com pena dela! Enquanto nós outras ficávamos em casa costurando, e nossas mães não nos permitiam pôr o nariz fora de casa à noite, lá estava ela com seu galã junto ao portão da rua, ou então no escuro corredor de entrada, onde o tempo não custava a passar! Pois que agora se humilhe e faça penitência vestida com o saio das perdidas!

MARGARETE: Por certo ele irá casar-se com ela.

LIESCHEN: Só se for doido! Esperto como é, vai ter muito que fazer em outro lugar. Tanto é verdade, que já se foi daqui.

MARGARETE: Isso não está certo.

LIESCHEN: Ainda que o agarrem, ela vai-se dar mal. Os moços arrancarão sua guirlanda, e nós, as moças direitas, vamos espargir palha picada em sua porta. *(Sai).*

MARGARETE *(voltando para casa):* Até pouco tempo atrás, eu também condenava severamente os passos em falso de uma infeliz!... Como podia fazer isso? Eu então acreditava que tal procedimento era vergonhoso, e, quando pensava nisso, mais vergonhoso ainda me parecia vergonhoso, negro! Logo me benzia e seguia em frente, cheia de soberba. Agora, eu é que estou tomada por esse pecado. Mas — oh, Deus! — era tão bom e agradável o que me arrastava até ele!

DIANTE DAS MURALHAS DA CIDADE

(Num nicho escavado na muralha vê-se uma imagem da Mater Dolorosa, guarnecida por uma jarra com flores).

MARGARETE
(pondo flores frescas na jarra):
Ó vós, que suportastes tanto padecer,
voltai-me, com clemência, vossa santa face
e tende compaixão de meu triste viver.
Sentistes como se uma espada atravessasse
o vosso coração, ao assistir à morte
de vosso Filho, e então, volvendo ao Céu o olhar,
pedistes a Deus Pai que vos tornasse forte
para não sucumbir ante esse atroz penar.

Ninguém pode avaliar a dor que me incendeia!
Só vós sabeis o quanto dói meu coração.
Banhei com minhas lágrimas o parapeito,
e quando o sol raiou e iluminou meu leito,
prostrada ali me viu, chorando em agonia,
desamparada e só, pedindo, arrependida,
por quem meu coração bate depressa e anseia.

Onde quer que eu me encontre, morro de aflição.
Basta que eu fique só para pôr-me a chorar.
Tirai esta agonia do meu coração
e volvei para mim vosso piedoso olhar.
Enquanto eu, à janela, colhia estas flores,
reguei-as com as lágrimas da alma doída.
Fazei, ó Mãe, que cessem estas minhas dores!
Livrai-me desta infâmia, desta morte em vida!

Ó vós, que suportastes tanto padecer,
voltai-me, com clemência, vossa santa face
e tende compaixão de meu triste viver.

DE NOITE

(Rua diante da porta de Margarete).

VALENTIN *(soldado, irmão de Margarete):* Quantas vezes estive em reuniões festivas e escutei meus camaradas a contar vantagem! Era frequente ouvi-los proclamar aos berros a formosura de suas namoradas, erguendo brindes em seu louvor, com os copos bem cheios, enquanto que eu, de cotovelos fincados na mesa, a tudo assistia sereno, cofiando a barba e achando graça naquelas bazófias. Aí, depois de algum tempo, erguia a taça e proclamava: *"Pode cada qual dizer o que quiser, mas a verdade é que não existe nesta terra mulher alguma que se compare a minha irmã Margarete. Nenhuma chega sequer à sola de seus sapatos!"* Todos concordavam: "*É verdade! Falou e disse*!", e logo — tintim! — entrechocavam suas taças. Alguns chegavam a confirmar, aos berros: *"Tens plena razão, Valentin! Ela é a pérola de todas as mulheres!"*, enquanto que os demais, mesmo os mais presunçosos, se calavam... Hoje, porém, é de arrancar os cabelos e de dar cabeçadas na parede! Qualquer patife pode envergonhar-me com indiretas e insultos. Terei de suar como um mau pagador, estremecendo a cada insinuação que algum deles acaso me dirija, por mais insignificante que seja. E mesmo que pudesse fazê-lo em postas, não poderia chamá-lo de mentiroso...
Quem vem lá? Quem está debochando de mim? Se não me engano, são dois, e se um deles for quem penso, hei de agarrá-lo pela gola e não o deixarei sair daqui com vida.

(Entram Fausto e Mefistófeles).

FAUSTO: Através da janela da sacristia se escoa a tênue luminosidade da lâmpada perpétua, que logo desaparece, superada pelas trevas que tudo circundam, escuras como meu peito, que se encontra imerso em noite.

MEFISTÓFELES: Pois eu me sinto como um gatinho que se esgueira pela escada de incêndio e depois se esfrega silenciosamente nos paredões de pedra. Sinto uns laivos de virtude, misturados a uma certa vontade de roubar e a arroubos de fornicar. Meu corpo já começa a estremecer só de pensar na aproximação da maravilhosa Noite de Walpurgis. Será depois de amanhã. Então, sim, é que vais sentir o prazer indizível de passar uma noite em claro.

FAUSTO: Entrementes, vamos recolher aquele tesouro que estou vendo ali atrás a refulgir?

MEFISTÓFELES: Logo terás o prazer de enfiar as mãos nesse caldeirão. Faz pouco, deitei-lhe um olhar: está cheio de moedas com a efígie de um leão.

FAUSTO: Mas nem um adorno, um anelzinho que fosse, para enfeitar minha amada?

MEFISTÓFELES: Pareceu-me ver algo que lembrava um colar de pérolas.

FAUSTO: Já serve. Lamentaria ir vê-la sem levar-lhe ao menos uma lembrança.

MEFISTÓFELES: Não faria mal algum se de vez em quando desfrutasses de um prazer sem ter de pagar. Agora que o céu está recamado de estrelas, ela irá escutar uma autêntica obra de arte. Vou cantar-lhe uma canção edificante, para deixá-la ainda mais apaixonada do que já está.

(Canta, acompanhando-se na guitarra):

Menina Catarina,
que fazes tão sem medo,
parada aqui tão cedo
à porta de um rapaz?
Entrar aí não vás,
pois tudo o que ele quer
é que entre uma donzela
e saia uma mulher...

Cuidado, Catarina,
que, se isso acontecer,
o teu galã, depressa
vai desaparecer.

Por isso, não te entregues,
e dize ao sedutor:
"Somente me terá
quem meu marido for!"

VALENTIN *(adiantando-se):* De quem pretendes caçoar? Mostra-te, maldito caçador de ratazanas! Hei de mandar ao diabo, primeiro, o instrumento; em seguida, o cantor!

MEFISTÓFELES: A guitarra já está rachada e não tem conserto.

VALENTIN: O mesmo acontecerá agora com a tua cabeça!

MEFISTÓFELES *(dirigindo-se a Fausto):* Não tenhas receio, Doutor! Ânimo! Fica do meu lado que te orientarei. Ataca com decisão e, quanto a aparar os golpes, deixa comigo a tarefa.

VALENTIN: Então, apara este!

MEFISTÓFELES: E como não?

VALENTIN: Agora, este!

MEFISTÓFELES: Sem problema!

VALENTIN: Céus! É como se eu estivesse esgrimindo com o próprio diabo! Oh... que está acontecendo? Meu braço parece estar perdendo a força!

MEFISTÓFELES *(dirigindo-se a Fausto):* Crava-lhe bem fundo!

VALENTIN (*caído):* Oh, que dor!

MEFISTÓFELES: A cólera dele já se esvaiu. Vamos sumir daqui. Em breve estarão gritando que houve um crime. Com a Polícia, sei como acomodar as coisas, mas da Justiça Criminal não sei como esquivar-me.

MARTHE *(à janela):* Socorro!

MARGARETE *(à janela)*: Trazei luzes!

MARTHE: Eles trocaram insultos, gritaram, e logo o duelo aconteceu!

POVO:
E um deles dois já morreu!

MARTHE *(saindo):* E o assassino? Escapou?
MARGARETE: E quem é o ferido aí prostrado?

POVO:
É teu irmão, o soldado!

MARGARETE: Deus Todo Poderoso! Que desgraça!

VALENTIN: Estou morrendo! Pouca vida me resta, talvez até menos do que imagino. Que estais fazendo aí, mulheres, chorando e gritando? Acercai-vos de mim e escutai o que tenho a dizer.

(Chegam-se a ele).

És muito jovem, Margarete. Falta-te experiência, e por isso não sabes como fazer as coisas direito. Aqui entre nós: já que resolveste ser rameira, que ao menos sejas boa na tua profissão.

MARGARETE: Oh, meu irmão, como podes dizer uma coisa dessas? Ah, meu Deus!

VALENTIN: Deixe Deus de fora dessa farsa. O que está feito, feito está. Começaste escondido, com um só; logo virão outros, e outros, e em breve serás de toda a cidade. Quando a infâmia nasce, entra no mundo às escondidas, Para que não a vejam, cobrem-lhe a cara com o véu da noite, Bem gostariam de assassiná-la secretamente, mas ela logo cresce, fica adulta e se expõe, feia e nua, à luz do dia. Já antevejo chegar o tempo em que os bons cidadãos se afastarão de ti, rameira, como de um cadáver putrefato. O coração se apertará em teu peito quando alguém te encarar! Ser-te-á vedado usar correntes de ouro e chegar ao pé do altar. Não ficarás à vontade usando teu lenço de renda num baile. Acabarás vivendo escondida num canto miserável, metida entre aleijados e mendigos. E ainda que Deus te perdoe, neste mundo serás maldita para sempre.

MARTHE: Pede a Deus misericórdia para tua alma! Ou preferes deixá-la carregada de blasfêmias?

VALENTIN: Se pudesse espancar esse teu corpo seco, proxeneta desavergonhada, todos os meus pecados alcançariam o esperado perdão.
MARGARETE: Irmão! Que ódio infernal!
VALENTIN: Basta de choro! Quando renunciaste à honra, me desferiste uma profunda punhalada no coração. Vou rumo a Deus, enfrentando o sonho da morte como um bravo soldado.

(Morre).

CATEDRAL

(Ofício religioso, órgão e cântico. Atrás de Margarete, o Espírito Maligno).

ESPÍRITO MALIGNO: Como tudo era diferente, Margarete, quando, toda inocente, te acercavas do altar e sussurravas as orações que lias em teu surrado missal! Fazias isso, em parte, como uma brincadeira de criança, e em parte como coisa séria, pois levavas Deus no coração. E agora, Margarete, onde tens a cabeça? Que crimes escondes nesse coração? Estás rezando pela alma de tua mãe, que fizeste passar do sono para o longo penar da morte? E de quem é o sangue no umbral de tua porta? Não se move sob teu coração algo que se agita e vai crescendo, e que te angustia com uma presença carregada de presságios?

MARGARETE: Ai de mim! Se pudesse libertar-me das lembranças que me rodeiam e que se voltam contra mim!

CORO:
O dia da ira logo chegará
e o tempo em faíscas se consumirá[14].

(Soa o órgão).

ESPÍRITO MALIGNO: O pavor se apodera de ti! Soa a trombeta! Agitam-se os sepulcros! Também tua alma ressurge das cinzas e arde num tormento flamejante. Eis que ressuscita teu coração.

MARGARETE: Queria ir-me daqui! É como se o órgão me tirasse o alento e os cânticos me espremessem o coração.

CORO:
E quando o Juiz em seu trono sentar,
tudo que é oculto vai-se revelar,
e sem castigo nada há de ficar.

MARGARETE: É como se tudo se estreitasse a meu redor! As pilastras me comprimem, e o teto se abate sobre mim! Ai! Quero ar; estou sufocando!

ESPÍRITO MALIGNO: Esconde-te! O pecado e o opróbrio jamais ficam ocultos. Ar? Luz? Pobre de ti!

CORO:
Ai de quem teve um duro coração!
Em vão irá clamar por proteção.
Somente os bons e justos salvar-se-ão.

ESPÍRITO MALIGNO: Até os próprios santos viram o rosto para ti. Os puros temem estender-te a mão. Ai de ti!

CORO:
Ai de quem teve um duro coração!

MARGARETE *(à vizinha do lado):* Por favor, vizinha, empresta-me teu frasco de sais!

(Desmaia).

14. No original, todo esse cantochão referente ao Dia da Ira (*Dies irae*) está em latim

NOITE DE WALPURGIS

(Montanhas do Harz, comarca de Schierke e Elend).

(Fausto e Mefistófeles).

MEFISTÓFELES: Não queres um cabo de vassoura? Eu desejaria dispor de um bode bem forte. Ainda teremos de percorrer um longo caminho até chegarmos ao nosso destino.

FAUSTO: Enquanto tiver força nas pernas, este cajado me bastará. De que serve abreviar o caminho? Vamos, sim, transpor o labirinto dos vales, para depois escalar os penhascos de onde brota e escorre a fonte eterna. É um prazer seguir por esta trilha. A primavera já está presente nos vidoeiros e se anuncia nos pinheiros. Quem sabe não irá também revigorar nossos membros?

MEFISTÓFELES: Na verdade, não sinto coisa alguma disso que estás dizendo. Dentro de mim é inverno, e desejaria ter neve e geada sob meus pés. Como está triste o disco encarnado da lua minguante, com seu fulgor tardio! Brilha tão pouco que, a cada passo, tropeçamos em pedras e raízes. Vou chamar um fogo-fátuo para iluminar o caminho. Estou vendo ali um deles, cintilando alegremente. Ei, amigo! Vem conosco! Que fazes aí rebrilhando inutilmente? Sê amável e ilumina nossa subida.

FOGO-FÁTUO: Espero respeitosamente ser capaz de conter minha natureza frívola. Nosso caminho costuma seguir em ziguezague.

MEFISTÓFELES: Ih, esse aí quer imitar os homens! Com os diabos, vê se anda direito, ou sopro e extingo tua vida bruxuleante!

FOGO-FÁTUO: Já vi que sois o senhor de nossa casa, e com prazer ajustar-me-ei ao que me ordenais. Mas tende em conta que a montanha está cheia de feitiços e, já que ides guiar vossos passos com um fogo-fátuo, não podeis ser muito exigente com ele.

FAUSTO, MEFISTÓFELES E O FOGO-FÁTUO
(cantando alternadamente as estrofes):

Nas esferas do sono e da magia,
ora estamos alegres penetrando;
busca ser, Fogo-Fátuo, ótimo guia,
pra que em breve estejamos alcançando
a cumeeira da serra, erma e baldia.

Vê quão rápido atrás de nós deixamos
tantas árvores, tantos alcantis

com perfil recurvado de nariz!
É por isso que ao longe já escutamos
os seus roncos, que aos ventos creditamos[15].

Entre as ervas e os seixos vão descendo
da montanha, regatos cintilantes;
chegam hoje de modo igual ao de antes:
trazendo informações que não entendo,
imitando os sussurros dos amantes.

Das corujas e gralhas se ouve o grito
cujos ecos ressoam no infinito;
mil ruídos se escutam, longe e perto,
revelando que tudo está desperto
nesta noite de ar lúgubre e esquisito.

Salamandras se movem pelos matos
e as raízes se enroscam quais serpentes;
o contato com mil lianas pendentes,
com os musgos molhados, com os ratos,
tornam todos lugares repelentes.

Mas nas áreas de prados e de campos
que se estendem ao lado da montanha,
vão voando e luzindo pirilampos;
só de vê-los sentimos paz tamanha,
que a repulsa anterior se torna estranha.

De repente ficou tudo confuso!
Vamos ter de parar ou prosseguir?
Está tudo a girar qual parafuso,
entre mil fogos-fátuos a luzir,
a anunciar que algo estranho está por vir!

MEFISTÓFELES: Segura firme em meu manto. Chegamos à metade da subida e do cimo. Aqui verás com espanto como Mammon[16] refulge no topo do monte.

FAUSTO: Que estranho fulgor emite, desde o fundo do vale, essa turva luz da aurora. Seu fulgor como que faz ressoar a profunda garganta do abismo. Daqui sobe um vapor; por ali se espessa a cerração, e de dentro do seu véu refulge um fogo, que escorre pelo chão qual água de nascente. Mais além, num longo trecho, ramifica-se em mais de um cento de veias, que prosseguem serpeando através de todo o vale. Eis acolá um recanto estreito completamente isolado dos demais. É ali que se veem pontos cintilantes, como se fossem grãos de areia dourada levados pelo vento. Olha!

De alto a baixo se incendeia essa parede de pedra!

MEFISTÓFELES: Acaso Mammon não iria enfeitar seu palácio com toda a magnificência para esta festa? Tens a sorte de aqui estar e a tudo isto assistir. Vejo que já começam a chegar, pressurosos, os primeiros convidados.

FAUSTO: Como assovia o vento, rápido e raivoso! Como me golpeia forte na nuca!

MEFISTÓFELES: Agarra-te nas gretas e fendas das rochas, ou serás precipitado ao fundo deste abismo, que assim se transformará em tua tumba. A névoa torna a noite mais escura e úmida. Ouve como o bosque até retumba, fazendo com que as corujas fujam assustadas. Ouve como lascam e se estilhaçam as colunas dos palácios verdejantes, como gemem e se quebram os ramos, como ressoam os troncos poderosos, e como as raízes estalam e rangem! Em queda avassaladora e confusa, as árvores baqueiam, arrastando as que estão próximas. As que conseguem resistir deixam filtrar por entre elas o vento feroz, que assovia e uiva ao roçar os barrancos escarpados. Não escutas vozes vindas das alturas, soando ora longínquas, ora próximas? Sim, ao longo de todo o monte, troveja iracundo um cantochão.

AS BRUXAS
(em coro).
As bruxas sobem o Brocken,
por entre os trigais em flor.
Reúnem-se todas no topo,
rodeando Uriã[17], seu senhor.
Tudo está como previsto.
Vale tudo, tudo pode:
que a bruxa solte caroços,
e que cheire mal o bode!

UMA VOZ: Ali vem, solitária, a velha Baubo, no lombo de uma porca parida.

CORO:
Honra, pois, a quem merece:
vão as bruxas, Baubo à frente;
vai montada, nunca desce,
comandando toda a gente.

VOZ: Por onde viestes?

OUTRA VOZ: Por Ilsen. Vi ali um corujão em seu ninho. Que olhos enormes ele tinha!

VOZ: Que o diabo te carregue! Por que cavalgas tão depressa?

OUTRA VOZ: Aquela ali me arranhou! Olha aqui as feridas!

BRUXAS
(em coro):
Se este caminho é largo e comprido,
por que tanta pressa sem sentido?
Rache o forcado! Quebre a vassoura!
Mate o menino, que a mãe estoura!

METADE DOS BRUXOS
(em coro):
Seguimos lentos como caracóis.
É à frente que as mulheres sempre vêm,
pois na subida até a mansão do Mal,
mil passos de vantagem elas têm.

A OUTRA METADE:
Mas todos que souberem que a mulher
à frente segue, a sério nunca tomem,
pois seus mil passos vencem a distância
que apenas com um salto cobre o homem.

AMBOS OS COROS:
Cala-se o vento que há pouco silvava.
Somem a lua e as estrelas ariscas.
O coro mágico, em vez de cantar,
passa a expelir um milhão de faíscas.

VOZ *(vinda de baixo):* Alto! Alto!
VOZ *(vinda de cima):* Quem está chamando da fenda do rochedo?
VOZ *(de baixo)*: Levai-me convosco. Faz trezentos anos que subo e nunca alcanço o topo. Ali ficaria satisfeita, junto de meus semelhantes.

AMBOS OS COROS:
Com a vassoura ou o cajado,
com o bode ou com o forcado,
quem quer que hoje aqui não subir,
pode pra sempre desistir.

APRENDIZ DE BRUXA: Há tempos venho tentando alcançar as mestras, mas como elas estão distantes! Em casa, sou laboriosa e trabalhadeira, mas, apesar disso, não consigo me aproximar delas.

CORO DAS BRUXAS:
O unguento nos dará disposição.
Pra iluminar, um trapo servirá.
Para os rios transpor, fôrmas de pão.

Quem hoje não voar, nunca voará.
E quando, enfim, ao topo nós chegarmos,
e entre as urzes de lá nos espalharmos,
iremos assentar-nos pelo chão,
e ali bruxedos mil ocorrerão.

(Deitam-se no chão).

MEFISTÓFELES: Estou sendo espremido! É cada empurrão! E que algazarra infernal! Quantas chispas! Que fedor! Tudo rebrilha com ardor! Isto, sim, é uma autêntica reunião de bruxas! Agarra-te a mim, Fausto, para não nos separarmos. Ei! Onde estás?

FAUSTO *(ao longe):* Aqui!

MEFISTÓFELES: Quê!? Então já te arrastaram até aí? Terei de fazer uso de meus direitos de patrão. Abri caminho, que lá vai o Coisa Ruim! Daí passagem! Com licença, gentalha boa! Venha, Doutor, e num instante escaparemos deste tumulto, louco demais até mesmo para um da minha laia. Vejo acolá algo a brilhar com estranho fulgor, algo que me está atraindo até aquele matagal. Vem! Vamos enfiar-nos lá despistadamente.

FAUSTO: Oh, espírito da contradição! Está certo, podes guiar-me, mas não me parece correto termos peregrinado até o Brocken na noite de Walpurgis, para de repente nos isolarmos da multidão.

MEFISTÓFELES: Olha que chamas coloridas! Isso é que chamo de reunião festiva! Entre os pequenos, nunca se está só.

FAUSTO: Mas preferia estar ali em cima, onde avisto o clarão e a fumaça das chamas, e a chusma se atropelando para ver o Maligno. Ali devem estar sendo desvendados muitos mistérios.

MEFISTÓFELES: Mas outros novos ali se conformarão. Deixa o atropelo e a agitação do mundo e vamos ficar aqui sossegadamente. É crença antiga e geral que os pequenos mundos estão contidos num grande. Ali vejo, despidas, as bruxinhas jovens, enquanto que as velhas, espertamente, preferem cobrir o corpo. Sê simpático, faze-me esse favor. É pouco esforço para muito prazer. Estou ouvindo bulha de instrumentos musicais. Maldita algazarra! Não há remédio senão acostumar. Vem, vem comigo. Não tens outra opção. Vou entrar, levar-te lá para dentro e apresentar-te aos que lá estão. Farás ali novas amizades. Que te parece, amigo?
É bem amplo o espaço aqui! Estende-se até tão longe, que mal se lhe avista o fim. São mais de cem fogueiras a arder, umas após as outras. Uns dançam, outros conversam, aqui se cozinha, se bebe, se ama... Dize-me se é possível encontrar algo melhor que isto!

FAUSTO: Quando me apresentares, que papel assumirás? O de demônio ou o de bruxo?

MEFISTÓFELES: Em geral, costumo andar incógnito, mas num dia de gala temos de pôr nossas condecorações. Não fui agraciado com a Ordem da Jarreteira, mas a do Pé de Cavalo recebe aqui todas as honrarias[18]. Vês este caracol? Ele caminha devagar, mas seus chifrinhos já pressentiram que existe algo de especial em mim. Mesmo que quisesse, eu não conseguiria disfarçar-me. Vem comigo. Vamos de fogueira em fogueira. Tu serás o cortesão, e eu teu valete.

(Dirigindo-se a um grupo de velhos sentados junto de uma fogueira quase extinta): Que fazeis aqui neste canto, dignos anciãos? Melhor seria que vos sentásseis mais no centro, em meio à alacridade juvenil. Já tem cada qual de vós solidão suficiente em sua própria casa.

GENERAL: Quem pode confiar nas nações, por mais que por elas se tenha feito? Tanto para o povo como para as mulheres, juventude é o que importa.

MINISTRO: Já estamos demasiado distantes da Justiça. Louvo os bons e velhos tempos, aqueles em que quem mandava em tudo éramos nós. Então, sim, estávamos em plena e autêntica Idade de Ouro!

RECÉM-CHEGADO: Nós tampouco fomos parvos, ainda que, em geral, tenhamos cumprido nosso dever. Mas justo agora, quando queríamos desfrutar da paz e do sossego, está tudo mudando...

AUTOR: Quem hoje se dispõe a ler algum texto de conteúdo sério e douto? E, no que concerne aos jovens, estes nunca foram tão presunçosos.

MEFISTÓFELES *(que de repente parece muito velho):* Vejo que estais preparados para o Juízo Final. Como esta é a última vez que escalo a montanha das bruxas, e já que do meu tonel só sai vinho turvo, quer me parecer que o mundo todo se acha em decadência.

BRUXA VENDILHONA: Senhores, senhores, não passeis de largo! Não deixeis escapar esta ocasião! Examinai com atenção minhas mercadorias. Tenho artigos muito variados, objetos que ao menos alguma vez contribuíram para a danação da Humanidade. Não há aqui sequer um punhal que não se tenha embebido em sangue inocente, nenhum cálice que não tenha repassado a um corpo são um veneno mortal e corruptor, nenhuma joia que não haja seduzido uma formosa mulher, nenhuma espada que não tenha rompido um acordo e ferido pelas costas um rival.

MEFISTÓFELES: Ó tia querida, estás mal adaptada aos novos tempos. O passado já se foi; dedica-te agora às novidades, pois só elas é que sabem nos atrair.

FAUSTO: Por esta eu não esperava! Isto aqui está parecendo uma feira!

MEFISTÓFELES: É um verdadeiro turbilhão seguindo para cima! A gente acha que está empurrando, e na realidade está é sendo empurrado.

FAUSTO: E aquela ali, quem é?

MEFISTÓFELES: Repara bem: é Lilith! .

FAUSTO: Quem?

MEFISTÓFELES: A primeira mulher de Adão. Cuidado com sua bela cabeleira de ouro, o único adereço que ela usa. Uma vez que algum mancebo nela se enreda, de tal prisão não consegue escapar facilmente.

FAUSTO: Vejo ali duas mulheres sentadas, uma velha e uma jovem. Com certeza já dançaram bastante esta noite!

MEFISTÓFELES: Hoje elas não vão descansar. A dança vai recomeçar. Vem, vamos juntar-nos ao pessoal.

FAUSTO
(dançando com a jovem):
Certa vez eu tive um sonho lindo:
bela macieira eu avistei,
com duas maçãs tão suculentas,
que eu quis tê-las e nela trepei.

A BELA:
Desde o Paraíso que a mulher
de maçãs não parou de gostar,
e eu tenho a grande satisfação
de colher maçãs no meu pomar.

MEFISTÓFELES:
Certa vez eu tive um sonho horrível:
uma macieira seca eu vi.
Tinha no meio uma racha enorme!
Maior, só o desejo que senti!

A VELHA;
Minhas respeitosas saudações,
cavalheiro com pé de cavalo,
deixa tua rolha preparada;
não receies pô-la em meu gargalo.

PROCTOFANTASMISTA[19]: Maldita ralé! Como podeis estar assim tão à vontade? Há tempos já se demonstrou que os espíritos não podem caminhar sobre pés normais; não obstante, estais dançando como se pertencêsseis ao gênero humano!

A BELA *(dançando):* Que pretende esse intruso em nosso baile?

FAUSTO *(dançando):* Tipos como esse aí se encontram em toda parte! Estão sempre criticando a maneira de dançar do próximo e zombando de cada novo passo que veem. O que mais os deixa enfezados é ver que estamos progredindo. Se nos limitássemos a ficar girando dentro de um círculo, como fazem tanto ele como seu velho moinho, ele daria sua aprovação, e até nos elogiaria, caso lhe fizéssemos uma reverência.

PROCTOFANTASMISTA: Continuais aí? Isso é inaudito! Desaparecei daqui! Já não está tudo devidamente esclarecido? Para esses demônios, de nada valem as regras! Por mais que vá de encontro ao bom senso, ainda se veem duendes em Tegel. Há quanto tempo batalhamos contra essa insensatez, e até hoje não conseguimos varrê-la de todo! É inaudito!

A BELA: Ora, deixa de apoquentar-nos!

PROCTOFANTASMISTA: Pois digo-vos na cara, espíritos: não aceito a ditadura dos espíritos. O meu espírito, por exemplo, não a adota nem pratica.

(A dança continua).

Estou vendo que, hoje, nada irei conseguir, mas vai haver outras viagens, e espero que, antes de dar meu último passo, consiga subjugar demônios e poetas.

MEFISTÓFELES: Em seguida, sentar-te-ás num charco — tua melhor maneira de encontrar alívio — e, depois de deixar que as sanguessugas se regalem em teu traseiro, ficarás curado dos males do espírito e do espírito do vinho.

(Dirigindo-se a Fausto, que já havia parado de dançar): Por que deixaste ir embora aquela jovem que tão sedutoramente cantava para ti enquanto dançava?

FAUSTO: Eh! Na metade do canto, saltou de sua boca um camundongo vermelho!

MEFISTÓFELES: Grandes coisas! Não é preciso dar tamanha importância a isso. Só haveria perigo se o rato fosse cinzento. Quem repara numa baboseira dessas na hora do idílio?

FAUSTO: Acho que estou vendo alguém...

MEFISTÓFELES: Quem?

FAUSTO: Estás vendo, Mefisto, nesta direção, uma bela menina de tez pálida, andando desacompanhada? Ela parece estar caminhando muito lentamente, quase sem mover os pés. Devo confessar que tem uma grande semelhança com a minha querida Margarete.

MEFISTÓFELES: Deixa para lá! Isso não faz bem a ninguém! É uma miragem, um abantesma sem vida, um ídolo. Não é bom encontrar-se com ela. Seu olhar estático paralisa o sangue do homem e logo o transforma em pedra. Já deves ter ouvido falar na Medusa.

FAUSTO: É verdade! Parecem os olhos de um cadáver, para os quais não houve mão caridosa que os cerrasse. Mas aquele é o peito que Margarete me ofereceu, aquele é o tenro corpo que possuí.

MEFISTÓFELES: É feitiçaria, pobre tonto! Um ídolo, no qual cada um imagina enxergar sua amada!

FAUSTO: Que delícia e que tormento! Não consigo escapar daquele olhar! O que estou estranhando é ver aquele formoso colo enfeitado apenas por um fio rubro, tão delgado como o gume de uma faca.

MEFISTÓFELES: Também estou vendo. Pelo jeito, ela poderia levar a cabeça debaixo do braço, já que Perseu a cortou... Tu não perdes essa paixão pelas quimeras! Vamos até aquela colina. Ali haveremos de encontrar tanta diversão como no Prater. E se eu também não fiquei enfeitiçado, estou vendo ali um teatro. Que estarão levando?

SERVIBILIS: Vai começar agora mesmo! É uma peça nova, a primeira de uma série de sete. Aqui gostamos é de fartura! Quem a escreveu foi um amador, e quem a representa também são amadores. Perdoai-me, senhores, mas tenho de retirar-me, pois é minha a incumbência de levantar o pano.

MEFISTÓFELES: Apraz-me encontrá-lo aqui no Blocksberg, pois este é mesmo o teu lugar.

15. Um trecho acidentado da cordilheira do Harz recebe o nome de "Penhasco Roncador" (*Schnarchenklippen*), em razão do ruído peculiar produzido pelo vento ao passar pelas fendas das rochas.

16. Deus da riqueza ilícita.

17. Um dos nomes de Satanás.

18. Enquanto que, na tradição latina, o diabo tem pés de bode, na tradição germânica ele tem patas de cavalo.

19. Apelido dado por Goethe ao escritor e crítico Friedrich Nicolai, autor de livros de viagens, que afirmava ter descoberto a maneira mais eficaz de exterminar fantasmas: enfiando-lhes uma sanguessuga no ânus (*proctos*).

SONHO DA NOITE DE WALPURGIS

ou

AS BODAS DE OURO DE OBERON E TITÂNIA[20]

(Intermezzo).

EMPRESÁRIO:
Valorosos prosélitos de Mieding[21],
descansaremos hoje neste horário.
A alta montanha e o vale verde e ameno
servir-nos-ão aqui como cenário.

ARAUTO:
Só depois de passados cinquenta anos
é que teremos bodas de ouro, enfim;
deixo-vos a disputa quanto às bodas,
desde que esse ouro fique para mim.

OBERON[22]:
É hora, ó espíritos que perto estais,
de vossas faces nos revelar,
pois neste instante o rei e a rainha
seus laços estão a renovar!

PUCK:
Chega Puck, para o baile,
demonstrando animação;
outros cem vêm atrás dele,
em busca de diversão.

ARIEL[23]:
O canto celeste e puro
de Ariel atrai as donzelas.
Vêm as feias na vanguarda,
mas depois chegam as belas.

OBERON
Que nosso exemplo sigam os casais
que queiram viver sempre apaixonados:

para que tal ocorra, basta apenas
que alguém possa mantê-los separados.

TITÂNIA[24]:
O homem rosna e a mulher grita?
Há remédio, mas é forte:
levai para o sul um deles,
levai o outro para o norte.

TODA A ORQUESTRA
(fortissimo):
Eis as moscas com suas trompas
e os mosquitos com seus ferrões;
eis a rã e o grilo entre as ervas;
eis os músicos e as canções!

SOLO:
Eis a gaita de foles que lá vem,
inchando como bolha de sabão.
Vamos ouvir os sons de nheco-nheco
que de seu nariz chato sairão.

ESPÍRITO EM INÍCIO DE FORMAÇÃO:
Patas de aranha, pança de sapo,
asas de duende: mistura extrema!
Pode não ser um belo animal,
mas talvez seja um belo poema.

UM CASALZINHO:
Passinhos curtos e pulos bem altos,
por entre o mel que a flor deixa escorrer;
embora os passos sejam muito leves,
não são o bastante para no ar te erguer.

VIAJANTE CURIOSO:
Se não passa de mascarada,
Se der crédito aos olhos meus,
eu diria que ali estou vendo
Oberon, o formoso deus!

ORTODOXO:
Não duvido, muito embora
Não lhe veja pata ou rabo!
Já que existem deuses gregos,
Quem sabe existe o diabo?

ARTISTA NÓRDICO:
Tudo o que eu hoje produzo
nada mais é que escumalha,
pois estou me preparando
para a viagem à Itália.

PURISTA:
Foi o azar que aqui me trouxe,
entre estas bruxas danadas;
são centenas, são milhares,
mas só duas são empoadas.

BRUXA JOVEM:
As túnicas e os pós de maquilagem
destinam-se às velhotas tão somente;
prefiro seguir nua sobre o bode,
mostrando um corpo belo, rijo, atraente.

MATRONA:
Tenho educação de sobra;
não preciso responder.
Esse corpo rijo e belo
vai um dia apodrecer.

MAESTRO:
Deixai em paz, ó moscas e mosquitos,
a jovem nua que exibe inocência;
rãs que coaxam, grilos que cricrilam,
mantende firme essa vossa cadência.

CATA-VENTO
(girando numa direção):
Trago boa companhia:
noivas genuínas (no duro!);
como também belos noivos,
jovens de muito futuro.

CATA-VENTO
(girando em outra direção):
E se o solo não se abrir
para todos engolir,
dentro dele então me interno
e vou parar lá no inferno!

XÊNIAS[25]:
Como insetos, eis-nos aqui,
árduo ferrão, língua mordaz,
para honrar, segundo seus méritos,
a nosso papai Satanás.

HENNINGS[26]:
Fazendo burlas ingênuas,
formam densa multidão,
quem os vê, logo imagina
que tenham bom coração.

MUSAGETA[27]:
No tropel das feiticeiras
eu gosto de me perder
pois, em vez das musas, bruxas
são mais fáceis de reger.

CI-DEVANT, O GÊNIO DO NOSSO TEMPO[28]:
Com gente honrada, longe irás;
agarra-te a mim com decisão.
Tão amplo é o topo do Blocksberg
como o do Parnaso alemão.

VIAJANTE CURIOSO[29]:
Quem és tu, de aspecto tão rijo,
que pisas firme e não hesitas?
E por que é que tu andas sempre
atrás da pista dos jesuítas?

GROU[30]:
Tanto pesca em águas claras,
quanto pesca em água escura;
é por isso que o piedoso
com demônios se mistura.

FILHO DO MUNDO[31]:
Para os piedosos não há
assuntos vãos ou ridículos;
por isso, aqui no Blocksberg
formaram-se conventículos.

BAILARINO:
Vem aí um novo coro?
Ouço tambores distantes.

Suave é o som que faz o vento
entre as ervas ondulantes.

MESTRE DE DANÇA:
Como se movem os pés!
Cada qual faz do seu jeito;
salta o magro, gira o gordo,
sem seguir regra ou preceito.

VIOLINISTA:
Que grupo de andrajosos mais horripilante!
Um tenebroso fim queria dar-lhes eu.
Seguem atrás da gaita de maneira igual
à das bestas em busca da lira de Orfeu.

DOGMÁTICO:
Não me confundem críticas mordazes,
e muito menos tola gritaria;
alguma coisa deve ser o diabo,
pois, do contrário, não existiria.

IDEALISTA:
O poder que a fantasia
tem sobre mim não é pouco;
se tudo eu acho que sou,
Não devo passar de um louco.

REALISTA:
Só de ver esse ser
de tamanha baixeza,
mesmo de pé não sinto
a mínima firmeza!

SUPERNATURALISTA:
Estou aqui satisfeito,
sem me sentir um intruso;.
da existência dos demônios,
a dos gênios bons deduzo.

CÉTICO:
Seguem as chamas que deixaram rastros,
na vã esperança de um tesouro achar;
se satanismo e ceticismo rimam,
sinto que aqui é mesmo o meu lugar.

REGENTE:
Coaxar de rãs, cricri de grilos,
horrendas notas dissonantes,
zumbir de moscas e mosquitos:
são todos meros principiantes.

OS DESTROS:
Eis um bando de alegres criaturas.
"Sans-Souci": seu nome de adoção[32].
E já que não podem ir a pé,
é com a cabeça que eles vão.

OS INEPTOS[33]:
Tivemos nossos tempos de fartura;
agora só restou desolação;
as nossas sapatilhas estão gastas
e temos de dançar de pé no chão.

OS FOGOS-FÁTUOS:
Viemos de onde surgimos:
dos charcos, dos atoleiros,
mas nesta dança em que estamos
parecemos cavalheiros.

ESTRELA CADENTE:
De muito alto eu caí,
com resplendor estelar.
Aqui estou, prostrada em terra.
Quem me ajuda a levantar?

OS MACIÇOS
Abram alas! Com licença!
Matos e ervas: inclinados!
São espíritos que passam,
mas seus membros são pesados.

PUCK:
Deixai dessa truculência
de filhotes de elefante.
De nós todos, seja Puck
o mais tosco, o mais possante!

ARIEL:
Já que a Natureza — ou o espírito –
vos deu essas asas ligeiras,

vinde atrás de meu tênue rastro
até a colina das roseiras.

ORQUESTRA
(pianíssimo):
Foi-se embora a cerração
e o sol na manhã raiou.
Soprou o vento entre os caniço
e tudo se dissipou.

20. Oberon, Titânia, Puck e Ariel, que aparecem nesse sonho, são personagens de Shakespeare, do qual Goethe se dizia admirador incondicional.
21. Conhecido chefe dos mecânicos do Teatro Nacional de Weimar.
22. Rei dos elfos.
23. Gênio do ar.
24. Rainha dos elfos.
25. Título dado por Schiller e Goethe a um conjunto de epigramas críticos escritos por ambos em coautoria.
26. August von Hennings, acerbo crítico da poesia de Goethe.
27. Título de um livro de poesias de Hennings (musageta: aquele que conduz as musas).
28. Revista literária dirigida por Hennings.
29. Nova alusão a Friedrich Nicolai, autor de vários livros de viagens.
30. Apelido de Lavater, famoso caricaturista alemão.
31. O próprio Goethe.
32. "Palácio de Sans Souci", ou seja, "da Despreocupação", era o nome que se dava ao palácio real da Prússia.
33. Goethe refere-se aqui depreciativamente aos nobres franceses que se viram obrigados a buscar refúgio na Prússia, para fugir às perseguições que lhes moviam os revolucionários republicanos.

CAMPO, NUM DIA NUBLADO

(Fausto e Mefistófeles).

FAUSTO. Na miséria! Desesperada! Triste e errante pelo mundo durante muito tempo, agora essa doce e infeliz criatura está presa, encerrada numa masmorra como criminosa, submetida a horríveis tormentos. A que ponto chegou! Ah, espírito traiçoeiro e indigno, que tudo isso me ocultaste! Fica aí onde estás. Sim, revolve em suas órbitas teus diabólicos olhos, com raiva redobrada. Sim, fica e afronta-me com tua insuportável presença! Prisioneira! Submetida a uma desgraça irreparável! Entregue aos espíritos malignos e à implacável justiça dos homens! Entrementes, tu me levavas a degeneradas distrações, ocultando-me sua miséria cada vez maior, e deixando que ela se perca sem que ninguém a socorra.

MEFISTÓFELES: Não é a primeira...

FAUSTO: Ó Espírito infinito, devolvei a esse monstro abominável sua forma predileta, a de cão, fazendo com que ele se espoje diante de mim, rastejando de barriga rente ao chão, para que eu, embora condenado, possa esmagá-lo com o pé. *"Não é a primeira"* ! Oh, desgraça terrível! Nenhuma alma humana pode compreender que mais de uma criatura se tenha afundado nessa miséria, já que bastaria contorcer-se a primeira ante os olhos do Eterno Redentor para expiar a culpa de todas as demais. A vida se me consome até a medula dos ossos só de saber do destino desta infeliz, enquanto tu te regozijas com debochado prazer ao ver o destino de milhares!

MEFISTÓFELES: Chegaste ao limite de tua razão, naquele ponto em que o ser humano fica inteiramente desatinado. Por que queres que eu aqui fique, se não és capaz de suportar a minha companhia? Como queres voar, se a vertigem das alturas te traz insegurança? Afinal, fui eu que me acerquei de ti, ou foste tu que te acercaste de mim?

FAUSTO: Não fiques a arreganhar contra mim esses teus dentes de fera. Tu me causas asco! Grande e magnífico Espírito que te dignaste aparecer diante de mim, que conheces meu coração e minha alma: por que me encadeaste a esse infame acompanhante, que se compraz com a infelicidade e se regozija com a perdição dos homens?

MEFISTÓFELES: Terminou?

FAUSTO: Salva-a, ou ai de ti! Que sobre ti recaia a mais horrenda maldição, pelos séculos dos séculos!

MEFISTÓFELES: Não posso soltar as cadeias impostas pela Justiça vingadora. Não posso abrir as trancas da prisão. *"Salva-a!"* — quem foi que a levou à perdição, fui eu, ou foste tu?

(Fausto olha ao redor, tomado de desespero).

Gostarias de ter domínio sobre os raios? Ainda bem que tal poder não foi concedido aos miseráveis mortais! Fazer em postas o inocente que se tem à frente é o costume vosso para buscar alívio na confusão.

FAUSTO: Leva-me até onde ela está. Ela tem de ser libertada.

MEFISTÓFELES: E o perigo ao qual te vais expor? Lembra-te de que ainda tens pendente na cidade um delito de sangue. Não te esqueças de que, no lugar onde se deu o crime, pairam espíritos vingadores, espreitando o retorno do assassino.

FAUSTO: Logo tu vens me dizer isso? Sobre ti, sim, é que devia recair a culpa por todos os crimes de morte que ocorrem no mundo, monstro! Exijo que me leves até lá e que a salves.

MEFISTÓFELES: Levar-te-ei, mas vê o que posso fazer. Acaso tenho poder sobre o céu e a terra? Envolverei em névoa os sentidos do carcereiro. Apodera-te das chaves e tira-a tu mesmo de lá com meios humanos. Ficarei vigilante. Uma parelha de cavalos encantados estará pronta para ajudar-te a fugir. É o que posso fazer.

FAUSTO: Então vamos já!

DESCAMPADO, À NOITE

(Fausto e Mefistófeles montados em cavalos negros).

FAUSTO: Que estão fazendo aqueles vultos em torno do patíbulo?
MEFISTÓFELES: Não sei o que podem estar tramando.
FAUSTO: Sobem, descem, inclinam-se e se agacham...
MEFISTÓFELES: É uma reunião de bruxas.
FAUSTO: Fazem libações e conjuros...
MEFISTÓFELES: Adiante! Adiante!

PRISÃO

FAUSTO *(com um molho de chaves e uma candeia, diante de uma porta de ferro):* Apoderou-se de mim um terror fora do comum. Neste instante, sinto que toda a miséria da Humanidade se abate sobre mim. Aqui está ela, atrás destas muralhas úmidas, e todo o seu crime não passou de um doce desvario. Vacilas em chegar a sua presença. Temes voltar a vê-la. Mas vai em frente. Tua hesitação traz para perto a morte.

(Segura a tranca. Dentro, ouve-se uma voz conhecida a cantar)

MARGARETE:
A puta que me pariu
minha vida me tirou,
e meu pai, grande calhorda,
o meu corpo devorou.
Minha pequena irmãzinha
os meus ossos enterrou
num lugar úmido e fresco.
Meu corpo se transformou
no de um pássaro, e agora
pelos ares vou-me embora.

FAUSTO *(abrindo):* Não pressente que seu amado a está escutando, nem ouve o tinir das correntes e o farfalhar da palha.

(Entra).

MARGARETE *(escondendo-se na enxerga):* Ai, lá vem ela, a amarga morte!

FAUSTO *(em voz baixa):* Fica tranquila. Vim libertar-te.

MARGARETE *(contorcendo-se diante dele):* Se fores humana, tem piedade de meu sofrer!

FAUSTO: Vais despertar o guarda!

(Pega as cadeias para abri-las).

MARGARETE *(de joelhos):* Quem te deu, carrasco, esse poder sobre mim? Como podes vir buscar-me à meia-noite? Tem piedade de mim e deixa-me viver. Não podes aguardar que amanheça? *(Levanta-se).* Sou tão jovem! Tão jovem! Por que tenho de morrer? Também fui bela, e essa foi a minha perdição. Meu amigo estava a meu lado, mas agora está longe. A grinalda está desfeita, e as flores despetaladas. Não me agarre assim com tanta violência. Trata-me com delicadeza. Que mal te fiz? Não me deixes suplicar em vão. Nunca te vi em minha vida.

FAUSTO: Terei forças para suportar tamanha dor?

MARGARETE: Agora estou em teu poder. Deixa que eu dê o peito ao menino. Passei a noite toda a acalentá-lo. Roubaram-no de mim para me atormentar, e agora estão dizendo que o matei. Nunca mais voltarei a sentir alegria. Debocham de mim com cançonetas — que gente má! É assim que termina um velho conto. A quem será que se refere?

FAUSTO *(caindo de joelhos)*: A teus pés está alguém que te ama e que te veio libertar.

MARGARETE *(ajoelhando-se a seu lado):* De joelhos, vamos rezar aos santos. Vede, debaixo destes degraus e deste piso, ruge o fogo do inferno. Ouve como o Maligno prorrompe em estrondo com espantosa cólera.

FAUSTO (*em voz alta)*: Oh, Gretchen! Gretchen!

MARGARETE *(atenta):* Era esta a voz daquele amigo! *(Põe-se em pé de um salto. Caem as correntes, soltas).* Onde está ele? Ouvi sua voz a me chamar. Estou livre! Ninguém haverá de me tolher os passos. Irei voando abraçá-lo e me aninharei junto de seu peito. Ouvi sua voz a chamar-me *"Gretchen!",* vinda dali da porta. Apesar da algazarra que se escuta, dos uivos e do crepitar do fogo do inferno, das chacotas e troças dos demônios, pude reconhecer aquela doce e amorosa voz.

FAUSTO: Sou eu.

MARGARETE: Tu! És tu! Dize outra vez. *(Abraça-o).* É ele! É ele! Onde terão ido todas as minhas dores? Onde o pavor da masmorra e dos ferros? És tu, e vieste salvar-me! Estou livre! Outra vez volto a ter diante de mim a rua onde te vi pela primeira vez e o jardim alegre onde Marthe e eu te esperávamos.

FAUSTO *(tentando levá-la)*: Vem comigo

MARGARETE: Oh, espera. Agora que estou contigo me sinto muito bem. *(Acaricia-o).*

FAUSTO: Anda depressa, senão pagaremos caro.

MARGARETE: Como? Não sabes mais beijar-me? Tão pouco faz que me deixaste e já te esqueceste de como me beijavas? E por que sinto agora tanto medo abraçada a ti, quando antes tuas palavras me levavam ao céu, enquanto me beijavas como se quisesses sufocar-me? Beija-me, ou eu é que te beijarei. *(Abraça-o).* Ai de mim, teus lábios estão frios, estão mudos. Onde ficou teu amor? Quem mo roubou? *(Volta-lhe as costas).*

FAUSTO: Vem! Segue-me, meu amor. Recobra o ânimo, vamos! Hei de querer-te com um fogo mil vezes mais ardente, mas, agora, vem comigo, te suplico.

MARGARETE *(voltando-se para ele):* Então és tu? De verdade?

FAUSTO: Sim, sou eu. Vem comigo.

MARGARETE: Rompeste minhas correntes e de novo me estreitas contra teu peito — como não tens medo de mim? Sabes, amigo, a quem estás libertando?

FAUSTO: Vem, que a escuridão da noite já começa a se dissipar.

MARGARETE: Matei minha mãe. Afoguei meu filho. Não era ele um presente dado a ti e a mim? Sim, era teu também!
És tu! Mal posso acreditar! Dá-me tua mão. Não, não é um sonho! É mesmo tua mão querida! Mas... ela está úmida! Trata de enxugá-la! Parece-me que há sangue nela. Ah, meu Deus, que fizeste? Põe tua espada na bainha, suplico-te.

FAUSTO: O que passou, passou. Não me mates de remorso.

MARGARETE: Não, deves continuar vivo. Vou dizer-te como são as sepulturas das quais terás de cuidar a partir de amanhã. Para minha mãe reserva a melhor. Logo ao lado dela estará a do meu irmão. Eu devo ficar um pouco afastada, tendo junto a meu seio direito o pequenino. Ninguém mais deverá ser enterrado junto de mim. Estreitar-te em meus braços foi uma terna alegria, mas já não consigo abraçar-te. É como se eu me estivesse forçando a chegar-me a ti, enquanto me rechaças. Entretanto, continuas sendo tão nobre e tão gentil como eras antes...

FAUSTO: Se é assim que me vês, vem comigo.

MARGARETE: Para fora?

FAUSTO: Sim, para a liberdade!

MARGARETE: Lá fora está a tumba e a morte nos aguarda. Vamos. Vamos daqui para o leito eterno e nem um passo a mais. Vais-te, então? Oh, Heinrich, como gostaria de poder ir contigo!...

FAUSTO: Mas podes! Vem, a porta está aberta!

MARGARETE: Não, não posso. Para mim não há esperança. Para que fugir, se não tardarão a me encontrar? É tão horrível ter de mendigar, e além do mais com a consciência pesada. É terrível vagar por terra estranha. Além do mais, vão prender-me, de qualquer maneira.

FAUSTO: Então ficarei contigo.

MARGARETE: Foge! Foge! Salva teu pobre filhinho. Segue o caminho que leva riacho acima. Atravessa a ponte, transpõe o bosque e olha para a esquerda, onde há uma prancha sobre o tanque. Tira-o dali, que ele está querendo sair; ainda está bracejando. Salva-o! Salva-o!

FAUSTO: Recobra a razão, Gretchen! Um passo e estarás livre.

MARGARETE: Se já tivéssemos transposto o monte... Ali, sobre uma pedra, está sentada minha mãe. Sinto o sangue congelar. Ali está ela, sentada sobre uma pedra. Não move a cabeça, seja para concordar, seja para negar. Faz tempo que dorme. Nunca mais despertará. Dormiu para que nós dois pudéssemos gozar. Oh, que tempos felizes!

FAUSTO: Se as palavras e as súplicas não servem, levar-te-ei à força.

MARGARETE: Deixa-me! Não suporto violência. Não me agarres como se eu fosse uma criminosa. Tudo o que fiz foi por amor.

FAUSTO: O dia está raiando, meu amor.

MARGARETE: Dia! Já é dia! Está raiando meu último dia! Teria sido o dia de meu casamento. Não contes a ninguém que estiveste com Gretchen. Lá se foi minha grinalda! Tudo acabou! Voltaremos a ver-nos, mas não no baile. A multidão se apinha, mas em silêncio. A praça e as ruas não podem contê-la. Os sinos repicam e já se quebrou a varinha fatal. Sou amarrada e subjugada! Estou sendo levada ao cadafalso. Cada qual sente no próprio pescoço o gume que vai se abater sobre o meu. O mundo está mudo como uma tumba.

FAUSTO: Oxalá eu não houvesse nascido.

MEFISTÓFELES *(aparecendo do lado de fora):* Vamos, ou estareis perdidos. Que hesitações inúteis! Que falta de decisão! Quantas palavras vãs! Fremem de ansiedade os cavalos que trouxe comigo. Já começa a clarear.

MARGARETE: Que é isso que está saindo do chão? É ele! Expulsa-o! Que veio fazer aqui, neste lugar sagrado? Veio buscar-me!

FAUSTO: Vais viver.

MARGARETE: Entrego me toda à Justiça de Deus!

MEFISTÓFELES *(Dirigindo-se a Fausto):* Vem, ou te deixo com ela atrás das grades.

MARGARETE: Sou tua, Pai. Salvai-me. Ó falange sagrada dos anjos, rodeai-me para me proteger. Heinrich, sinto horror de ti!

MEFISTÓFELES: Já foi julgada.

VOZ *(vindo de cima)*: Está salva!

MEFISTÓFELES *(Dirigindo-se a Fausto):* Vem comigo! *(Desaparece com ele).*

VOZ DE MARGARETE *(soando ao longe):* Heinrich! Heinrich!

SEGUNDA PARTE

(em cinco atos)

PRIMEIRO ATO

SÍTIO APRAZÍVEL

(Fausto, estendido sobre a relva florida, fatigado e inquieto, tenta conciliar o sono. Um círculo de espíritos graciosos se move a seu redor, compondo curiosas formações).

CREPÚSCULO

ARIEL:
(canta acompanhado por harpas eólias):
Quando as flores brotam nos campos
à chegada da primavera,
quando o verde e a vida retornam
depois de prolongada espera,
elfos quase imateriais
vêm consolar as nossas dores.
Tanto lhes faz que os infelizes
sejam santos ou pecadores.

Vós que circulais em torno da cabeça desse homem, demonstrai a nobre natureza dos elfos, aplacando os tormentosos conflitos que afligem seu coração e desviando dele os dardos amargos e ardentes do remorso. São quatro os períodos da noite: fazei com que ele os desfrute um por um. Primeiro, reclinai sua cabeça sobre a fresca relva; depois, banhai-o na torrente do Lete[34]; logo se tornarão flexíveis seus membros até então intumescidos, e hirto seu corpo, levando-o, então já recomposto, a de novo contemplar a luz do dia. Enfim, cumpri o mais encantador dever dos elfos: devolvei-o à sagrada luz.

CORO
(cantando ora em solo, ora em dueto, ora em uníssono):
Quando o ar tépido vai se espalhando
pelos prados cheios de verdor,

do céu baixam, ao entardecer,
tênues brumas e um mui suave olor.
Mil sussurros de agradável som
trazem paz até seu coração,
e a seus olhos de homem fatigado,
fecha o dia, aos poucos, seu portão.

Finalmente, a noite sobrevém
e as estrelas passam a brilhar,
refletindo a luz tremeluzente
no negrume das águas do mar.
Rematando esse doce sossego
e essa paz que envolve a Natureza,
surge a lua em todo o seu fulgor,
inundando o mundo de beleza.

Já passadas são todas as horas.
Dissiparam-se dor e prazer.
Vais curar-te, podes confiar
que verás a luz do alvorecer
se espalhando pelos verdes vales.
Por enquanto, nas horas finais
desta noite, vê como tremulam
qual em ondas, os louros trigais.

Pra alcançares todos os desejos,
olha ao longe para aquela luz
e desprende-te do véu do sono
que, solerte, ao sonho te conduz.
E não vás agora acovardar-te
qual se fosses um reles poltrão.
Tudo pode e alcança o nobre peito
que depressa pensa e entra em ação.

(Um medonho estrondo anuncia a chegada próxima do Sol).

ARIEL:
Escutai como as Horas retumbam,
provocando no espírito o medo:
novo dia acaba de nascer,
e já se ouve o estrépito bem cedo.
Escancaram-se as portas do céu
quando Febo irrompe entre trovões,
ao rufar de tambores, ao toque
de trombetas, à luz dos clarões.

Ficam cegos os olhos que o veem
e aturdidos os que ouvem o estrondo;
escondei-vos dentro das corolas
ou nas grutas, onde até eu me escondo,
pois se o som vos chegar aos ouvidos
ficareis como se ensurdecidos.

FAUSTO: As veias da vida voltam a latejar, frescas e reanimadas, saudando a suavidade etérea da aurora. Tu, Terra, também foste constante esta noite: me deste alento, arfando rediviva a meus pés. Fazes com que o desejo recomece a rondar-me, e com que renasça meu intento de buscar consistentemente uma existência melhor.

Com a luz da aurora, o mundo acorda. No bosque ressoa, em mil vozes, o som da vida. No fundo do vale surgem farrapos esgarçados de névoa, que a claridade do dia consegue transpor. Troncos e ramadas rebrotam renovados, deixando de esconder-se no negror da noite em que jaziam adormecidos. As cores vão emergindo uma após outra das profundezas escuras, enquanto pérolas refulgentes gotejam sobre as flores e folhas. Um paraíso se vai conformando a meu redor.

Olhai para cima! Os altaneiros picos das montanhas anunciam que é chegada a mais solene das horas. Eles logo poderão desfrutar da luz eterna, que não demora a nos banhar. Os verdejantes prados que se estendem junto ao sopé dos Alpes já estão recebendo a luz e o calor que pouco a pouco vão descendo do céu. Eis que aparece o Sol, deixando-me cego! Dele desvio meus olhos doloridos,

É como se uma esperança ardente surgisse, na certeza de se concretizar, e encontrasse aberta de par em par a porta da realização. Eis que, do mais profundo do abismo, brota um mar de chamas que nos deixa atônitos e confusos. Queríamos tão somente acender a tocha da vida, e eis que nos vimos rodeados por um flamejante mar — e como é ardente esse fogo! Que será isso, ódio ou amor? Com ardor nos rodeiam, alternando-se de maneira terrível, a dor e o prazer, levando-nos a olhar de novo para o chão, a fim de ficarmos envoltos pelo véu diáfano da juventude.

Pois que fique o Sol, então, a minha retaguarda. Quedo-me a contemplar com crescente fascinação a cascata que se precipita no desfiladeiro, formando de salto em salto mil redemoinhos, para depois repartir-se em mil torrentes borbulhantes, a espalhar no ar, o tempo todo, sua escumosa névoa. Contrastando com essa fúria, surge na abóbada celeste o magnífico e cambiante arco-íris, ora nítido, ora esvaído, destilando orvalho fresco e perfumoso. Ele simboliza a lida humana, levando-nos a compreender que a vida se encontra no multicolorido reflexo da luz!

34. Acreditava-se que as águas do mitológico rio Lete provocavam esquecimento em quem as bebia.

NA SALA DO TRONO DO PALÁCIO IMPERIAL

(O Conselho de Estado aguarda a chegada do Imperador. Soam trombetas. Veem-se cortesãos de todo tipo, luxuosamente trajados. Chega o Imperador e se dirige ao trono, tendo à direita, o Astrólogo).

IMPERADOR: Saúdo meus amados e leais súditos que aqui se encontram, vindos de perto e de longe. Vejo o sábio a meu lado, mas onde estará meu bufão?

UM NOBRE: Ele estava vindo logo atrás da cauda do manto de Vossa Majestade, quando rolou pela escada abaixo. Levaram daqui seu corpo balofo. Não se sabe se morreu ou se apenas estava bêbado.

OUTRO NOBRE: Logo em seguida, numa presteza incrível, veio outro bufão ocupar seu lugar. Seus trajes são luxuosos, mas de tal modo grotescos que a todos nos deixou pasmados. Os guardas bem que tentaram impedi-lo de entrar, trançando as alabardas à frente da porta, mas o louco atrevido não se deteve, e ei-lo que chega.

MEFISTÓFELES *(ajoelhando-se diante do trono):* Quem será que é malfalado, porém é sempre bem-vindo? Quem é o esperado, mas sempre repelido? Quem será que sempre encontra a proteção de alguém? Quem sempre é censurado acremente, e todo dia recebe uma nova acusação? Quem é que não há quem se anime a chamar para que fique a seu lado? Quem é que deixa todos alegres só de ouvirem chamá-lo? Quem é que agora se chega aos pés do trono de Vossa Majestade? Quem é que a si próprio se desterrou?

IMPERADOR: Por esta vez, poupa-nos de teus enigmas! Aqui não é lugar nem esta é a hora para adivinhações. Isso é da alçada desses senhores. Decifra-os tu depois, pois gostarei de escutar tuas respostas. Meu bufão se foi; receio que para muito longe. Toma seu lugar e fica aqui a meu lado.

(Mefistófeles sobe e se põe à esquerda do Imperador).

MURMÚRIOS DA MULTIDÃO:
Um novo bufão — é muito azar!
De onde vem? Como fez para entrar?
O antigo teve um destino mau.
Foi-se o tonel, veio o varapau!

IMPERADOR: Então, amados e leais súditos, que aqui vos encontrais vindos de perto e de longe, mas sempre bem-vindos: aqui vos reuniu uma estrela propícia, na qual está escrita a nossa sorte e o nosso destino. Dizei-me: por que, nestes dias em que nos despojamos de nossas preocupações e estamos usando máscaras, e que nada mais queremos senão nos distrair descuidadamente, temos de nos aborrecer, reunindo-nos aqui para tomar deliberações? Se responderdes que não há outro remédio e que foi essa a decisão tomada, então, que assim seja.

CHANCELER: A suprema virtude adorna como uma auréola a cabeça do Imperador. Refiro-me à Justiça, que somente ele pode exercer convenientemente. É ela que todos amam, exigem, desejam, e à qual dificilmente renunciam. Somente a ele compete assegurá-la ao povo. Mas de que servem a razão humana, a bondade do coração e a boa vontade, quando todo o Estado se encontra em febril desolação, e cada mal dá lugar a novos males? Qualquer um que daqui de cima divisa o Império presume estar vivenciando um pesadelo, no qual os monstros se duplicam e multiplicam. A ilegalidade campeia como norma, compondo um mundo de terror. Este aqui rouba uma rês; esse outro, uma mulher; aquele se apropria do cálice, da cruz e dos candelabros do altar, e ainda se vangloria por anos a fio dessa sua façanha, sem que coisa alguma lhe aconteça. E se os prejudicados recorrem ao tribunal, deparam com um juiz que se pavoneia do alto de sua autoridade, enquanto cresce entre o povo o tumulto e a desordem. Ninguém se envergonha de ter tirado vingança e ter cometido um crime; quem precisa, sempre encontra um cúmplice para apoiá-lo, e só se escuta a sentença "Culpado" quando o réu, embora inocente, não tem quem o proteja. O mundo inteiro está esboroando, e acabará por aniquilar tudo aquilo que é bom. Como poderá desenvolver-se o único sentimento que nos pode conduzir ao que é justo? Até os homens de bem acabarão inclinados à adulação e ao suborno, enquanto que o juiz, não podendo castigar, optará por aliar-se ao criminoso. Achais que estou pintando a cena com cores muito negras? Pois penso que deveria enegrecê-la ainda mais!

(Pausa).

Não se pode deixar de tomar providências quando todos são prejudicados, todos sofrem e o próprio trono se vê ameaçado.

CONDESTÁVEL: Quanta fúria nestes dias de loucura! Ninguém hesita em ferir, e muitos estão sendo feridos, mas todos fazem ouvidos moucos às regras e às leis. O burguês, atrás das muralhas, e o nobre, em seu ninho sobre as rochas, se conjuraram para enfrentar-nos e mantêm suas forças em perene prontidão. Os mercenários vociferam, exigindo o pagamento dos soldos atrasados, e, quando o recebem, no mesmo instante desertam. Se ocorre a alguém proibir-lhes seja o que for, é como se tivesse bulido num ninho de vespas. Enquanto isso, o Império, que tinham de proteger, é assolado e devastado. Sem ter quem tolha essa fúria destruidora, já meio mundo se arruinou. É bem verdade que existem reis, mas todos agem como se esse assunto não lhes dissesse respeito.

TESOUREIRO: E quem pode confiar nos aliados? Os subsídios que nos prometeram ficaram tão estancados como água presa nos canos. Ademais, Majestade, que aconteceu ao conceito de propriedade neste vasto Império? Por toda parte surgem usurpadores que se apossam do que querem, sem prestar contas de coisa alguma, e não há quem os impeça! Já renunciamos a tantos direitos, que quase nenhum nos sobrou. Tampouco sou de me fiar nos partidos, seja esse, seja aquele, pois eles combatem ou defendem ideias idênticas, devotando-lhes ora ódio, ora amor. Tanto os gibelinos como os guelfos andam se escondendo e trocando o trabalho pelo ócio. Quem se preocupa hoje com seu vizinho? Cada qual só cuida do que é seu. As portas do tesouro público estão trancadas. Todos cavam, revolvem e recolhem, mas nossas arcas permanecem vazias.

MORDOMO-MOR: E os problemas que também eu tenho de enfrentar! Todos os dias trato de poupar, mas no dia seguinte o gasto aumenta ainda mais, e com isso vai crescendo a minha angústia. Os cozinheiros não precisam preocupar-se, pois não lhes faltam javalis, veados, lebres, cabritos, perus, galinhas, gansos e patos. Os tributos e taxas são cobrados e recebidos regularmente, mas o vinho já começa a faltar. Antigamente, em nossas adegas, tínhamos pilhas enormes de barris de vinhos finíssimos, produzidos nos melhores vinhedos, nos anos de safras excepcionais. Agora, porém, a insaciável voracidade dos nobres sorveu-os até a última gota. A reserva municipal teve de ser aberta. Bebe-se em jarras, em escudelas, e as celebrações acabam debaixo das mesas! É aí que eu entro, tendo de pagar por todos esses gastos, e o judeu nada me perdoa. Quando muito me concede adiantamentos que, ano após ano, vão carcomendo nossas economias. Os porcos têm de ser entregues antes de cevados; até o colchão já está empenhado, e o pão que chega à mesa não foi pago...

IMPERADOR *(depois de meditar, dirigindo-se a Mefistófeles):* E tu, bufão, também tens alguma desgraça a relatar?

MEFISTÓFELES: De modo algum! É maravilhoso contemplar o esplendor, tanto o vosso pessoal, como o daqueles que são vossos. Pode faltar confiança onde Vossa Majestade, inexoravelmente, exerce seu poder para derrotar o inimigo? Aqui onde a boa vontade predomina e a sabedoria guia as mãos que trabalham? Seria preciso congregar todas as forças do Mal para trazer as trevas até este lugar onde brilham tantas estrelas!

MURMÚRIO:

O velhaco entende do riscado!
É tratante nato e consumado!
Que será que o biltre tem em mente?
Um plano astucioso, certamente...

MEFISTÓFELES: Onde não há carências neste mundo? Falta a este uma coisa; àquele falta outra — aqui o que está faltando é dinheiro. É bem verdade que não se pode arrancá-lo das pedras, mas a sabedoria haverá de conseguir extraí-lo de algum lugar mais fundo. Nos veios das montanhas ou na base das muralhas há ouro lavrado e cunhado. E se me perguntardes quem acaso poderia trazê-lo para fora, respondo: alguém bem dotado com o poder do espírito e a força da Natureza!

IMPERADOR: Natureza, espírito... não é assim que se fala aos cristãos. Por terem dito isso é que muitos ateus foram queimados, porquanto tais ideias são de fato perigosas. A Natureza é o pecado; o espírito é o diabo; da união de ambos se engendra a Dúvida, sua híbrida bastarda. Não foi o que aconteceu no nosso caso! O Império viu surgir em seus domínios duas linhagens que sustentam dignamente o trono: a dos santos e a dos cavaleiros. São eles que suportam todas as tormentas, e por isso ganharam como recompensa a Igreja e o Estado. A eles se contrapõe a plebe ignara, com seus espíritos confusos, e daí saem os hereges e os bruxos, filhos do erro, que arruínam as cidades e os campos. Com tuas chalaças queres infiltrá-los em nossas altas esferas. Se te unes a corações tão degenerados é porque tua loucura está próxima da que eles têm.

MEFISTÓFELES: O sábio que sois se revela atrás de vossas palavras. O que não puderdes tocar, é porque a milhas daqui se encontra. Aquilo que não percebeis, para vós sequer existe. O que não couber em vossos cálculos, credes não ser verdadeiro. O que não podeis pôr na balança não terá peso para vós. O que não foi cunhado por vós, certo estareis de que é falso...

IMPERADOR: Com isso não resolveremos nossos problemas. De que nos serve um sermão de quaresma? Estou farto de escutar "se" e "talvez". Se o que falta é dinheiro, pois bem: arranja-o!

MEFISTÓFELES: Arranjarei o tanto que quereis, e muito mais! O processo até que é fácil, mas não para qualquer um, pois, para tanto, é mister que se domine uma certa arte — e quem terá tal competência? Pensai nos períodos de calamidade, quando nossas terras foram invadidas por hordas de pessoas. Houve muitos que, assustados, enterraram aqui e ali seus bens mais preciosos.

Assim fizeram outrora, quando os romanos chegaram, e assim ainda se faz eventualmente em nossos dias. Todos esses tesouros se acham escondidos embaixo da terra, e como o subsolo pertence ao Imperador, tudo isso passa a ser de sua propriedade.

TESOUREIRO: Para um bufão, falas muito bem. Esta é uma tradicional prerrogativa imperial.

CHANCELER: Lá vem Satã com seus laços dourados, fazendo-nos crer que nada se consegue sendo piedoso e justo!

MORDOMO-MOR: Se daí algo de bom nos advier, com prazer aceito lançar mão de uma dose de injustiça.

CONDESTÁVEL: Astuto bufão! Acenas para nós com algo que a todos poderá ser útil. Não será o soldado quem irá indagar de onde aquilo teria saído...

MEFISTÓFELES: E se acreditais que eu vos esteja enganando, perguntai ao Astrólogo: ele entende. Ele é capaz de encontrar nas esferas dos astros as horas e as casas astrais. Perguntai-lhe, pois, o que ele vê nos céus.

MURMÚRIOS:
São dois velhacos de parceria,
mesclando astúcia com fantasia.
É como diz um velho soneto:
o louco e o sábio formam dueto.

ASTRÓLOGO
(fala, enquanto Mefistófeles vai apontando):
O próprio Sol é de ouro verdadeiro.
Mercúrio faz papel de mensageiro.
Vênus, de dia e à noite, brilha tanto,
que seu meigo luzir nos causa encanto.
Desperta a casta Lua, em nós, o amor,
enquanto Marte é um deus ameaçador.
Fulgura no céu Júpiter sereno,
e o grão Saturno, ao longe, arde, pequeno;
como metal, não é muito apreciado,
por ter pouco valor e ser pesado.
Sol e Lua no céu? Ouro com prata!
Reina na terra a paz, e é a hora exata
de conseguir-se aquilo que se quer:
parques, palácios, seios de mulher.
Tudo isso aquele sábio pode obter!
Ele só! Mais ninguém tem tal poder!

IMPERADOR: Escutei-te com redobrada atenção e, contudo, não me convenceste.

MURMÚRIOS:
De que vale essa falsa alquimia?:
Mil conceitos vãos de astrologia?
O tal sábio que aqui vamos ter,
como os dois, charlatão deve ser...

MEFISTÓFELES: Aí estais todos pasmados e boquiabertos, desconfiando deste magnífico plano. Aquele ali delira, achando que tem a ver com a mandrágora, ou então com o cachorro preto, como imagina aquele outro. Tem quem só faz achar graça em tudo o que acabou de ouvir, e tem quem desdenhe e deboche daquilo que classifica como bruxaria, fingindo não se importar quando sente um prurido nas plantas dos pés e quando seu passo de repente falseia. Todos vós sentis alguma influência oculta da sempre dominante Natureza, e lá das esferas inferiores chegam até nós indícios disso. Se, quando passardes por um determinado lugar, sentirdes todo o corpo pinicar e vos sobrevier uma certa inquietação, cavai e removei a terra com decisão. Onde isso tiver ocorrido, é ali que está o tesouro.

MURMÚRIOS:
Se nos pés sinto um peso de chumbo
e nos braços sinto um repuxão,
se os costados me dóem de repente,
se formiga e lateja o dedão,
tais sinais são indício seguro
de que embaixo de mim há ouro puro!

IMPERADOR: Então, mãos à obra! Desta não irás escapar. Vamos tirar a prova dessas tuas patranhas. Se não estás mentindo, porei de lado a espada e o cetro, e com minhas próprias e augustas mãos executarei esse trabalho. Mas se estiveres mentindo, arrojar-te-ei às profundas dos infernos!

MEFISTÓFELES: Para lá, não me seria difícil encontrar o caminho... Mas não sou capaz de dizer tudo o que há por aí sem dono, à espera de que um surja. O lavrador, abrindo sulcos com seu arado, acha um caldeirão de ouro; outro sujeito, buscando salitre no barro das paredes, de repente se vê com peças de ouro entre suas mãos! Quantos sótãos e porões teremos de vasculhar! Em que enorme quantidade de covas e cavernas terá de penetrar o especialista em tesouros, perscrutando até chegar perto do inferno! Em amplos salões subterrâneos encontrará pilhas de taças, de bandejas, de pratos — tudo de ouro! Encontrará também cálices cravejadas de rubis, e, caso queira neles beber, quem sabe achará, ao lado deles, antiquíssimos licores? Todavia — acredite em quem entende — a madeira das dornas deve ter-se apodrecido, tendo o sarro do vinho mantido o formato do tonel. As essências desses nobres vinhos que se encontram ao lado do ouro e das joias perdeu-se na noite e no terror. Pois é aí que o sábio infatigável investiga. Quem só pesquisa de dia, quase nada encontra. Os mistérios habitam a escuridão.

IMPERADOR: Fica com ela para ti. De que me serve a escuridão? Se algo possui valor, tem de ser posto às claras. Quem é capaz de reconhecer um velhaco na noite escura? É então que todas as vacas são negras e todos os gatos são pardos. Revira a terra com teu arado e traze à tona todos esses potes cheiros de ouro!

MEFISTÓFELES: Por que não empunhais enxada e pá, Majestade, e cavais conosco? Vai fazer-vos bem o trabalho de camponês, e logo do solo brotará um rebanho de bezerros de ouro. Então, sem tristeza ou hesitação, podereis enfeitar-vos e enfeitar vossa amada. O brilho do ouro e das pedras preciosas dá maior realce à beleza e à majestade.

IMPERADOR: Sendo assim, vamos lá! Já estou impaciente!

ASTRÓLOGO *(permanecendo com o gesto anterior):* Moderai, senhor, esse ímpeto. Deixai que passe a mascarada. A mente distraída não consegue alcançar a meta visada. Primeiro, temos de moderar o facho, a fim de que, com o que fizermos aqui em cima, mereçamos o que se encontra lá embaixo. Quem o bem almeja, que bom se torne. Quem alegria quer, que esfrie o sangue. Quem vinho deseja, que pise os cachos de uva. Quem pretende alcançar milagres, que fortaleça a fé.

IMPERADOR: Pois que transcorra esse tempo em regozijo. E que não tarde a chegar a esperada Quarta-Feira de Cinzas, depois de termos festejado com mais ardor ainda o louco Carnaval!

(Soam trombetas. Saem todos).

MEFISTÓFELES: Esses idiotas nunca entenderão que merecimento e sorte andam de mãos dadas. Se possuíssem a pedra filosofal, faltar-lhes-ia o filósofo.

NUM AMPLO SALÃO LIGADO A VÁRIOS QUARTOS CONTÍGUOS

(Disposto e adornado para o baile de Carnaval).

ARAUTO: Pelo simples fato de vos encontrardes em terras alemãs não deveis imaginar que ireis assistir a danças macabras de diabos, de loucos e de mortos, pois o que vos espera é uma festa repleta de alegria. Nosso governante, em sua viagem a Roma, após cruzar os escabrosos Alpes, granjeou a simpatia de um alegre reino, para proveito próprio e para vosso prazer. Ele, o Imperador, foi pedir, diante das Santas Sandálias, a sanção de seu poder, e tendo ido ali buscar a coroa, trouxe consigo os barretes de carnaval. Com eles, agora, é como se tivéssemos renascido. Qualquer homem os põe alegremente na cabeça, ajustando-o nas orelhas, e com isso passa a se assemelhar a um louco varrido, embora esteja tão sensato quanto antes o era. Já os antevejo reunindo-se em grupos, misturando-se e entremeando-se, como estudantes saindo da escola. Pouco importa ir para frente ou para trás; no final, tudo ficará como no início: o mundo, com suas cem mil bufonarias, continuará louco.

JARDINEIRAS
(cantam com acompanhamento de bandolins):
Esperando obter o vosso aplauso,
reunidas nesta noite tão fresca,
aqui estamos, vindas de Florença,
nesta esplêndida corte tudesca.

Nos cabelos castanhos trazemos
linda flores artificiais,
e estas sedas com que nos trajamos
embelezam-nos ainda bem mais.

Quem achar as flores naturais
superiores às feitas à mão,
tenha em mente que as nossas conservam
o ano inteiro esse aspecto loução.

Os retalhos de cores diversas
vão dispostos simetricamente.
Se os detalhes talvez não agradem,
o conjunto agrada a toda a gente.

Com efeito, é um prazer contemplar-nos,
jardineiras jovens e galantes,
pois é dom natural das mulheres
da arte serem as representantes.

ARAUTO: Deixai-nos ver os ricos cestos que levais sobre vossas cabeças ou que apoiais em vossos braços. Que cada qual escolha o que quiser. Pronto! Na relva e nas trilhas formou-se um jardim. São dignas de louvor tanto as vendedoras como as mercadorias.

JARDINEIRAS
Neste ameno lugar aonde viestes,
não queirais conosco regatear.
Sem rodeios e objetivamente,
cada qual diga o que quer levar.

RAMO DE OLIVEIRA COM FRUTOS:
Não invejo qualquer flor que exista,
e nada de brigas, por favor,
pois são contra minha natureza.
Dos anseios de paz sou penhor.
Eu simbolizo a essência da terra,
tudo aquilo de bom que ela encerra.
Hoje espero que a sorte eu mereça
de enfeitar uma bela cabeça.

GRINALDA DE ESPIGAS
(douradas):
Somos presente da deusa Ceres,
participando deste deleite;
se na escassez todos nos procuram,
possamos ser, na fartura, enfeite.

GRINALDA DE FLORES ARTIFICIAIS:
Quais malvas, somos bem coloridas
feitas de musgo,adorno floral;
pode ser raro na Natureza,
porém a moda o tornou normal.

RAMALHETE ARTIFICIAL:
Nem Teofrasto seria capaz
de indicar meu nome, e nem eu sei.
Pode ser que eu não agrade a todas,
mas a mais de uma eu agradarei.
Quem quiser minha dona tornar-se

deverá tomar a decisão:
se me quer preso nos seus cabelos,
ou em cima do seu coração.

BOTÕES DE ROSA EM DESAFIO:
Fantasias de rico lavor
sobrevivem, se a moda durar,
mesmo tendo formas prodigiosas,
impossíveis de um dia se achar.
Talos verdes, corolas douradas
embelezam as tranças cacheadas.

Quanto a nós, escondidos ficamos,
e feliz de quem nos acha em flor.
Quando enfim o verão se anuncia,
o ar se impregna com o nosso olor.
Tal prazer, quem não quer desfrutar?
As promessas só se cumprirão
se no reino de Flora regerem
a visão, a mente e o coração.

(As jardineiras colocam graciosamente suas mercadorias sob verdes caramanchões).

JARDINEIRAS
(cantam acompanhadas de alaúdes):
Vão brotando, serenas, as flores
e adornando esses rostos garridos,
mas os frutos não são para enfeite,
aqui estão para serem comidos.

Não te deixes levar pelo aspecto
que a cereja ou o figo apresentar;
compra-os logo, pois o olho, na certa,
nunca foi bom juiz do paladar.

Estas frutas maduras, gostosas,
se destinam ao vosso prazer.
Se merecem, as rosas, poemas,
as maçãs, só vos resta morder.

Permiti que nos emparelhemos
a essa flora jovem e formosa,
realçando essa sua beleza
com a nossa aparência gostosa.

Sob a sombra de alegres guirlandas
que recobrem os caramanchões,
tudo pode ser aqui encontrado:
flores, frutos, folhas e botões.

(Em cânticos alternados, com acompanhamento de guitarras e alaúdes, os dois coros continuam tocando e oferecendo suas mercadorias, exibindo-as em pilhas que são elevadas umas após a outra).

(Mãe e filha).

MÃE:
Ó menina, quando tu nasceste,
com barrete de lã te enfeitei;
contemplando o teu rostinho lindo,
teu futuro logo imaginei.
Enxerguei-te vestida de noiva,
se casando com um figurão;
todavia, os anos transcorreram
e meu sonho foi pura ilusão.
Foram vários os teus pretendentes;
maltrataste alguns deles demais,
pois, enquanto dançavas com um,
o outro, atrás, te fazia sinais.
Quando foram por fim rareando,
muitas festas fizemos, tu e eu,
para ver se um marido arranjavas,
mas nenhum marido apareceu...
Hoje só se aproxima de ti
quem tem fama de desajuizado.
Abre os braços, querida, quem sabe
se um dos tais vai ser por ti agarrado?

(Várias amigas, jovens e belas, se reúnem, deixando que se ouçam cada vez mais distintamente suas conversas confidenciais).

(Pescadores e passarinheiros, com redes, anzóis, caniços e outros utensílios, entram e se misturam às belas moças. As tentativas de encostar, abraçar, agarrar e escapar dão lugar aos mais curiosos diálogos).

LENHADORES
(entrando rústicos e impetuosos):
Dai-nos passagens. Não nos tolheis.

Nós precisamos de muito espaço,
pois derrubamos árvores grandes
que vão ao chão com estardalhaço.
Depois que caem, nós as puxamos,
e o que está em frente, nós arrastamos;
deixai, portanto, que nós passemos;
abri caminho, ficai de lado,
pois se nós, brutos, não trabalharmos,
o lar do rico fica gelado.
Por mais talento que acaso tenha,
não sabe como conseguir lenha...
Aprendei todos esta lição,
enquanto estais nos vendo passar:
para que vós não morrais de frio,
muito teremos nós de suar.

POLICHINELOS
(desengonçados e com ar de tolos):
Vós não passais de patetas,
brutamontes encurvados;
nós, que nada carregamos,
andamos desempenados.
Só levamos nossos gorros,
nossas roupas, nada mais;
tudo leve, tudo fácil,
por isso nos invejais.
No doce ócio sempre estamos.
Chinelo é o nosso calçado.
Nosso trabalho é zanzar
dentro e fora do mercado.
Ora estamos gargalhando,
ora em farras e folias,
mas quando a coisa complica,
escapamos como enguias.
Sempre em grupo, barulhentos,
fazendo ouvir nossa voz;
se achais certo ou reprovais,
pouco importa para nós.

PARASITAS
(aduladores e cobiçosos):
Ó lenhadores valentes
e seus briosos parentes
fabricantes de carvão:
recebei a saudação

de quem vos reverencia,
vosso trabalho aprecia
e reconhece que a vida
seria triste e sofrida,
não fosse o vosso labor
que nos traz luz e calor.
Num mundo em que não se tenha
seja o carvão, seja a lenha,
quem pode sobreviver?
Como o fogão acender?
Só se descesse do céu
formidável fogaréu!
Mesmo assim seria em vão,
não tendo lenha ou carvão...

Ali se frita e se ferve,
Lá o assado já se serve.
O rico aroma inebriante
chega ao nariz do filante,
que se considera o dono
daquele augusto manjar,
e, à mesa do seu patrono,
não custa a se aboletar
pra ajudá-lo a degustar...

BEBERRÃO
(já tonto):
Nada de preocupações!
Livre estou, feliz serei!
Canto alegre e jubiloso
canções que eu mesmo inventei.

E, por isso, eu bebo e bebo!
Brindemos todos — tintim!
Tu que estás longe, aproxima-te,
e vem brindar junto a mim!

Ao me ver fantasiado,
minha mulher encrespou,
e, mesmo eu me empertigando,
de espantalho me chamou!

E, por isso, eu bebo e bebo!
Brindemos todos — tintim.

Se houver outros espantalhos,
venham brindar junto a mim!

Se eu estivesse sem rumo,
chegado aqui não teria.
O dono e a dona não fiam,
mas a criada me fia.

E, por isso, eu bebo e bebo!
Brindemos todos — tintim.
E já que crédito eu tenho,
venham brindar junto a mim.

Desfrutemos do prazer
deste agradável momento.
Vou sentar aqui no chão,
pois de pé já não me aguento.

CORO:
Como recusar a oferta
de quem garante a despesa?
Brindemos todos — tintim! –
ao que ali jaz sob a mesa.

(O arauto anuncia a chegada de diversos poetas, cantores da Natureza, menestréis românticos e épicos, alguns sentimentais, outros entusiastas. Com o tumulto que formam ao tentar competir entre si, nenhum consegue tomar a palavra. Por fim, um deles se faz ouvir).

SATÍRICO:
Sabeis o que, como poeta,
prazer me faria sentir?
Poder compor e recitar
o que ninguém deseja ouvir

(Os poetas noturnos e lúgubres pedem desculpas porque acabam de se meter numa interessantíssima conversação com um vampiro recém-chegado, da qual poderia resultar um novo estilo poético. O arauto tem de aceitar as escusas e invocar a mitologia grega, que, embora com seu disfarce moderno, não perdeu seu caráter nem seu encanto).

(As Graças)[35]

AGLAIA:
À existência nós damos graças.
Esperamos que o mesmo faças.

HEGÊMONE:
Graças recebe quem as dá.
Com gratidão receberá.

EUFRÓSINA:
Quem recebê-las, não se esqueça:
desfrute o momento e agradeça.

(As Parcas)[36]

ÁTROPOS:
Por ser eu a irmã mais velha,
fui convidada a fiar;
o tênue fio da vida
nos leva a muito pensar.

Para torná-lo flexível,
tirei-o do fino linho
e, com dedos experientes,
alisei-o com carinho.

Se, durante as loucas danças,
procedeis perdidamente,
tende em mente: ele se rompe!
Cuidai que não arrebente!

CLOTO:
Alguém me deu, outro dia,
as tesouras, e falou
que foi mal feito o trabalho
que a mais velha executou:
panos inutilizou
expondo ao vento e ao calor,
e as promessas de façanhas,
considerou sem valor.

Eu também, na mocidade,
fui fútil, desmiolada;
e hoje, para me conter,
tenho a tesoura guardada.

Com prazer, mas à distância,
contemplo, alegre, a festança
e aconselho: aproveitai,
enquanto dura essa dança!

LÁQUESIS:
Por ser a única sensata,
da ordem fui encarregada.
Sou ativa e diligente,
sem nunca estar apressada.

Os fios se vão trançando
sob o meu atento olhar,
e nenhum deixo perder-se
até a trama completar.

Se acaso eu me distraísse,
a terra estava arrasada!
Conto as horas, meço os anos;
do Tecelão é a meada.

ARAUTO: Embora sejais versados nos escritos dos velhos alfarrábios, desconheceis essas que chegarão a seguir. Apesar dos danos que ocasionam, seu aspecto sempre lhes assegura uma boa recepção.
Quiçá ninguém acredite, mas estas que chegam, tão guapas, tão bem apessoadas, de aspecto tão amistoso e jovial, são as Fúrias! Mas bastará que vos metais com elas para constatardes que essas pombinhas picam como serpentes.
Na verdade, elas são dissimuladas, mas hoje em dia, quando todos os loucos alardeiam seus defeitos, as Fúrias não pretendem ter fama de anjos, e reconhecem que são a praga que assola as cidades e os campos.

(As Fúrias)[37]

ALECTO: Nada podereis contra nós. Vamos inspirar-lhes confiança, pois somos jovens, belas e sedutoras. Se algum de vós tem uma amada e a valoriza como se fosse um tesouro, dela murmuraremos em seus ouvidos, informando que ela fica piscando para esse ou para aquele, que é torta e corcunda, que manca, e que, para arrematar, não possui os dotes necessários a uma boa esposa
Também sabemos como atazanar uma noiva. Podemos dizer-lhe que, há coisa de algumas semanas, seu noivo falou dela de maneira depreciativa. Ainda que se reconciliem, a difamação sempre deixa algum resquício.
MEGERA: Isso é pouco! Depois que se casarem, aí serei eu quem deles irá se ocupar! Sei muito bem como converter felicidade em aflição. É de

conhecimento geral que os humanos, assim como as horas, estão sempre mudando. Ninguém se sente plenamente satisfeito após ter alcançado aquilo que tanto almejou. Sempre estará ansiando tolamente por outra coisa, e com maior intensidade que antes, deixando de desfrutar do que conseguiu, por se ter rapidamente acostumado a possuí-lo. É como se, fugindo do sol, pretendesse encontrar calor no gelo.

Entendo muito bem desse assunto, e conto com meu fiel servidor Asmodeu[38] para, de tempos em tempos, semear entre os homens a discórdia. E assim vou arruinando a espécie humana casal por casal.

TISÍFONE:

Em vez de discussões, o que eu proporciono
são punhal e veneno para o traidor.
Certo esteja de ter merecida pena
quem não se contentar em ter um só amor.

Por mais doce que seja o prazer do instante,
eu não tenho indulgência com uma traição:
transformo o gozo intenso em amargo fel,
pois pecados se pagam com expiação.

A quem peca eu não sei conceder perdão.
Quando às rochas exponho o que pude ver,
responde o eco: *"Vingança"*, pois, com efeito,
quem vive a fornicar não deve viver.

ARAUTO: Tende a bondade de abrir caminho, pois o que aí vem não pertence a vossa espécie. Observai essa montanha que se move em nossa direção, tendo o dorso recoberto por mantas coloridas, e uma cabeça dotada de enormes colmilhos, da qual se projeta uma tromba serpenteante. Se isso vos parece enigmático, digo ainda mais que, montada em sua nuca, está uma mulher doce e formosa, que o conduz habilmente com o auxílio de um bastão. Sentada num luxuoso palanquim vem uma outra, com luzido orgulho, trazendo a seu lado duas prisioneiras acorrentadas. Uma delas parece estar tomada pelo medo, enquanto que a outra demonstra satisfação. A primeira anseia por se libertar, mas sua companheira age como se já estivesse livre. Que cada qual revele quem é.

MEDO:

Tochas e fachos fumegantes,
refulgem na festa confusa.
Entre estes rostos enganosos,
eis-me acorrentada e reclusa.

Prosseguí com vossas risadas
e debiques, a revelar

que todos os meus inimigos
aqui estão para me espionar.

Aquele amigo hoje me odeia.
Sua máscara o revelou.
Aquele outro quis me matar;
ao ser descoberto, escapou.

Eu também queria escapar
sem rumo, pela estrada além,
mas vejo a ruína que me ameaça
e entre a treva e o horror retém.

ESPERANÇA:
Queridas irmãs, saudações!
Ontem e hoje vos divertistes
com máscaras e fantasias.
Amanhã, sem que fiqueis tristes,
vossas máscaras tirareis
e, longe das tochas que ofuscam,
bastante à vontade estareis.
Desfrutando os dias amenos,
vagaremos com alegria,
seja a sós, seja acompanhadas,
entre as flores da pradaria,
descansando quando quisermos,
numa vida sem pena ou dor,
na certeza de que acharemos
o que é melhor, seja onde for.

PRUDÊNCIA:
A dois inimigos dos humanos,
o Medo e a Esperança, aprisionei;
abri passagem, que já estais salvos,
pois deles dois eu vos apartei.

Vede como guio esse gigante
que traz sua torre sobre as costas
e vai andando sem tropeçar,
mesmo enfrentando abruptas encostas.

Em cima dele, abre suas asas
a augusta deusa, a se preparar
para seguir a qualquer local
onde algum ganho possa encontrar.

Vai semeando esplendor e glória,
sobressaindo entre as demais divas.
Ela é a deusa de nome Vitória,
a que desperta as forças ativas.

ZOILO-TERSITES[39]:
Uh, uh! Eu venho aqui numa boa hora
a todos criticar, sem piedade;
hoje, porém,a vítima escolhida
foi a Dona Vitória, alva deidade.
Ei-la encarapitada sobre o monstro,
asas abertas, ânimo no olhar,
dando a entender que uma águia ela seria,
só pelo simples fato de voar.
Sempre é um deus-nos-acuda onde ela acode,
todo povo ou nação fica excitado,
mas cada vez que a glória ela conquista,
de uma fúria infernal sou apossado.
Que para cima vá o que está no fundo,
e para baixo role o que há no pico!
Tudo o que era direito, eu logo entorto,
e o que era curvo ou torto, eu retifico.
Quando assim ajo, sinto-me contente,
e assim gosto de agir constantemente...

ARAUTO: Cão sarnento! Experimenta o golpe de mestre que te aplico com meu sagrado bastão, e que te fará encurvar e retorcer no mesmo instante! Mas quê?! Esse vulto de anão está se convertendo numa bola, numa pasta asquerosa! Oh! Prodígio! O vulto informe se transforma num ovo, que incha, racha e se divide em duas metades, das quais sai um casal de gêmeos desiguais: uma víbora e um morcego! Aquela serpenteia, arrastando-se por entre o pó, enquanto o outro, com suas asas negras, voa por sobre os telhados. Apressam-se os dois a se unirem lá fora, mas dessa união eu não gostaria de participar.

MURMÚRIOS:
– Vamos! Já estão dançando lá dentro!
– Quisera ir para um lugar distante!
– Sentes como essa raça espectral
nos rodeia num voo rasante?
– Algo me roçou junto ao cabelo!
– Sinto no chão como se um tremor!
– Nenhum de nós está machucado,
mas estamos tomados de horror!
– Ao clima festivo deu-se adeus.
– Era o que queriam os sandeus.

ARAUTO: Desde que fui incumbido de desempenhar a função de arauto, vigio zelosamente a porta de entrada, para que nenhum mal penetre neste lugar de diversão. Nunca hesitei ou fraquejei, mas receio que pelas janelas tenham entrado fantasmas aéreos, e não sei como poderia livrar-vos de seus encantamentos e feitiços. O anão já nos deu o que fazer, e agora vejo aproximar-se uma torrente de outros que tais. Por ser arauto, gostaria de desvendar-vos o que significa cada uma dessas figuras, mas como explicar aquilo que não consigo compreender? Ajudai-me nesta tarefa. Estais vendo como a multidão se abre para deixar passar uma luxuosa carruagem, que vem chegando pouco a pouco, já que sempre surge um ou outro basbaque a lhe impedir a passagem? É difícil prosseguir por entre tantas pessoas aglomeradas. Ao longe se divisam centelhas multicores, enquanto estrelas cadentes enchem o céu de esplendor, como numa lanterna mágica. Tudo isso vem em nossa direção, assoprando como se fosse uma tempestade. Daí passagem! Abri caminho! Um estremecimento toma conta de mim!

JOVEM COCHEIRO: Alto! Cerrai vossas asas, ó corcéis! Obedecei ao repuxar das rédeas! Refreai o passo, quando vos contenho, e acelerai, quando vos incito. Honremos este recinto! Vede ao redor como não para de crescer o número de nossos admiradores. Vamos, arauto! Antes que decidamos ir embora, trata de apresentar-nos e a descrever-nos a tua maneira, pois somos alegorias e, como tais, é teu dever conhecer-nos.

ARAUTO: Não sei como deveria chamar-vos, embora possa descrever-vos.

JOVEM COCHEIRO: Tenta-o, pois.

ARAUTO: Para início de conversa, digo que és jovem e formoso, embora ainda estejas em fase de crescimento. As mulheres bem que gostarão de ver-te quando já fores adulto, pois então, segundo creio, ter-te-ás tornado um galã, um autêntico sedutor.

JOVEM COCHEIRO: Disseste-o bem. Segue em frente e completa a solução que encontraste para este enigma.

ARAUTO: Há ainda o brilho negro dos olhos, as madeixas cor da noite, enfeitadas com um belo diadema, o elegante manto de púrpura que cai dos ombros até os tornozelos, arrematado por um esplêndido bordado! Ao ver-te, alguém poderia imaginar que estivesse diante de uma jovem beldade. Para tua sorte, porém, ou quiçá para tua desgraça, saberás conviver muito bem com as belas, que disputarão entre si quem irá ensinar-te o a-bê-cê.

JOVEM COCHEIRO: E que dizes dessa esplêndida e majestosa figura sentada no trono do coche?

ARAUTO: Parece um soberano magnânimo e rico. Ditoso aquele que obtiver seu favor: nada mais terá de requerer. Se algo falta, seu olhar logo o percebe. Nota-se a pura alegria que sente em conceder o que aos outros faz falta: para ele, é mais importante dar, que possuir ou desfrutar.

JOVEM COCHEIRO: Não basta dizeres isso. Cumpre também que o descrevas.

ARAUTO: Quanto à distinção, não há como descrevê-la. Que rosto mais perfeito, em formato de lua cheia! Que bela boca, grande e risonha! E essas faces rosadas, que combinam com as joias do turbante! Que suntuosidade nas dobras de seu manto! E que dizer de sua elegância? Há de se reconhecer que se trata, sem sombra de dúvida, de um rei.

JOVEM COCHEIRO: Chama-se Plutão, e é o deus da riqueza. Vem em pessoa com toda a pompa, pois o Imperador deseja vê-lo.

ARAUTO: E quanto a ti, qual é teu como e teu porquê?

JOVEM COCHEIRO: Sou o Esbanjamento, sou a Poesia! Sou o poeta que alcança a plenitude quando desperdiça seus próprios dons. Nesse particular, sou imensamente rico, e posso até mesmo me considerar igual a Plutão, cujos festins animo e adorno, proporcionando-lhe tudo o que a eles falta.

ARAUTO: A presunção te assenta bem. Mostra-nos tuas habilidades.

JOVEM COCHEIRO: Basta-me estalar os dedos para que o coche brilhe, cercado por um halo refulgente. Vede como faço dele sair um colar de pérolas! *(Continua estalando os dedos).* Enfeitai vossos colos e orelhas com esses colares e brincos de ouro! Tendes também diademas e pentes sem defeito, e valiosas joias engastadas em lindos anéis! De vez em quando lanço algumas chamas, sem saber sobre quem elas irão pousar.

ARAUTO: Com que sofreguidão a turba avança para apanhar as joias! Quase esmagam aquele que as está distribuindo! Quanto ao doador, ele arremessa e esparge joias a cada vez que estala os dedos. Parece um sonho! Na ampla sala, a balbúrdia é geral.

Mas já estou vendo um novo truque: aquilo que com tanta sofreguidão foi agarrado, nada vale para quem pegou, pois o regalo se desfaz e se transforma entre seus dedos. O colar de pérolas, por exemplo, se converte em escaravelhos, que se espalham pela mão de quem o segurava. O pobre logrado os sacode, e os besouros passam a zumbir em redor de sua cabeça. Assim, todos, em vez de joias refulgentes, têm de se contentar com tontas mariposas. Apesar do tanto que prometeu, o embusteiro não distribuiu senão vistosos ouropéis...

JOVEM COCHEIRO: Vejo que sabes descrever as máscaras, mas explorar a essência que existe por trás da aparência exterior não é tarefa suscetível de ser desempenhada por meros arautos da corte. Isso exige uma vista mais aguçada. Mas não quero entrar em discussões; por isso, a vós, senhor *(voltando-se para Plutão),* dirigirei minhas palavras e minhas perguntas. Não confiastes a mim esta quadriga? Não a guio com mão firme, conforme ordenais? Não vou a todos os locais indicados por vós? E não soube conquistar com manobras audazes a palma da vitória para vós? Sempre que travei disputas em vosso nome, a sorte me sorriu. Quando a coroa de louros adornou vossa fronte, acaso não fui eu quem a trançou com esmero e carinho?

PLUTÃO: Se for necessário dar testemunho de ti, fá-lo-ei com gosto, pois és espírito de meu próprio espírito. Ages sempre em consonância com meu modo de pensar. Creio mesmo que sejas mais rico do que eu. Como pagamento de teus méritos, concedo-te o ramo verde, que aprecio mais do que todas as minhas coroas. Em verdade vos digo, filho amado, que sobre ti recai minha complacência.

JOVEM COCHEIRO *(dirigindo-se à multidão)*: Os dons mais preciosos concedidos por minha mão — olhai — estão espargidos a meu redor. Nessa e naquela cabeça está presa uma chamazinha que eu mesmo acendi. É uma chama que salta e se fixa em alguém por algum tempo; depois volta a saltar, fixando-se nessa ou naquela fronte, inflamando-se mais vivamente durante algum tempo, até que de repente se extingue, sem que muitas vezes o contemplado se dê conta de sua presença.

FALATÓRIO DE MULHERES:
Esse que vem no alto do coche,
posso jurar que é um charlatão.
Nas costas leva um espantalho,
morto de sede e inanição,
que não dá conta do que ocorre,
mesmo tomando um beliscão.

O ESFOMEADO (Mefistófeles): Para longe de mim, mulherio asqueroso! Nunca me entenderei convosco. Quando ainda se ocupava a mulher do lar, meu nome, para ela, era Avareza. Então, tudo corria bem em nossa casa: entrava muito e nada saía. Eu me ocupava com zelo de encher as arcas e os armários — pode-se chamar a isso de pecado? Mas como nestes tempos mais recentes as mulheres não querem mais saber de economizar, e, como é de praxe entre os maus pagadores, desejam acima do que lhes pode proporcionar o dinheiro de que dispõem, o homem muito tem de aguentar. Para qualquer lado que olhe, só dívidas enxerga. O que ela pode reunir, gasta-o consigo ou com o amante, além de comer e beber do bom e do melhor, junto com o seu descarado exército de galanteadores. Isso aumenta em mim a ânsia de ouro, pois sou masculino, sou o Avarento!

A LÍDER DAS MULHERES:
Seja o dragão avaro com seus pares!
Tudo isso que ele disse é falsidade!
Essas palavras agem sobre os homens,
recrudescendo a sua má-vontade.

O MULHERIO:
Por que vem ameaçar-nos o palhaço?
Vamos, como lição, descer-lhe o braço!
Esses dragões dão fraca proteção,
já que são de madeira e papelão.
Vamos deixá-lo moído aqui no chão!

ARAUTO: Meu bastão saberá como sossegá-las! Hmm... não! Vejo que não é necessário apelar para ele, pois os dragões, tomados de fúria, decidiram reconquistar seu espaço e, cheios de ira, já estão abrindo seus dois pares de asas. Ei-los agitados, escamas eriçadas, a cuspir fogo. A multidão foge e o lugar fica livre.

(Plutão desce do carro).

Com que majestade ele desceu! A seus sinais, os dragões se movem e lhe trazem do carro um cofre cheio de ouro. Desce também o Avarento e logo se prostra a seus pés. É prodigioso como tudo isso aconteceu!

PLUTÃO *(ao jovem cocheiro):* Já que te libertaste dessa carga pesada e estás livre e sem peias, corre para tua esfera, que não é esta aqui, onde nos rodeiam grotescas visões confusas, agitadas e selvagens. Vai para lá, onde a clara luz às claras vês, onde és senhor de ti e em ti confias; onde o Belo e o Bom sempre prevalecem! Busca a Soledade e cria ali teu mundo!

JOVEM COCHEIRO: Por considerar-me vosso digno representante, sinto como se fôsseis um parente próximo. Onde estais, ali sempre há abundância; onde estou, todos julgam desfrutar de supremos bens. Ainda assim, todos hesitam, sem saber se deveriam entregar-se a mim ou a vós. Com efeito, os que vos seguem sempre podem dormir e repousar, enquanto que os meus seguidores sempre têm tarefas a cumprir. Nada faço às ocultas, pois só de respirar já me revelo. Assim sendo, adeus! Já me concedestes tranquilo porvir, mas bastará que sussurreis meu nome para que no mesmo instante eu aqui esteja de volta.

(Vai-se como veio).

PLUTÃO: Já é hora de exibir os tesouros. Ao tocar os ferrolhos com o bastão do Arauto, ei-los que se abrem! Nessas urnas de bronze viceja uma flora dourada: os ricos adereços e joias, as correntes, os anéis, tudo cresce e multiplica e efervesce, parecendo até que irá fundir-se.

GRITOS CONFUSOS DA MULTIDÃO:
Vede que rica efervescência!
A arca está cheia até a beirada!
Rolam moedas de ouro e prata,
derrete-se a alfaia dourada,
florins e ducados se mesclam.
Meu peito treme de emoção,
meus olhos ardem de cobiça:
joias se espalham pelo chão!
Vamos tratar de aproveitar!
Só de agachar, ricos seremos!
Com a rapidez do relâmpago,
posse do cofre tomaremos.

ARAUTO: Por que agis assim, ó insensatos? Não vedes que estais cometendo uma loucura? Não se deve confiar em coisa alguma que se veja esta noite. Tudo isto aqui não passa de brincadeira, de mascarada. Acreditais que ganharíeis de graça ouro e pedras preciosas? Neste jogo já seria demasiado receber de graça as fichas! Oh, néscios, não sabeis que uma ilusão habilmente planejada pode aparentar ser lídima verdade? E será que a verdade significa algo para vós, que vos deixastes ser possuídos por uma infrene loucura? Quanto a ti, falso Plutão, herói do baile de máscaras, afasta toda essa gentalha de meu caminho!

PLUTÃO: Para tal fim, teu bastão é mais que apropriado. Empresta-o para mim por um momento, que sem perda de tempo o irei mergulhar no metal fervente. Agora, mascarados, atenção: vede como o bastão refulge, crepita e deita chispas! Sua cor agora é rubra, e ai de quem chegar perto: ficará queimado, e a marca no corpo será perene. É agora que começa a minha ronda.

GRITARIA E TUMULTO:
Artes de Satanás!
Salve-se quem puder!
Para o fundo! Pra trás!
Sai da frente, mulher!
Quero sair depressa!
O bastão arde à bessa!
Dá passagem! Desvia!
Recuando todo mundo!
Refugiando no fundo!
Se eu pudesse, voaria!

PLUTÃO: A multidão recuou e, ao que parece, ninguém se queimou. Ficaram todos apavorados. Porém, para continuar mantendo a ordem, vou traçar aqui um circulo invisível.

ARAUTO: Fizeste um bom trabalho, graças a tua prudência e tua força.

PLUTÃO: Todavia, há que se ter paciência, nobre amigo, pois muitos tumultos ainda nos ameaçam.

AVARENTO: Se quisermos, poderemos contemplar esse povaréu com todo o prazer, pois as mulheres sempre vão adiante, sequiosas de ver se avistam algo que lhes permita mexericar ou bisbilhotar. Uma bela mulher é sempre bela, e agora, como isso nada me irá custar, pretendo abordar uma com atrevimento. Mas como este lugar está repleto, nem todos os ouvidos poderão captar cada palavra que eu disser. Assim, como não me falta engenho, tentarei recorrer à pantomima. Não me bastará, contudo, usar os pés, as mãos e os gestos: terei de representar alguma farsa. O ouro irei amolgar como se fosse argila mole, já que com esse metal tudo se pode fazer.

ARAUTO: Que pretende fazer esse tonto esfomeado? Pode um morto de fome ser engraçado? E não é que ele está convertendo todo o ouro numa pasta que parece desintegrar-se entre suas mãos, e por mais que a esprema e enrole, continua sempre informe? Eis que ele agora está indo ao encontro das mulheres. Todas gritam e querem escapar, repelindo-o com gestos e caretas. O calhorda não esconde suas vis intenções. Receio até mesmo que não hesite em faltar com a decência, e diante disso não me poderei calar. Dá-me a vara, que vou expulsá-lo daqui.

PLUTÃO: Ele nem sonha com as ameaças que vêm lá de fora! Deixa que faça loucuras! Não lhe restará um lugar para representar sua farsa, pois, se forte é a lei, mais força tem a escassez.

TUMULTO E CANÇÃO:
Vem lá dos montes e dos vales
um forte exército bravio.
O grande Pã vem festejar.
Avança reto e sem desvio.
Seus homens sabem o ignorado
e entram no círculo vazio.

PLUTÃO: Conheço-vos muito bem, tanto a vós como ao grande deus Pã. Juntos cometestes ousadas façanhas. Também eu sei o que muitos ignoram, e respeitosamente libero para vós esse estreito círculo. Oxalá vos acompanhe sempre a boa sorte. Não sabeis até onde vos levam vossos passos, pois isso foi coisa que não previstes.

CANTO SELVAGEM:
Gente elegante, toda enfeitada,
invade a sala em tropel feroz;
enormes saltos, veloz carreira,
aspecto rude, sisudo, atroz.

FAUNOS:
Também está no baile a horda dos faunos,
com coroas de ramos entrançados.
Suas orelhas finas e pontudas
afloram sobre os pelos eriçados.

No fauno, o nariz chato e a cara larga
o tornam, entre as belas, popular,
e se ele toma alguma pelo braço.
difícil que ela se negue a dançar.

SÁTIRO:
Logo atrás vem o sátiro pulando
com pés de cabra e pernas musculosas
que lhe permitem ir montanha acima,

pois, qual camurça, tem patas fibrosas.
Ali chegando, a sua diversão
é olhar o mundo atroz que embaixo existe,
rindo dos homens, que entre fumo e névoa,
julgam ser boa a sua vida triste.
Vida boa é a do mundo superior
da qual se tornou o único senhor.

GNOMOS:
Trotando também vêm os pequeninos,
mas cada qual sozinho, nunca em pares;
com seus trajes de luzes e de musgo,
não trocam confidências nem pesares.
Preocupa-se cada um só com o que é seu,
só com o cabedal que Deus lhe deu.

Sempre em efervescente agitação,
parecem pirilampos a voar;
saltitam numa louca atividade,
indo daqui pra ali sem descansar.
São parentes afins dos bons anões,
e das montanhas são cirurgiões.

Fazemos cirurgia nas montanhas,
deixando-as com as veias bem abertas,
e delas retiramos os metais
que, para os homens, são nossas ofertas,
e sempre que na rocha há um novo corte,
de todo lado se ouve: "*Boa sorte!*"

O que mais nos apraz são os homens bons;
porém, aos maus, por mais que os desprezemos,
com o ouro que ao clarão do sol expomos,
conquanto sem querer, favorecemos,
propiciando impostura e corrupção.
Pedimos que nos deis vosso perdão.

GIGANTES:
De "homens selvagens" são chamados
nos montes do Harz e arredores.
De lá descem nus e robustos.
Dentre os homens são os maiores.
Um tronco de esguio pinheiro,
é que lhes serve de bastão,
quanto aos ramos, eles os trançam
usando-os como cinturão.

Isso, sim, é guarda pessoal!
Nem o Papa tem uma igual!

NINFAS EM CORO
(rodeando o grande Pã):
O grande Pã também se encontra aqui.
O Todo mundial encarna em si.

Rodeiem-no as de mais jovialidade,
girando a seu redor alegremente,
pois, mesmo sendo austero, ele é bondoso,
quer ver em riso e festa toda gente.

Sobre tudo o que o azul do céu recobre,
o grande Pã mantém-se vigilante,
deixando que a seus pés corram regatos
e que o zéfiro o embale, acariciante.

Durante o seu repouso, ao meio-dia,
nenhuma rama um só farfalho faz,
e cada flor esparge um doce aroma,
enchendo o ar de silêncio, encanto e paz.

As próprias ninfas deixam-se envolver
por toda essa atmosfera repousante.
Mas eis que, com violência e brusquidão,
se escuta Pã, num grito trovejante!

Ninguém distingue a origem do rugido.
Será trovão? Será estrondo do mar?
O medo faz a tropa dispersar-se,
e o mais valente herói titubear.

Honras a quem as fez por merecer!
Louvor a quem nos quis aqui trazer!

REPRESENTAÇÃO DOS GNOMOS
(diante do grande Pã):
Quando o metal tão precioso
nas rochas forma um filão,
do labirinto escapamos
com varinha de condão.

Nas cavernas das montanhas,
quais trogloditas, moramos,

e aos ares puros do dia
os tesouros transportamos.

Eis que uma espantosa fonte
há pouco nós descobrimos.
Vai produzir tanto quanto
até hoje em dia extraímos!

Colocamos essa empresa
sob a vossa proteção.
Se o ouro estiver convosco,
todos o aproveitarão.

PLUTÃO *(ao Arauto):* Temos de manter o ânimo elevado e assistir confiadamente a tudo o que vai ocorrer. Sempre demonstraste coragem e valor; prepara-te, pois, para o episódio espantoso que está por acontecer. Os de hoje e os de amanhã irão negá-lo, mas tu irás tudo anotar fielmente em teus anais.

ARAUTO *(tomando o bastão que Plutão estava segurando):* Os duendes levam silenciosamente o grande Pã ao manancial flamejante que irrompe das profundezas e aflora pela boca escancarada de um abismo, dentro do qual ferve o magma. O grande Pã se aproxima dali, interessado em contemplar o estranho espetáculo das pérolas de espuma que borbulham à esquerda e à direita. Por que se arrisca desse modo? Por que confia nesses seres? Chegando à borda do abismo, debruça-se ali para observar as profundezas. Mas... vede! Sua barba pende para dentro do poço! Quem será aquele de rosto liso que está a seu lado? A mão no-lo oculta à visão. Oh! Acaba de acontecer uma grande desgraça! O fogo pegou na barba, incendiou-a e se transmitiu para a coroa, para a cabeça e para o peito! O que era deleite se transformou em dor! Muitas pessoas acodem, tentando apagar o incêndio, mas também eles se inflamam, e quanto mais se estapeiam, mais as chamas se alastram. Ao se aproximarem do ardente elemento, diversas máscaras também se incendeiam.
Entrementes... que escuto? Que novas nos contam? Que é que corre de boca em boca e ao pé da cada ouvido? Ó noite para todo o sempre nefasta, quanta dor nos trouxeste! O amanhã irá anunciar o que ninguém ouvirá com agrado, mas que escuto propalar por toda parte: *"padece, e muito, o Imperador!"*. Ah, se a verdade fosse outra! O fato é que Sua Majestade e todo o seu séquito estão em chamas! Maldito seja aquele que o induziu a se envolver em ramos resinosos e, incentivado por cantos e exortações, dirigir-se ao lugar que só trouxe ruína e tragédia para todos! Oh, juventude, juventude, será que nunca irás aprender a te divertires com comedimento? Oh Majestade, Majestade, por que não demonstrastes ser a vossa sensatez proporcional a vosso poder e vossa força? Agora, todo o bosque arde em chamas! As labaredas se erguem até os ressaltos

do teto! Um incêndio universal nos ameaça! Uma aflição sem medida toma conta de todos nós! Não sei se há quem nos possa salvar! Passada esta noite, todo o esplendor e pompa imperial ter-se-á reduzido a um mero monte de cinzas!

PLUTÃO:

Já basta de sofrer susto e pavor!
É hora, bastão sagrado, de atuares!
Faze com que este chão trema e retumbe,
e, logo após, que soprem frescos ares.

Traze depressa aqui densas neblinas,
busca nuvens escuras e pesadas;
em frescor e umidade envolve o incêndio,
para que as chamas sejam debeladas.

Que se extinga o furor das labaredas!
Que refresque em instantes o calor!
Que onde havia aflição haja bonança,
que onde havia fumaça haja vapor!

Já que o espírito mau quis dominar,
que a magia nos venha libertar.

35. Deusas da benevolência e da gratidão.

36. Deusas do destino.

37. Deusas dos castigos e das catástrofes. Alecto insuflava as guerras, Tisífone transmitia as epidemias e Megera distribuía as sentenças de morte.

38. Asmodeu é o demônio que incentiva a infidelidade conjugal, segundo se lê em Tobias, 3, 8,

39. Personagem híbrido, composto de um difamador (Zoilo, crítico acerbo de Homero) e um traidor (Tersites, que quase pôs a perder a tomada de Troia).

JARDIM DE RECREIO

(Manhã de sol).

(O Imperador e a Corte. Fausto e Mefistófeles estão visíveis, mas sem chamar a atenção, vestidos segundo os usos vigentes. Ambos estão de joelhos).

FAUSTO: Perdoareis, Majestade, esta encenação de ilusionismo com chamas?

IMPERADOR *(fazendo-lhes sinais para que se levantem)*: Gosto muito desse tipo de entretenimento. Há pouco me vi dentro de uma esfera ardente. Cheguei a me sentir como se fosse o próprio Plutão. As paredes rochosas de um abismo cor de carvão despediam fagulhas. Do magma que jazia no fundo se erguiam milhares de labaredas, rodopiando num redemoinho selvagem e se fundindo no alto, formando uma abóbada, que logo em seguida se desfazia, renascendo pouco depois. No espaço circundado pelas retorcidas colunas de fogo, eu enxergava, comovido, longas filas de pessoas que se aproximavam, reunindo-se num largo círculo, e ali me rendiam preito, como de costume. Reconheci entre aqueles seres alguns membros de minha corte, e me senti como se fosse o soberano de mil salamandras.

MEFISTÓFELES: E o sois de fato, senhor, pois todos os elementos reconhecem incondicionalmente vossa majestade. Já comprovastes que o fogo vos presta obediência. Falta agora que vos arrojeis nas águas do mar, no trecho mais agitado, aquele que é batido pelas ondas de maior furor. Bastará que pises o fundo rico em pérolas, para que, em torno de vós, se conforme uma esplêndida esfera, permitindo que contempleis o desfile verde-claro e iridescente das ondas, coroadas por uma crista de espuma purpurina. No centro desse local podereis erigir uma rica mansão de beleza sem par. Assim, a cada passo que derdes, os palácios vos acompanharão. Será como se os muros fossem dotados de vida, movendo-se numa azáfama de formigueiro, velozes como flechas, ora aqui, ora ali. Os monstros marinhos acorrerão para contemplar a nova e insólita visão, mas não se atreverão a penetrar em seu interior. Também brincarão por ali coloridos dragões de escamas douradas. O tubarão vos ameaçará, escancarando a bocarra, mas rireis diante de suas fauces. Embora hoje e sempre a corte demonstre seu fascínio quando se posta diante de vós, jamais ireis deparar com semelhante tumulto a vosso redor. Mas isso não significa que ireis privar-vos da graciosidade e dos encantos, pois, curiosas, as Nereidas[40], tanto as mais jovens, tímidas e voluptuosas, como as de mais idade, serenas e prudentes, se acercarão de vossa magnífica mansão, onde sempre reinará um frescor perene, Sem demora, Tétis[41] ficará sabendo de tudo isso, e logo oferecerá a vós, o segundo Peleu[42], suas mãos e seus lábios. Sereis depois chamado a ocupar o assento que é vosso na alta esfera do Olimpo.

IMPERADOR: Deixo para ti os espaços aéreos. A esse trono se ascende rápido demais...

MEFISTÓFELES: Ora, senhor, mas se já possuís a Terra...

IMPERADOR: Feliz acaso o que te trouxe aqui, vindo diretamente das Mil e Uma Noites! Se em inventividade te assemelhas a Xarazade[43], garanto-te que contarás com o melhor de meus favores. Quero que estejas sempre preparado para me divertir, já que a monotonia do mundo me deixa com frequência enfarado.

MORDOMO-MOR *(entrando afobadamente):* Em toda a minha vida, Sereníssimo, jamais imaginei poder dar-vos uma notícia melhor do que esta que me encheu de júbilo e me trouxe pressuroso a vossa presença! Uma dívida atrás da outra foi saldada, deixando-nos livres das garras dos agiotas! Safei-me finalmente desse infernal tormento! Não poderia sentir-me melhor, mesmo que no Céu estivesse!...

MARECHAL *(entrando em seguida, também com precipitação):* Pagamos os salários da soldadesca! Todo o exército voltou a alistar-se, e cada lansquenete sente como se seu sangue se tivesse renovado. Com isso, lucram o taberneiro e as rameiras.

IMPERADOR: Como vossos peitos respiram aliviados! Como serenaram vossas caras, há pouco cheias de rugas! Como viestes depressa até aqui!

TESOUREIRO *(unindo-se aos demais):* Indagai desses dois como foi que conseguiram realizar essa façanha

FAUSTO: Quem pode prestar esclarecimentos é o Chanceler.

CHANCELER *(apresentando-se depressa):* Minha velhice está sendo assinalada por um grande contentamento. Ouvi e vede o que está escrito neste papel fantástico, que transformou o azar em sorte.

(Lê):

"A quem concernir, saiba que esta cédula corresponde ao valor de mil coroas, tendo como penhor e garantia o volume de todos os tesouros enterrados em território imperial, os quais, depois de extraídos, usar-se-ão para resgatá-la."

IMPERADOR: Pressinto que aqui se haja cometido um enorme crime e encenado uma monstruosa farsa. Quem falsificou a firma do Imperador? Poderá permanecer impune esse delito?

TESOUREIRO: Puxai pela memória, Majestade: fostes vós quem, na noite passada, assinou o documento. Representáveis então o papel de Grande Pã, quando o Chanceler de vós se acercou, acompanhado por todos nós, e disse: *"Com apenas alguns rabiscos de vossa pena, garantireis tanto a alegria desta festa, como o bem-estar do povo".* Assinastes com letras bem nítidas e, naquela mesma noite, os gravadores imprimiram milhares de cédulas. Para que o benefício favorecesse a todos de maneira igual, logo em seguida assinalamos toda a série com o timbre imperial. Assim, já estão disponíveis as cédulas de dez, de trinta, cinquenta e cem. Nem podeis imaginar o bem que isso fez ao povo! Lembrai-vos de como estava a Capital, sepultada num sono de morte, e vede agora como tudo vive e se agita alegremente. Se dantes vosso nome já provocava alegria geral, agora ele é saudado com euforia por todo o povo. De que vale todo o alfabeto, se bastaram essas letras para assegurar a felicidade universal?

IMPERADOR: E o povo aceita essas cédulas como se equivalessem ao ouro? Servem elas como pagamento de benefícios e salários para a Corte e para o Exército? Embora ache estranho, estou propenso a deixar que isso siga adiante.

MORDOMO-MOR: A disseminação destas cédulas não pode mais ser contida, pois elas já se espalharam com a rapidez do raio. As casas de câmbio estão abertas dia e noite, e nelas se honra cada papel desses, trocando-o por ouro e prata, embora, é certo, com algum desconto. Essas cédulas são aceitas no açougue, na padaria e na bodega. A metade das pessoas parece só pensar em festas, e a outra metade se enfeita com trajes novos. O tempo todo cortam-se panos nas vendas para que os costurem os alfaiates, Ao grito de *"Viva o Imperador"* serve-se o vinho nas bodegas, e ali se assa, e se cozinha, e se escuta sempre o tinir dos pratos.

MEFISTÓFELES: Quem passeia sozinho pelas alamedas depara com lindas beldades luxuosamente ataviadas, meio rosto coberto por magnífico leque de plumas de pavão-real. À visão de uma dessas cédulas, logo sorriem para nós e, com maior rapidez que todo engenho e eloquência conseguiriam obter, já estão prontas para nos conceder os prazeres do amor. Já não há necessidade de nos incomodarmos carregando bolsas ou surrões: sem dificuldade se leva no peito um papelzinho cuja eficácia é maior que a dos bilhetes amorosos. O sacerdote o guarda piedosamente dentro do breviário. O soldado se move desenvoltamente, pois o peso do seu cinturão se reduziu... Perdoai, Majestade, se pareço estar desmerecendo vossa obra ao abordar esses temas triviais.

FAUSTO: A abundância dos tesouros que permanecem intactos e enterrados em vossas terras ali jaz sem ser utilizada. A mente mais ousada sequer consegue conceber o seu valor. Por mais que se deem asas à imaginação, não se faz ideia de quanto ali está contido. Contudo, os espíritos, capazes de enxergar o que existe nas profundezas da terra, depositam confiança infinita naquilo cujo limite não se conhece.

MEFISTÓFELES: Um papel desses, em lugar de ouro e pérolas, é por demais cômodo. Com as cédulas se avalia exatamente o quanto se possui. Não precisamos negociar e regatear nas casas de câmbio, quando estamos sequiosos de vinho ou de amor. Se quiserdes trocar por elas o metal disponível, podeis recorrer aos cambistas que aí estão. Se a necessidade for maior, basta cavar durante algum tempo, e logo os cálices e as correntes de ouro surgirão a mancheias. E, para vergonha do cético que se ri de nós, os papéis com facilidade se amortizam. Nada poderia ser melhor, depois que nos acostumarmos. De hoje em diante, nas terras do Império, teremos com abundância joias, ouro e papel.

IMPERADOR: Meu império vos agradece por esse excelso benefício. Se for possível, quero que minha recompensa tenha valor igual ao do vosso serviço. Assim, confio-vos o subsolo desta nação. Todos os nossos tesouros enterrados estarão entregues a vossa custódia. Conhecereis e guardareis dignamente essas riquezas, autorizando e controlando toda e qualquer escavação que se fizer. Ponde-vos de acordo e assumi o controle de nossos tesouros, desempenhando com alegria as responsabilidades de vosso cargo e unindo em proveitosa harmonia o mundo superior ao inferior.

TESOUREIRO: Não teremos entre nós a mínima disputa. Gosto de ter esse mago como meu colega. *(Sai com Fausto).*

IMPERADOR: Concederei benefícios aos membros da Corte, com a condição de me dizerem como pretendem empregá-los.

PAJEM *(recebendo o benefício):* Viverei com prazer e tranquilidade e desfrutarei das boas coisas da vida.

OUTRO *(fazendo o mesmo):* Irei agora mesmo presentear minha amada com lindos brincos e pulseiras.

UM CAMAREIRO *(recebendo):* Doravante beberei apenas os melhores vinhos.

OUTRO *(igualmente)*: Os dados que trago no bolso já estão começando a me dar comichão.

PORTA-ESTANDARTE *(com circunspeção)*: Quitarei as dívidas que me obrigaram a penhorar meu castelo e minhas terras.

OUTRO *(com idêntica postura):* Vai servir de reforço ao meu cabedal.

IMPERADOR: Esperava de vós um novo alento para grandes realizações. Como vos conheço, porém, deveria ter adivinhado vossas intenções. Por isso é que digo: por mais riquezas que recebais, nunca deixareis de ser como sois.

BUFÃO *(chegando):* Já que estais distribuindo benesses, lembrai-vos também de mim.

IMPERADOR: Ainda estás vivo? Então também beberás desta infusão.

BUFÃO: Que folhas mágicas são essas? Não sei o que fazer com elas.

IMPERADOR: Sei disso, mas pega-as assim mesmo, pois te couberam por sorte.

(Vai-se)

BUFÃO: Couberam-me cinco mil coroas!

MEFISTÓFELES: Quer dizer que ressuscitaste, odre bípede?

BUFÃO: De vez em quando isso me acontece, mas nunca me senti tão bem como me sinto agora.

MEFISTÓFELES: Ficaste tão feliz que até estás suando!

BUFÃO: Isto que está aqui tem valor de moeda?
MEFISTÓFELES: Com isso aí podes satisfazer tanto a barriga como a goela.
BUFÃO: Posso comprar terras, casa, gado?
MEFISTÓFELES: Claro que podes! Basta querer, que nada te faltará.
BUFÃO: E um rico castelo ao lado de um bosque rico em caça, cortado por um regato rico em peixes?
MEFISTÓFELES: Sem dúvida que podes! Bem que eu gostaria de ver-te com ares de um grão-senhor.
BUFÃO: Hoje mesmo, à noite, estarei dando uma volta em meus domínios. *(Sai).*
MEFISTÓFELES *(sozinho):* E tem quem faça pouco do engenho de um bufão...

40. Divindades marinhas, filhas de Nereu. e de Dóris. Eram cinquenta, ao todo.

41. Mãe de Aquiles e a mais bela e famosa das Nereidas.

42. Peleu era o marido de Tétis. Chamar o Imperador de "segundo Peleu" constitui uma evidente e explícita bajulação.

43. Xerazade ou Sheerazade: nome da sultana persa que, durante mil e uma noites, encantou seu marido, contando-lhe, sempre que se iam deitar, histórias cheias de magia, ação, mistério e curiosidade.

GALERIA ESCURA

(Fausto, Mefistófeles).

MEFISTÓFELES: Por que me trouxeste a este escuro corredor? Será que não encontras alegria suficiente no tumulto da Corte, tão variegado e propício a divertimentos e embustes?

FAUSTO: Deixa disso! Sempre adotaste o estilo andejo, perambulando por aí até gastar a sola dos sapatos! Agora, porém, tuas andanças a outro fim não visam que fugir dos compromissos assumidos. Neste meio tempo, a mim todos estão sempre pedindo alguma coisa. O Mordomo-Mor e o Camareiro Real não me dão folga, e o Imperador quer ver diante de si, agora mesmo, Helena e Páris! Quer contemplar, ao vivo e nitidamente, a figura dos arquétipos do homem e da mulher. Sendo assim, mãos à obra! Não posso faltar a minha palavra.

MEFISTÓFELES: Não foi sensato fazer uma promessa tão frívola quanto essa!

FAUSTO: Não soubeste prever, companheiro, aonde nos levariam tuas maquinações. No início, nós lhe concedemos riqueza; agora, temos de proporcionar-lhe diversão.

MEFISTÓFELES: É loucura imaginar que isso se pode arranjar de um momento para outro. Desta vez teremos de galgar uma escadaria íngreme demais, e de penetrar em domínios muito, muito estranhos! Contraíste temerariamente uma enorme e nova dívida. Pensas que evocar Helena é tão fácil como produzir fantasmas de papel-moeda? Se quiseres bruxas, abantesmas ou anões corcundas, isso se pode prontamente arranjar. Mas, por heroínas, as amantes do diabo não vão poder passar — sem qualquer intenção de ofendê-las.

FAUSTO: Lá vens de novo com essa velha cantilena. Contigo sempre se vai parar na incerteza. És o pai de todos os obstáculos. Para cada favor que prestas, queres novo pagamento. Bastará um grunhido teu para que o consigas. Estou seguro de que, depois que virares as costas, em minutos isso estará diante de mim.

MEFISTÓFELES: Não me meto com os pagãos, pois eles têm seu próprio inferno. Mas existe um meio.

FAUSTO: Dize logo qual é!

MEFISTÓFELES: Sinto um certo constrangimento ao ter de revelar tão alto mistério. Há deusas que reinam solitárias em seus tronos. Onde elas ficam não existe espaço, não existe tempo. É muito difícil falar delas. São as Deusas-Mães.

FAUSTO *(assustado):* Deusas-Mães!

MEFISTÓFELES: Causam-te medo?

FAUSTO: Deusas-Mães! Mães! Soa tão estranho!

MEFISTÓFELES: Estranho, sim, de fato. São deusas que vós, mortais, desconheceis, e cujo nome sequer gostamos de mencionar. Para que chegues a sua morada, terás de cavar até alcançar profundidades extremas. É tua a responsabilidade de recorrermos a elas.

FAUSTO: Como é o caminho que leva até lá?

MEFISTÓFELES: Não há caminho algum! Terás de seguir por onde ninguém ainda passou nem poderá passar, rumo ao inacessível, ao lugar aonde ninguém até hoje chegou. Estás preparado? Não encontrarás fechaduras nem ferrolhos que tenham de ser abertos ou removidos. Estarás rodeado pela soledade. Porventura fazes ideia do que sejam o ermo absoluto e a completa solidão?

FAUSTO: Poderias poupar-me desse palavrório, que me cheira a cozinha de bruxa, e que leva meu pensamento a recuar a um passado distante. Não tive eu de conviver com o vazio do mundo? Não tive de aprender o que era vão, e o que era vão ensinar? Embora parecesse discorrer arrazoadamente, a contradição ressoava com intensidade cada vez maior; por isso, tive de me refugiar na solidão, no mais absoluto ermo, e, para não ser tomado pelo desespero, me vi compelido a me entregar ao diabo.

MEFISTÓFELES: Ainda que cruzasses a nado o oceano e mirasses o infinito, nele ao menos verias uma sucessão de onda atrás de onda. Se ao fundo dele fosses e olhasses para cima, algo ainda verias: sob a superfície calma do mar, golfinhos a deslizar, e, mais acima, verias as nuvens e o Sol, ou a Lua e as estrelas. Mas na vazia vastidão para onde irás, nada verás, e nem mesmo ouvirás teus próprios passos, nem encontrarás sequer um trecho firme no qual te apoies para descansar.

FAUSTO: Falas como o primeiro mistagogo que enganou seus fiéis neófitos, só que em sentido oposto. Mandas-me ao vazio para que eu aumente meu poder e meu saber. Tu me tratas como se eu fosse aquele gato da fábula, tencionando que eu tire as castanhas do fogo para entregá-las a ti. Mesmo assim, seguirei para as profundas, para o Nada, porque ali espero encontrar o Tudo.

MEFISTÓFELES: Louvo-te aqui e agora, antes que te separes de mim. Vejo que conheces bem o diabo. Toma esta chave.

FAUSTO: Como é pequena!

MEFISTÓFELES: Toma-a, e não a subestimes por isso.

FAUSTO: Oh! Ela cresce em minha mão! Resplandece! Cintila!

MEFISTÓFELES: Notas quanto ganhaste pelo simples fato de segurá-la? Ela vai ajudar-te a intuir qual o caminho a seguir. Deixa que ela te guie durante a tua descida, que assim chegarás onde se encontram as Deusas-Mães.

FAUSTO *(estremecendo):* As Deusas-Mães! Sempre que escuto o seu nome, é como se tivesse recebido um golpe!

MEFISTÓFELES: Tão limitado és, que o mero fato de ouvires o nome delas te atordoa? Somente gostas de ouvir aquilo que antes já tinhas escutado? Mesmo que o estranhes, isso não deveria abalar-te, habituado que estás a presenciar coisas assombrosas.

FAUSTO: Não é mantendo-me estático que eu reajo à aprendizagem. O reverente estremecimento é a atitude mais nobre assumida pelo homem. Por mais cara que seja a cobrança do mundo por esse sentimento, é através da emoção que o homem consegue intuir o incomensurável.

MEFISTÓFELES: Desce, pois! É verdade que também poderia dizer: sobe! Tanto faz um ou outro. Foge do que existe e vai até o reino onde inexistem as formas. Desfruta daquilo que até hoje se mostrou inacessível, deixando que o torvelinho te envolva como um vaivém de nuvens. Empunha a chave e mantém-na longe de teu corpo.

FAUSTO *(empolgado):* Como é bom! Ao apertá-la em minha mão, sinto um novo vigor. Meu peito se expande, pronto para empenhar-se nesta sublime empresa.

MEFISTÓFELES: Uma trípode ardente te fará saber que alcançaste o fundo mais profundo. A luminosidade que ela emite permitirá que vejas as Deusas-Mães. Umas estão sentadas, outras de pé, movendo-se para onde o acaso as queira levar. Em torno delas ocorre uma incessante formação e transformação, o eterno espírito da eterna ação. Rodeiam-nas as figuras de todos os seres vivos existentes. Elas não te verão, pois só enxergam esquemas. Reveste-te de todo o teu ânimo, porque o perigo é grande. Corre até a trípode e toca-a com a chave.

(Fausto, com a chave na mão, faz um gesto firme e resoluto).

Isso mesmo! A trípode prender-se-á a ti e passará a seguir-te como se fosse tua fiel criada. Depois disso, regressa tranquilo para cima, içado pela boa fortuna. Antes que elas o notem, estarás de volta, trazendo contigo a trípode. Logo que chegares, faze um esconjuro, para que o herói e a heroína deixem as trevas onde se encontram. Serás o primeiro que ousou empreender e consumar tal façanha. Em seguida, depois de certas práticas mágicas, a neblina do incenso se transformará nos deuses.

FAUSTO: E agora, que faço?

MEFISTÓFELES: Concentra-te com decisão, para que teu ser desça. Batendo o pé no chão, adentrarás, batendo duas vezes, subirás.

(Fausto pisa com força e começa a afundar).

Que a chave lhe faça bom proveito! Estou curioso de saber se ele conseguirá regressar.

SALAS INTENSAMENTE ILUMINADAS

(Imperador, príncipes e cortesãos, todos em movimento).

CAMAREIRO *(Dirigindo-se a Mefistófeles)*: Ainda nos estás devendo a cena das aparições. Apresta-te! O soberano está impaciente!

MORDOMO-MOR: Agora mesmo Sua Graciosa Majestade interpelou-nos a esse respeito. Não te demores, pois isso constitui ofensa à Coroa.

MEFISTÓFELES: Precisamente para consegui-lo meu companheiro acaba de partir. Ele sabe como deverá proceder, e age em silêncio e concentração. Tem de trabalhar diligentemente, uma vez que, para se desenterrar o tesouro da Beleza, há que se servir da arte suprema: a Magia dos Sábios.

MORDOMO-MOR: Tanto faz servir-se dessa ou daquela arte. O que o Imperador exige é presteza.

UMA LOURA *(dirigindo-se a Mefistófeles)*: Permite-me uma palavra, senhor. Como podes ver, minha tez é alva, mas não no verão inclemente, quando, para desgosto meu, me brotam no rosto centenas de manchas avermelhadas, encobrindo toda a minha alvura. Indica-me um remédio!

MEFISTÓFELES: É uma pena que um tesouro tão radiante fique tão sarapintado em maio, fazendo lembrar a pele dos filhotes de pantera. Pega ovos de rã e línguas de sapo; limpa-os bem e distila-os com grande cuidado, no tempo da lua cheia. Quando a fase mudar para minguante, aplica esse produto sobre a pele, e, ao chegar a primavera, as manchas terão desaparecido.

UMA MORENA: A multidão se comprime a teu redor. Suplico-te que me dês um remédio. Tenho o pé gelado e isso me estorva tanto para andar como para dançar, fazendo até mesmo com que eu me mova pesadamente ao fazer uma reverência.

MEFISTÓFELES: Permite que te dê uma pisada.

A MORENA: Bem, é assim que se costuma fazer entre pessoas enamoradas.

MEFISTÓFELES: A pisada de meu pé, minha jovem, é de suma eficácia. Como se costuma dizer, *"o semelhante cura o semelhante"*, doa a quem doer. Pé cura pé, e o mesmo ocorre com todos os membros. Vamos, estende o pezinho, mas nada de devolver a carícia...

A MORENA: Ai, que dor! Está ardendo como o quê! Foi uma pisada muito forte, como se fosse a de um casco de cavalo!

MEFISTÓFELES: Vai-te, que estás curada. Doravante, poderás dançar quando te apetecer e acariciar teu namorado com os pés, por debaixo da mesa.

DAMA *(rompendo caminho através da multidão)*: Licença! Licença! A dor que sinto é forte demais! É um tormento que me dilacera o coração. Até ontem, ele buscava sua felicidade em meu olhar, mas agora fica de conversinha com outra, e até me virou as costas.

MEFISTÓFELES: É lamentável, mas escuta-me. Chega despistadamente perto dele. Leva esse carvão e risca uma linha em suas mangas, em sua capa, em suas costas. Onde quer que ele esteja, sentirá no coração o suave aguilhão do arrependimento. Mas logo terás de engolir o carvão, sem levar aos lábios vinho ou água. Chegando a noite, ele virá chorando bater em tua porta.

DAMA: Isso não será venenoso?

MEFISTÓFELES *(indignado):* Exijo respeito! Terias de ir longe demais para encontrar outro carvão igual!. Trouxe-o de um auto-de-fé cuja fogueira ajudamos zelosamente a atiçar, tempos atrás,

UM PAJEM: Estou enamorado, mas ainda não me consideram homem feito e direito.

MEFISTÓFELES *(à parte):* Não sei a quem devo atender... *(Ao pajem):* Não desperdices tua sorte tentando conquistar as mais jovens. São as maduras que saberão apreciar-te.

(Outras pessoas se acercam dele).

Mais gente! Ai, que trabalheira! Vou livrar-me deles apelando para a verdade. Trata-se do pior de todos os recursos, mas a necessidade o justifica. Ó Mães, ó Deusas-Mães, deixai Fausto livre!

(Olha ao redor).

As luzes já se turvam na sala, e toda a Corte se moveu a uma só vez. Seguem todos em fila, cruzando amplos pórticos e atravessando compridas galerias. Reúnem-se agora na ampla e antiga sala dos cavaleiros. Enormes tapetes recobrem as altas paredes, e os nichos e quinas abrigam velhas armaduras. Aqui não há necessidade de invocações; os espíritos se apresentam por si mesmos.

SALA DOS CAVALEIROS

(Pouca iluminação).

(Entram o Imperador e a Corte).

ARAUTO: Minha antiga função de anunciar o espetáculo tem sido prejudicada pela misteriosa interferência dos fantasmas. Em vão tento explicar de maneira sensata a confusa situação. Já estão dispostas as poltronas e as cadeiras. O Imperador está sentado defronte à parede, pois assim poderá contemplar comodamente as batalhas dos tempos gloriosos. Eis todos sentados: o Soberano e os cortesãos. Os restantes estão reunidos lá no fundo, sentados em bancos. Mesmo nessa hora tão soturna, senta-se a amada ao lado de seu amante. E já que todos se instalaram confortavelmente, os espíritos já podem aparecer.

(Toque de trombetas).

ASTRÓLOGO: Que comece já a representação. O senhor ordena: paredes, abri-vos! Já não há estorvo algum para a magia — ei-la a nossa disposição. Os tapetes se enrolam sozinhos, como se o fogo os estivesse encolhendo. Nas paredes abrem-se fendas que se vão alargando, até que um profundo teatro se apresenta e um fulgor misterioso ilumina a cena. Eu logo subo ao proscênio.

MEFISTÓFELES *(assomando a cabeça da caixa do ponto):* Deste local terei a complacência do público. Soprar o que se deve dizer é, dentre as artes oratórias, a específica do demônio.

(Ao Astrólogo): Conheces a trajetória dos astros e suas mensagens. Assim, compreenderás perfeitamente as palavras que te soprarei.

ASTRÓLOGO: Pelo poder da Magia, aparece, ante os olhos de todos, um imponente templo antigo. Semelhantes a Atlas, que no passado sustentava o Céu, neste templo se vê uma fileira de colunas, das quais bastariam duas para sustentar o grande edifício.

ARQUITETO: Pertence ao gênero clássico, do qual não sou grande apreciador. Considero-o até mesmo um tanto tosco e pesado. Em geral, chamam de nobre ao que é bruto, e de grandioso ao que é construído grosseiramente. Eu gosto é de finas colunas atrevidas, apontando para o infinito. Uma ogiva em ponta eleva a alma; uma construção assim é extremamente edificante.

ASTRÓLOGO: Recebei com respeito as horas determinadas pelos astros. Que pelos esconjuros fique atada a Razão e, de maneira inversa, possa a magnífica e atrevida Fantasia empreender um voo extenso e livre. Vede agora, com vossos olhos, o que atrevidamente desejais: é impossível, mas, por isso mesmo, digno de fé. *(Fausto surge do solo, do outro lado do palco).* Em trajes de sacerdote e coroado com uma grinalda, esse homem prodigioso acaba de concluir a empresa que atrevidamente começou, trazendo consigo, das profundezas, uma trípode. Já sinto o aroma de incenso que sai de sua urna. Ele se prepara para abençoar sua grande obra, que doravante nos trará muitos outros felizes sucessos.

FAUSTO *(com magnificência):* Eu vos invoco, Deusas-Mães, que, sempre solitárias, embora juntas, reinais sobre o ilimitado. Em torno de vossas cabeças flutuam as imagens sem vida da vida em movimento. O que alguma vez existiu, ali se move com esplendor e brilho, pois aspira a tornar-se eterno. E vós, forças todo-poderosas, o enviais ao pavilhão do dia e à abóbada da noite. A umas as arrebata o suave curso da vida; a outras as busca o atrevido mago, que, pródigo e confiante, deixa ver o milagre que todos desejam contemplar.

ASTRÓLOGO: Basta que a chave incandescente toque o recipiente, para que um denso vapor invada o recinto, se espalhe e acumule em nuvens, para em seguida diluir-se, tornar-se tênue, abrir-se, dividir-se. Agora, vede que prodígio realizam os espíritos! Ao andar, produzem música. Dos sons aéreos brota um estranho encanto. Por onde passam, tudo se torna melodia. Soam os fustes e os tríglifos das colunas — é como se todo o templo cantasse! A névoa baixa, e de seu interior, acompanhando o compasso, sai um belo adolescente. Aqui encerro minha tarefa, pois não carece mencionar-lhe o nome: quem não conhece o gentil Páris?

(Aparece Páris)

DAMA: Que brilhante e florescente imagem juvenil!

SEGUNDA DAMA: Suave e sumarento como um pêssego!

TERCEIRA DAMA: Que belos desenhos têm seus lábios ligeiramente salientes.

QUARTA DAMA: Não gostarias de beber nessa taça, em pequenos sorvos?

QUINTA DAMA: De fato, é belo, mas falta-lhe refinamento.

SEXTA DAMA: Sim, poderia ter um pouco mais de desenvoltura.

UM CAVALHEIRO: Creio sentir nele antes um ar de pastor do que de príncipe ou cortesão.

OUTRO CAVALHEIRO: Seminu como está, até que ostenta uma bela figura. Gostaria de ver como ficaria se estivesse usando uma armadura.

DAMA: Sabe sentar-se de maneira natural e distinta.

CAVALEIRO: Sobre seus joelhos sentar-te-ias com prazer, não é verdade?

OUTRA DAMA: Como ele apoia graciosamente a cabeça sobre o braço!

CAMAREIRO: Que postura vulgar! Traquejo é o que lhe falta!

UMA DAMA: Vós, homens, sempre encontrais algo passível de censura.

CAMAREIRO: Onde já se viu espreguiçar-se assim na presença do Imperador!
A DAMA: Nada mais faz que representar um papel. Julga estar sozinho.
CAMAREIRO: Neste espetáculo não pode faltar o decoro.
DAMA: Um doce sono se apoderou do nobre moço.
CAMAREIRO: Não demora e começa a roncar, quando então vos parecerá perfeito!
JOVEM DAMA *(entusiasmada):* Que aroma é esse que se misturou aos vapores do incenso, e que me refrigera até o íntimo do coração?
UMA DAMA DE MAIS IDADE: É verdade! Minha alma está repleta de um suave odor que procede dele.
A DAMA MAIS VELHA DE TODAS: É a flor da fase de crescimento, exalada por esse jovem, que recende a ambrosia e se difunde pela atmosfera que o rodeia.

(Aparece Helena).

MEFISTÓFELES: Então é essa aí? Não me causa perturbação alguma. Não resta dúvida de que é bela, mas não me diz muita coisa.
ASTRÓLOGO: Agora, sim, nada mais tenho a fazer. Confesso e reconheço, como homem de palavra que sou, que é a mais bela entre as belas. Para descrevê-la seria necessário uma língua de fogo. Em todo tempo sempre se lhe cantou a beleza. Quem a contempla fica extasiado, e quem a possuiu alcançou o auge da felicidade.
FAUSTO: Tenho ainda olhos? Será a fonte da beleza, brotando com generosidade, que sinto no imo de minha alma? A medonha viagem que empreendi me concedeu a mais preciosa recompensa. Para mim, o mundo estava fechado e era mesquinho, mas como se modificou depois que assumi esse sacerdócio! Pela primeira vez o vejo desejável, firme, duradouro. Que se extinga a força de meu alento se algum dia me cansar de ti! A formosura que um dia me fascinou, enfeitiçando-me com seu mágico reflexo, foi tão somente a sombra dessa beleza[44]! É para ti que canalizo o impulso de todas as minhas forças, o conteúdo de toda a minha paixão, minhas inclinações, meu amor, minha adoração, minha loucura!
MEFISTÓFELES *(da concha do ponto):* Contém-te, homem, e não saias do papel.
DAMA DE CERTA IDADE: É alta e bem feita, mas a cabeça é pequena.
DAMA JOVEM: E seus pés? Mais toscos não poderiam ser!
DIPLOMATA: Já vi princesas semelhantes. É formosa dos pés à cabeça.
CORTESAO: Eis que ela, com meiguice e astúcia, se acerca daquele que dorme.
DAMA: Como fica feia diante dessa imagem de pureza juvenil!
POETA: A beleza dela o ilumina.
A DAMA: Parecem Endimião e a Lua. Os dois compõem uma verdadeira pintura.
O POETA: Bem lembrado! A deusa parece inclinar-se sobre ele para aspirar-lhe o hálito. Como o invejo! Um beijo!... Foi de encher a medida!...
DAMA DE COMPANHIA: Diante de toda a assistência! Dessa vez passou da medida!

FAUSTO: Formidável presente recebeu o jovem!

MEFISTÓFELES: Sossega! Silêncio! Deixa que o fantasma faça o que lhe apetecer!

CORTESÃO: Ela escapole ligeiro, ao notar que ele desperta.

DAMA: Está voltando a cabeça. Eu já imaginava que ela ia fazer isso.

CORTESÃO: Ele está assombrado. Acha prodigioso o que está acontecendo.

DAMA: Mas ela não acha de modo algum prodigioso o que tem diante de si.

CORTESÃO: Volta-se para ele com ar majestoso.

DAMA: Vede: ela vai ensinar-lhe uma lição. Nesse particular, todos os homens são tolos. Ele também crê, sem dúvida, que seria o primeiro...

CAVALHEIRO: Não vos negueis a admitir que ela é distinta e majestosa!

DAMA: Uma rameira, isso sim! É daquelas que eu chamo de vulgar!

PAJEM: Como eu gostaria de estar no lugar desse aí!...

CORTESAO: Quem não gostaria de ser colhido nessa rede?

DAMA: Essa joia rodou por muitas mãos. Seu banho de ouro já está bem desgastado...

OUTRA DAMA: Desde os dez anos que ela perdeu seu valor[45]...

CAVALHEIRO: Conforme a oportunidade, cada qual pega para si o melhor que encontra. Eu me contentaria com esses belos restos...

ERUDITO: Vejo-a com nitidez e confesso francamente não saber se se trata ou não de uma peça genuína. A simples visão nos leva a exagerar; por isto, prefiro ater-me ao que está escrito. Pelo que li, ela, em Troia, realmente agradou a todos que tinham barbas grisalhas, o que me parece bastante razoável, visto que, a mim, que não sou jovem, ela também muito agradou.

ASTRÓLOGO: Não mais temos aqui um adolescente, e sim um herói audaz, que a subjuga sem que ela saiba resistir. Nos braços fortes a enlaça e ergue no ar. Estará pretendendo raptá-la?

FAUSTO: Louco atrevido! Como te atreves? Para! É demais!

MEFISTÓFELES: Ora! Não foste tu o criador de toda essa fantasmagoria?

ASTRÓLOGO: Não direi mais que uma palavrinha. Depois de tudo o que presenciei, só posso atribuir à obra o título de *"O rapto de Helena"*.

FAUSTO: Qual rapto o quê! Então nada represento aqui? Acaso não é em minha mão que a chave se encontra? Foi ela que me levou através do horror, dos vaivéns e da sucessão de ondas de solidão até a terra firme, onde enfim tomei pé! Aqui encontro realidades! Aqui o sentimento se associa ao espírito, estabelecendo um grande e duplo império. Ela, que tão longe se encontrava, não poderia estar mais perto. Hei de salvá-la, e ela será duas vezes minha. Hei de empreender essa proeza. Ó Mães, ó Deusas-Mães, concedei-me este favor! Quem uma vez a viu, nunca mais poderá renunciar a ela!

ASTRÓLOGO: Que estás fazendo, Fausto? Fausto! Agarraste-a com violência, e sua figura começa a ficar difusa! Volta a chave na direção do jovem e encosta-a nele! Faze-o, ou ai de nós! Agora! Já!

(Ouve-se uma explosão e Fausto cai estendido no chão. Os espíritos se evaporam).

MEFISTÓFELES *(tomando Fausto sobre os ombros):* Aí o tendes! Lidar com loucos dá nisso: até o diabo se dana

(Escuridão. Tumulto).

44. Fausto refere-se à primeira vez que vislumbrou Margarete no espelho da cozinha da bruxa.
45. Helena tinha essa idade quando Teseu se apaixonou por ela, vindo a conquistá-la.

SEGUNDO ATO

QUARTO GÓTICO

(Aposento estreito e de abóbadas altas, outrora pertencente a Fausto, atualmente fora de uso. Mefistófeles sai de trás de uma cortina. Olhando para trás, vê Fausto estendido num leito que pertenceu a seus antepassados).

MEFISTÓFELES: Repousa, infeliz, amarrado que estás por indesatáveis laços de amor! Aquele que Helena deixou paralisado dificilmente consegue recobrar a razão. *(Examina todo o quarto e prossegue):* Olho para cima, olho para os lados e vejo que nada mudou. Tudo está intacto. Apenas me parece que os vitrais estão algo desbotados, as teias de aranha se multiplicaram, a tinta secou e os papéis amarelaram, mas tudo continua em seu lugar. Aqui está até a pena que Fausto usou para firmar seu pacto com o diabo. No fundo do canhão dessa pena restou, coalhada, uma gota do sangue que então lhe extraí. Peça tão singular seria desejada ansiosamente por algum colecionador de raridades. A velha capa de peles ainda pende do cabide, trazendo-me à lembrança os disparatados conselhos que outrora dei àquele calouro. Hoje, mais velho, ele talvez ainda os leve a sério... Sinto deveras o desejo de me envolver em ti, tosco e quente agasalho, para de novo representar o papel de professor e experimentar a sensação de ser alguém que supõe ter razão quanto a tudo. Os sábios se comprazem com isso, mas o diabo não, pois há tempos perdeu o gosto por tais brincadeiras.

(Tira a capa do cabide e se põe a sacudi-la, fazendo com que dela saiam cigarras, escaravelhos e traças).

CORO DE INSETOS
Sede bem-vindo, bem-vindo,
antigo dono e patrão,
vamos voando e zumbindo,
à guisa de saudação.

Convosco nós começamos
a neste abrigo viver;
éramos poucos, mas hoje,
milhares devemos ser!

Vede nossa alegre dança,
mas abri bem o vosso olho,
pois as dobras desta capa
escondem muito piolho!

MEFISTÓFELES: Que surpresa mais agradável me causou esse esvoaçante enxame que a capa produziu! Bastou semear ontem, para hoje colher. A cada vez que volto a sacudir a velha capa de peles, sempre dela salta algum inseto, esvoaçando daqui para ali. Vamos! Voai para cima e para todas as direções! Escondei-vos depressa nessas velhas prateleiras, por entre os amarelados pergaminhos, nos cacos de vidro empoeirados ou nas órbitas vazias dos olhos das caveiras. Nessa confusa barafunda sempre fervilham larvas e carunchos.

(Veste a capa).

Vem cobrir-me as costas outra vez. Hoje voltarei a ser o Senhor Reitor. Mas não me basta o título, é preciso que haja pessoas que o acatem e reconheçam. Onde estão essas pessoas?

(Agita a sineta, produzindo um som agudo e penetrante que ecoa nas paredes e faz com que as portas se abram).

PROFESSOR ASSISTENTE *(chega aos tropeções através do corredor escuro):* Que barulho! Que tormenta! A escada vacila, tremem as paredes. Vejo o fulgor dos relâmpagos através dos vitrais coloridos. O pavimento trepida; caem do teto caliça e cascas, como se fosse granizo. Embora trancada com fortes cadeados, a porta se abriu por artes de magia! Que vejo?! Horror! Um gigante, vestido com a velha capa de peles do Doutor Fausto! Seu semblante e seu olhar me deixam de pernas bambas! Devo fugir ou ficar? Que será de mim?
MEFISTÓFELES *(chamando-o com gestos):* Adiante, amigo. Teu nome é Nikodemus, não é?
PROFESSOR ASSISTENTE: Sim, honorabilíssimo senhor, este é meu nome. *Oremus*!
MEFISTÓFELES: Isso podemos deixar para depois.
PROFESSOR ASSISTENTE: Fico envaidecido por me conheceres.
MEFISTÓFELES: Sim, conheço-te, e muito bem. És um daqueles senhores rançosos que, embora entrados em anos, continuam estudando. Se outra coisa não souber fazer, continuar estudando é o que sobra para o erudito. Seu engenho é suficiente apenas para erguer um modesto castelo de cartas. Não é o caso de teu amo; este sim, douto e sábio. Quem não conhece o famoso Doutor Wagner, atualmente o primeiro do mundo em sapiência? É ele o único cuja sabedoria cresce e se difunde dia após dia. Ouvintes e discípulos ávidos de saber se reúnem em chusmas a seu re-

dor. Refulgente em sua cátedra, qual São Pedro ele empunha as chaves que lhe facultam abrir tanto o que está embaixo como que está em cima. Pouco a pouco adquiriu brilho e esplendor, e hoje ninguém o supera em fama e glória. Até mesmo o nome de Fausto foi eclipsado pelo dele. É o único que realmente soube inventar algo novo.

PROFESSOR ASSISTENTE: Perdoai-me, honorabilíssimo senhor, se vos contradigo, mas ele não é assim como dizeis. A modéstia é seu dom mais marcante. Ele nunca se recobrou do misterioso desaparecimento daquele insigne sábio, e mantém acesa a esperança de que ele regresse, pois só assim encontrará consolo e alívio. O gabinete do Doutor Fausto permanece como se encontrava no dia que ele foi embora, aguardando a volta de seu antigo dono. Eu próprio mal me atrevo a nele entrar.

Mas que estarão nos reservando os astros neste instante? Parece ter ocorrido algum tremor de terra que fez trepidar paredes e portas, permitindo que os ferrolhos se abrissem sozinhos, pois, se assim não fosse, não poderíeis ter aqui entrado...

MEFISTÓFELES: Mas onde foi que se meteu esse homem? Leva-me até onde ele se encontra, ou então traze-o até aqui.

PROFESSOR ASSISTENTE: Ah, são muito severas as ordens que ele deu nesse sentido. Não sei se devo passar por cima delas. Há meses vive ele no mais sigiloso isolamento, às voltas com a sua magnífica obra. Ele, que é o mais gentil dos sábios, está parecendo um carvoeiro, enegrecido do nariz às orelhas, com os olhos vermelhos de tanto ficar soprando o braseiro para atiçar o fogo. Assim vai consumindo cada instante de sua vida, e o som das tenazes abrindo e fechando é a única música que escuta

MEFISTÓFELES: Recusar-se-ia a me deixar entrar? Sou eu quem poderia acelerar a chegada de sua boa sorte.

(O Professor Assistente se vai. Mefistófeles senta-se com gravidade).

Apenas me sentei e já diviso ali um velho conhecido. Parece que ele aderiu à grei dos modernos, e que por isso deve se comportar com descomedido atrevimento.

BACHAREL *(vindo pelo corredor com modos destemperados):* Encontrei portão e porta abertos. Espero finalmente que esse homem que vive em meio à podridão não continue decaindo, prejudicando cada vez mais sua reputação e morrendo em vida.

Estas paredes e estes tabiques estão inclinando e ameaçando cair. Se não fugirmos, desabarão e acabarão por nos soterrar. Sou corajoso e valente, mas ninguém me obrigará a dar mais um passo à frente.

Será que hoje irei aprender alguma coisa? Não foi aqui que estive anos atrás, quando não passava de um esperançoso estudante do primeiro ano, tímido e inexperiente? Não foi aqui que me entreguei nas mãos desses barbudos, permitindo que despejassem sobre mim suas baboseiras? Escudados em seus alfarrábios, me ensinaram tanto conceitos sábios como mentiras insensatas. Como duvidavam do que ensinavam, desperdiçaram seu tempo e me fizeram perder o meu.

Mas... que estou vendo? Ali, no claro-escuro desta cela, avisto alguém sentado. Chegando mais perto, vejo com assombro que ele está vestido com aquela capa de peles parda, tal como aqui o deixei, anos atrás. Achei então que se tratasse de alguém dotado de grande capacidade, mas naquele tempo eu não tinha suficiente critério para fazer tal julgamento. Desta vez, porém, ele não mais vai conseguir enganar-me. Abordá-lo-ei com astúcia. *(Dirigindo-se a Mefistófeles):* Ei, velho! Se essa tua cabeça calva e torta não foi banhada pelas águas do rio Lete, reconhecerás em mim o estudante de outrora, hoje livre das peias acadêmicas. Quanto a ti, em nada mudaste. Estás hoje como quando te conheci. Eu, porém, já não sou a mesma pessoa.

MEFISTÓFELES: Alegra-me que minha sineta te tenha atraído. Posso ver que, naquele tempo, não te subestimei. O casulo e a crisálida já prenunciavam a colorida borboleta que iria surgir no futuro. Então, teus cabelos encaracolados e as correntes que trazias ao pescoço te proporcionavam um prazer infantil. E o rabicho, não quiseste deixar crescer? Hoje vejo que cortas o cabelo à moda sueca, o que te confere um aspecto resoluto e dinâmico, mas espero que não continues assim tão absoluto quando voltas para casa...

BACHAREL: Continuas como dantes, venerando ancião, mas tem em conta que os tempos são outros e abstém-te de usar palavras de duplo sentido, pois agora compreendo muito bem onde queres chegar. Burlaste outrora, e sem esforço algum, de um rapazola ingênuo e confiante, mas hoje ninguém se atreveria a fazer tal coisa.

MEFISTÓFELES: Quem diz à juventude a pura verdade não agrada aos frangotes. Passados alguns anos, porém, quando a constatam às custas do muito que sofreram na própria pele, jactam-se de ter chegado até ela por seus próprios méritos, dizendo então que seu mestre era um imbecil.

BACHAREL: Ou talvez um velhaco. Qual o mestre que nos diz na cara a verdade? Ora a ampliam, ora a diminuem; ora com seriedade, ora com galhofa, mas sempre explorando a credulidade dos meninos.

MEFISTÓFELES: Sem dúvida, há um tempo para aprender, mas vejo que já estás preparado para ensinar. Passadas tantas luas e depois de muitos sóis, adquiriste por fim a plenitude da experiência.

BACHAREL: Experiência! Experiência é espuma e pó! Não está à altura do espírito. Confessa: o que até hoje se aprendeu não era digno de ser sabido.

MEFISTÓFELES *(depois de uma pausa):* Faz muito que penso assim. Antes, julgava-me um louco; agora, vejo que sou vazio e insensato.

BACHAREL: Isso me alegra! Por fim escuto algo ajuizado. És o primeiro ancião razoável que conheço.

MEFISTÓFELES: Fui atrás de um tesouro enterrado, composto de peças de ouro, e só encontrei e extraí enormes tocos de carvão.

BACHAREL: Confessa: achas que teu crânio e tua calva valem muito mais que os dessas caveiras ocas?

MEFISTÓFELES: Tens consciência de quanto estás sendo grosseiro?

BACHAREL: Em alemão, sempre se mente quando se fala com educação.

MEFISTÓFELES *(avança com sua cadeira de rodinhas até o proscênio, debruçando-se sobre a plateia):* Aqui em cima me estão tirando o ar e a luz. Será que encontrarei melhor acolhida entre vós?

BACHAREL: Quando se está em pleno período de decadência, é muito pretensão achar que se é alguém quando já não se é coisa alguma. Toda a vitalidade está no sangue, e não é no adolescente que ele flui melhor? O sangue vivo renova as forças e cria uma nova vida. Então tudo se anima, tudo se conforma; o débil decai, o capacitado prospera. Enquanto conquistávamos meio mundo, que fazíeis vós outros? Dáveis cabeçadas, fazíeis cavilações, vossa vida se resumia a sonhos e conjecturas. Nada mais fazíeis que planos, apenas planos. Sem dúvida alguma, a velhice é uma febre álgida, sujeita aos acessos de uma impotência caprichosa. Quem passou dos trinta anos é como se já estivesse morto. Talvez fosse melhor que vos tirassem a vida enquanto é tempo.

MEFISTÓFELES: O diabo nada teria de acrescentar a isso.

BACHAREL: O diabo somente existe se eu quiser que ele exista.

MEFISTÓFELES *(à parte)*: Espera só, que ele não tardará a te derrubar no chão.

BACHAREL: Essa é a mais nobre missão da juventude. Antes que o criasse, o mundo não existia. Eu fiz com que o Sol emergisse do mar. Foi devido a mim que a Lua iniciou o curso de suas fases. Bastou um gesto meu, na primeira noite, para que as estrelas refulgissem em todo o seu esplendor. Quem, senão eu, vos livrou das amarras do pensamento pequeno-burguês? Em troca, só escuto o que me diz o espírito, sempre guiado por minha luz interior, e ando depressa, com íntimo entusiasmo. A luz está diante de mim, e a escuridão atrás.

(Vai-se).

MEFISTÓFELES: Vai-te, gabola extravagante. Como abalaria tua segurança saber que não há pensamento algum, néscio ou sensato, que não tenha sido pensado antes! Mas esse aí não me causa preocupação, pois dentro de poucos anos mudará. Por mais imprevisível que seja a fermentação do mosto, no final sempre resultará um vinho.

(Dirigindo-se aos jovens da plateia que não aplaudem): Minhas palavras podem deixar-vos frios, mas eu vos perdoo, rapazolas. Tende em conta que o diabo é velho: tereis de envelhecer para entendê-lo.

LABORATÓRIO

(Ao estilo da Idade Média, cheio de aparelhos enormes e toscos, destinados a finalidades fantásticas).

WAGNER *(junto à fornalha):* Soa a sineta, a terrível campainha. Seu tilintar ecoa nas paredes cheias de fuligem. A incerteza não pode durar mais tempo, e o que estava escuro começa a clarear. No fundo da redoma já se enxergam as brasas rubras, e aparece o mais magnífico dos carbúnculos, despedindo chispas que rompem a penumbra. Já se vislumbra uma luz clara e leitosa. Ah, que não se desfaça outra vez!

Oh, meu Deus, quem estará batendo à porta com tamanho estardalhaço?

MEFISTÓFELES *(entrando):* Saudações! Minhas intenções são boas.

WAGNER *(assustado):* Saudai primeiramente a estrela que agora nos preside. Mas calai e contende vossa respiração. Está a ponto de se consumar uma grande obra.

MEFISTÓFELES *(em voz baixa):* Que está ocorrendo?

WAGNER *(em voz ainda mais baixa):* Está sendo engendrado um ser humano.

MEFISTÓFELES: Um ser humano? Acaso escondeste um casal de namorados no buraco da chaminé?

WAGNER: Deus me livre! Afirmo que o estilo antigo de procriar é uma necessidade vã. No delicado momento em que surgia a vida, a suave força que brotava do nosso interior, cedendo e recebendo, conferia forma a si mesma, assimilando-se, primeiro, ao que estava mais próximo; depois, ao mais distante, mas sempre privada de dignidade. Embora o animal ainda se satisfaça com esse modo de se multiplicar, o homem, muito mais bem dotado, merece ter no futuro uma origem mais nobre e mais elevada. *(Voltando-se para a fornalha):* Vede como está brilhando! Agora, sim, é possível esperar que, com a mistura de centenas de ingredientes — pois se trata de um composto — poderemos reconstituir a essência humana, encerrando-a hermeticamente num alambique, para em seguida a destilarmos em sua justa medida. Assim, sem alarido, a obra estará consumada. *(Voltando-se outra vez para a fornalha):* Tudo vai saindo como previsto. A massa se vai clareando. Minha convicção se confirma cada vez mais. O que se considera um segredo da Natureza, vou ousada e racionalmente desvendá-lo, cristalizando aquilo que, até então, somente ela sabia organizar.

MEFISTÓFELES: Para quem muito viveu e por inúmeras experiências já passou, nada com que depare neste mundo lhe parece novo. Em meus anos e anos de muito viajar, já vi muita gente cristalizada...

WAGNER *(sempre muito atento à redoma):* O composto sobe, cintila e se acumula. Num instante estará pronto. Todo grande projeto, de início, sempre parece ser obra de um demente. Chega de deixar tudo nas mãos do acaso. Um cérebro pensante, com o tempo, poderá criar um outro que lhe seja semelhante. *(Observando a redoma com empolgação):* Uma suave força faz retinir o vidro, deixando-o ora turvo, ora límpido. A obra está prestes a se consumar. Já posso ver um homenzinho movendo-se graciosamente. Que mais poderemos querer? Que mais poderá o mundo exigir de nós? O mistério foi desvendado e exposto à plena luz. Prestai atenção a esse som, que já se vai converter em voz. Vai tornar-se linguagem!

HOMÚNCULO *(de dentro da redoma, dirigindo-se a Wagner):* E aí, Papai, como vai? Estou vendo que não foi uma simples brincadeira! Vem e me estreita ternamente contra teu peito. Mas não me abraces com força, senão o vidro se quebra. Vê como é a condição dos entes: enquanto que, para o de origem natural, o mundo todo não lhe parece bastante, o artificial requer tão somente um espaço reduzido.

(Dirigindo-se a Mefistófeles): Primo, chegaste no momento justo, hein, seu velhaco? Agradeço-te. Foi um feliz acaso que te trouxe até aqui. E, já que existo, hei de mostrar-me ativo. Quero dedicar-me prontamente ao trabalho, e conto com tua ajuda.

WAGNER: Só uma palavra. Até hoje vivo envergonhado, sem saber que respostas dar aos problemas que velhos e jovens me trazem, e que tanto me atormentam. Por exemplo: ninguém pode entender como é que a alma e o corpo, interpenetrando-se tão bem, e estando tão estreitamente unidos que aparentemente ninguém pode separá-los, estejam sempre em conflitos entre si. E tem mais...

MEFISTÓFELES: Basta! Mais fácil seria saber por que é que os casais convivem tão mal, e isso, meu amigo, eu nunca chegarei a compreender. A explicação requer muito trabalho, e trabalho é precisamente o que o nosso pequeno amigo pretende executar.

HOMÚNCULO: Que há para fazer?

MEFISTÓFELES *(indicando uma porta lateral):* Mostra tua aptidão.

WAGNER *(sem deixar de contemplar a redoma):* És de fato uma criança encantadora!

(Abre-se a porta lateral, deixando ver Fausto estendido no leito).

HOMÚNCULO *(surpreso):* Que impressionante!

(A redoma escapa das mãos de Wagner e
paira sobre Fausto, iluminando-o).

A Beleza se espalha a seu redor! Veem-se águas cristalinas, densos bosques e esplêndidas mulheres a se despir. São as mais formosas e adoráveis que já vi. Cada qual parece mais bela que a outra, mas há uma que se distingue esplendorosamente entre todas. Ela está mergulhando o pé nas águas claras e transparentes. A suave chama da vida que anima esse nobre corpo não se deixa apagar pelo oscilante cristal das ondas. Mas que ruído é esse que lembra o ruflar de asas, e que agita e perturba o espelho polido das águas? As jovens fogem assustadas, ali permanecendo apenas a rainha. Com orgulhoso prazer feminino, ela contempla o príncipe dos cisnes, que, mansa, mas impertinentemente, se esfrega contra seus joelhos. Parece que ele habitualmente age assim. Eis que uma densa névoa começa a se formar, cobrindo-os com um espesso véu. É a mais bela de todas as cenas!

MEFISTÓFELES: De onde tiraste tudo isso? Apesar de pequeno, tua fantasia é grande. Não estou vendo coisa alguma!

HOMÚNCULO: Disso eu estou certo. Tu és do Norte e cresceste numa época nebulosa, naquele tempo em que prevalecia a desolação da Cavalaria e do entusiasmo clerical — como poderia estar desimpedido o teu olhar? Somente te sentes bem entre as trevas. *(Olhando ao redor):* Pedras enegrecidas, carcomidas, repugnantes; arcos, ogivas, volutas; tudo muito feio! Se esse aí despertar, um outro problema teremos de enfrentar, pois no mesmo instante cairá fulminado. A fonte cristalina, o bosque, os cisnes, as belas jovens desnudas, esse era seu sonho cheio de promessas. Até eu, o mais adaptável dos seres, mal poderia suportar o contraste da realidade. Partamos agora mesmo, levando-o conosco.

MEFISTÓFELES: Creio que esta viagem será de meu agrado.

HOMÚNCULO: Envia o guerreiro ao combate! Acompanha a moça até o baile! Assim, tudo fica arranjado. Acabo de me lembrar de uma coisa: hoje é a Noite de Walpurgis Clássica. Não há ocasião melhor para levar tudo a seu próprio elemento.

MEFISTÓFELES: Jamais ouvi falar disso!

HOMÚNCULO: Como poderia tal informação ter chegado a teus ouvidos? Só conheces os fantasmas românticos. Os fantasmas clássicos, porém, também poderão ser autênticos.

MEFISTÓFELES: Então, para onde se haverá de empreender a excursão? Acho que não sentirei prazer no convívio com meus colegas da Antiguidade.

HOMÚNCULO: Sei que tua região preferida fica a noroeste, Satã, mas desta vez navegaremos para sudeste. Através de um amplo vale corre o rio Peneu, formando tranquilos e frescos remansos rodeados de árvores e matagais. A planície se estende até o sopé dos montes e a borda das gargantas, e logo acima, velha e nova a um só tempo, fica a Farsália.

MEFISTÓFELES: Oh, para com isso! Não quero ouvir falar dessas lutas entre a tirania e a escravidão. Elas me enfadam, pois, mal termina uma, e logo outra tem início, sem que pessoa alguma se dê conta de que é Asmodeu quem está por trás de tudo. Batem-se, segundo afirmam, pelo direito à liberdade; entretanto, se bem examinarmos, trata-se tão somente de uma luta de servos contra servos.

HOMÚNCULO: Deixa para lá os homens e suas discórdias. Cada qual que se defenda como puder, desde criança até tornar-se adulto. Agora, tudo o que nos interessa é saber se este homem aqui pode ser curado. Se dispuseres de um remédio, experimenta-o já, mas se nada podes fazer, deixa-o a meus cuidados.

MEFISTÓFELES: Bem que se poderia experimentar algo do gênero que se usa lã no Brocken, mas o ferrolho pagão trancou tudo! O povo grego jamais valeu grande coisa, mas sempre vos deslumbrou com sua permissividade quanto ao prazer dos sentidos, seduzindo o coração humano com seu alegre convite ao pecado, enquanto que, para vós outros, isso é algo condenável e tenebroso. Assim sendo, que fazer?

HOMÚNCULO: Não creio que tais melindres te causem preocupação. Basta que eu mencione as feiticeiras de Tessália[46], para que entendas onde quero chegar.

MEFISTÓFELES (*com lascívia*): As feiticeiras de Tessália! Muito bem! São pessoas sobre as quais já ouvi falar faz muito tempo. Não creio que gostaria de ir viver com elas noite após noite, mas, fazer-lhes uma visitinha, até que seria uma boa ideia...

HOMÚNCULO: Traze aqui a capa e envolve nela o cavalheiro adormecido. Este trapo vos transportará, como bem o sabeis. Eu irei na frente, iluminando o caminho.

WAGNER *(com temor):* E quanto a mim?

HOMÚNCULO: Tu, nesse meio tempo, fica em casa, onde tens coisas importantes a fazer. Desenrola os velhos pergaminhos, compila neles os elementos vitais e anota as prescrições, aplicando-as meticulosamente. Enquanto isso, eu, à medida que percorro o mundo, talvez descubra onde está o pingo do i. Terei então conquistado o meu prêmio, fruto de empenho e esforço, e que consistirá em possuir ouro, honra, fama, vida longa e com saúde, e ainda, quiçá, ciência e virtude. Adeus!

WAGNER *(desolado):* Adeus! Sinto o coração oprimido. Receio nunca mais voltar a ver-te.

MEFISTÓFELES: Vamos seguir pelo Peneu[47] abaixo, para acatar a proposta do primo. *(Dirigindo-se aos espectadores):* No final, acabamos dependendo daqueles que nós próprios criamos.

46. Elaborar filtros amorosos e invocar os mortos eram as especialidades dessas feiticeiras, que tinham fama de ser lindas e sensuais.

47. Rio da Tessália.

A NOITE DE WALPURGIS CLÁSSICA

(Campos de Farsália)

(Escuridão)

ERICTO[48]: À horripilante festa desta noite, como de outras vezes, venho eu, Ericto, a Obscura, a Sombria. Não sou tão medonha quanto me descrevem os insolentes poetas, que sempre exageram quando se trata de me difamar. Aliás, eles jamais usam de comedimento, seja para elogiar, seja para vituperar.
O amplo vale fica descolorido, coberto pela onda gris das tendas de campanha, refletindo a angústia que envolve esta noite perturbadora e sinistra. Quantas vezes ela se repetiu e haverá de se renovar eternamente!
Ninguém cede seu domínio a outro, mesmo que este outro o tenha conquistado pela força, e pela força o mantenha. Não há ninguém que, embora incapaz de dominar-se a si mesmo, não deseje dominar a vontade do vizinho, impondo-lhe seu modo de proceder e de pensar. Aqui mesmo, com a guerra, tivemos uma boa demonstração de como se opor, à violência sofrida, uma violência ainda maior, de como destroçar a formosa grinalda de mil flores da liberdade, de como vergar o vigoroso loureiro para colocar uma coroa de louros na cabeça do dominador. Aqui sonhava Pompeu, o Grande, com o primeiro e florescente dia de sua grandeza. Ali César vigiava atento a oscilação do fiel da balança. Preparavam-se os dois para medir-se, e ninguém desconhece a quem foi que a Fortuna sorriu[49].
Ardem as fogueiras da guarda, deixando erguer chamas avermelhadas. O solo exala o cheiro do sangue vertido. Atraída pelo estranho resplendor da noite, ali se congrega a legião da mitologia helênica. Em redor das fogueiras, parados ou em movimento, veem-se os fabulosos vultos das priscas eras. Ainda na fase crescente, a Lua se eleva no céu, espargindo seu tênue brilho por todas as partes.
Desfaz-se a aparência de espelho das tendas de campanha. As fogueiras se reduzem a chamas azuladas. Mas que meteoro inesperado é este que flutua agora sobre mim? É um globo opaco que despende luz, e dentro dele pressinto a presença de vida. Todavia, não devo aproximar-me de um ser vivo, pois meu contato lhe seria fatal. Foi isso que acarretou minha má reputação e não me trouxe benefício algum. Está descendo. Pensando bem, é melhor retirar-me.

(Afasta-se, observada pelos viajantes aéreos, que estão em cima).

HOMÚNCULO: Flutua em círculo outra vez, sobrevoando as chamas e espalhando o medo sobre o vale e o abismo, onde tudo parece espectral.

MEFISTÓFELES: Como em minha velha janela, lá no Norte solitário, estou vendo medonhos fantasmas, fazendo com que eu me sinta em casa.

HOMÚNCULO: Vês aquela procissão que vem avançando em nossa direção?

MEFISTÓFELES: Todos os que nela estão parecem assustados, ao nos verem flutuando no ar.

HOMÚNCULO: Deposita no chão o cavaleiro adormecido, que logo irá recuperar a vida, visto que a procura no reino da imaginação.

FAUSTO *(ao sentir-se em contato com o solo):* Onde ela está?

HOMÚNCULO: Isso eu não sei, mas talvez se possa averiguar. Antes que amanheça, vai de chama em chama atrás de seu rasto. Nada tem de recear aquele que se atreveu a chegar até as Deusas-Mães.

MEFISTÓFELES: Também vim aqui por interesse próprio. Assim, nada melhor me ocorre para nosso sucesso que cada qual tente sua própria aventura. Para voltarmos a nos reunir, meu pequeno, acende tua redoma e faze-a soar.

HOMÚNCULO: Ela ressoa sempre que acende. *(O vidro soa e brilha com intensidade).* Agora estamos prontos a buscar novas maravilhas.

FAUSTO *(sozinho):* Onde será que ela está? Vou parar de fazer esta pergunta. Ainda que não fosse este o solo que ela pisava, e esta a onda que quebrava a seus pés, este era o ar que falava a sua língua. Eis-me aqui! De maneira prodigiosa, acho-me agora na Grécia! Senti-o logo que pisei este chão. Desde que, em meu sonho, um espírito me excitou, adquiri o ânimo de um Anteu, e, por mais estranho que for o que eu aqui encontrar, não hesitarei em percorrer de um lado ao outro este labirinto ardente. *(Afasta-se).*

48. Uma das feiticeiras de Farsália.

49. Foi em Farsália que se travou a batalha final entre César e Pompeu, no ano 48AC.

ALTO PENEU

MEFISTÓFELES *(buscando um rasto):* Quanto mais perambulo por entre essas fogueiras, mais desambientado me sinto. Estão quase todos nus, ou então usando apenas uma camisola. Tanto essas esfinges descaradas, como esses grifos[50] desavergonhados, e sei lá quantos outros seres cabeludos e alados que há por aí, todos eles, uns de frente, outros de costas, expõem seus corpos despudoradamente diante de meus olhos! É bem verdade que nós também temos nossas falhas de caráter, mas a Antiguidade me parece demasiado frívola. Seria necessário passá-la a limpo, deixando-a mais de acordo com o gosto moderno, vestindo-a conforme a moda atual. Que gente mais aborrecida! Mas nem por isso, poderei deixar de saudá-la, já que aqui me encontro como hóspede. Portanto, recebei minhas saudações, belas mulheres e sábios grinfos!

UM GRIFO *(rugindo):* Não somos grinfos, somos grifos. Ninguém gosta de ser chamado daquilo que parece, mas não é. As palavras soam segundo a procedência, pois é sua origem que as determina: *"grilo", "grisalho", "grito", "grilhões", "grotas"* e *"grutas"* são etimologicamente parecidos, mas nem por isso têm a ver com os grifos.

MEFISTÓFELES: E, sem sairmos do tema, o *"gri"* dessa palavra, que *"garra"* significa, tem tudo a ver com o nobre nome dos grifos.

GRIFO *(continua rugindo):* Naturalmente! Já se provou tal afinidade, que muitas vezes foi condenada, mas outras muitas mais foi louvada. Não resta outra coisa a fazer senão deitar as garras nas moças, nas coroas, no ouro: a Fortuna sorrirá para aquele que mais presas conseguir agarrar.

FORMIGAS *(de um tamanho colossal):* Já que estais falando de ouro, queremos revelar-vos que conseguimos acumular uma grande quantidade, guardando-a em ocultas cavernas, mas acontece que estes arimaspianos[51] que aqui estão o descobriram, tiraram-no de lá e agora estão rindo a nossas custas.

GRIFO: Faremos com que confessem esse furto!

ARIMASPIANOS: Mas não hoje, pois esta noite é de júbilo. A partir de agora, até amanhã de manhã, tudo terá sido esbanjado. Até lá, teremos sido bem sucedidos.

MEFISTÓFELES *(que se colocou entre as Esfinges):* Como me entrosei com toda a turma de maneira fácil e prazerosa! Aos poucos os vou conhecendo um a um.

UMA DAS ESFINGES: Emitimos nossos sons espirituais, na certeza de que irás entender-nos. Agora declina teu nome, para que te conheçamos melhor.

MEFISTÓFELES: As pessoas me chamam por uma porção de nomes. Temos ingleses aqui? Como têm costume de viajar para contemplar campos de batalha, cachoeiras, muros arruinados e monumentos clássicos cobertos de musgo, isto aqui seria para eles um lugar digno de ser visitado. Se houver deles por aqui, poderão testemunhar que, em suas antigas obras teatrais, era eu que desempenhava o papel de *"Old Iniquity"* — a Velha Iniquidade.

ESFINGE: De onde tiraram essa ideia?

MEFISTÓFELES: Não faço a mínima ideia.

ESFINGE: Deixa para lá. Entendes alguma coisa de estrelas? Que dizes das que brilham sobre nós neste momento?

MEFISTÓFELES *(olhando o céu):* Vejo uma estrela perseguindo outra, enquanto que a Lua, que ainda não está cheia, refulge alva no céu. Quanto a mim, prefiro estar à vontade neste lugar agradável, agasalhando-me em tua pele de leão, em vez de subir até aquelas alturas. Propõe-me algum enigma, ou ao menos uma charada.

A ESFINGE: Define-te a ti mesmo, o que por si só já é um enigma. Tenta revelar tua intimidade. *"Trata-se de uma necessidade, tanto para o piedoso como para o malvado. Para aquele, é a couraça que o protege dos golpes de esgrima recebidos pelo seu lado ascético; para este, é um companheiro que o ajuda a cometer loucuras; para ambos, é algo que a Zeus diverte".*

PRIMEIRO GRIFO *(rugindo):* Não me agrada esse sujeito.

SEGUNDO GRIFO *(rugindo ainda mais forte):* Que terá vindo buscar aqui?

AMBOS DE UMA VEZ:
Esse tonto impertinente
não pertence a nossa gente!

MEFISTÓFELES *(agressivamente)*: Credes talvez que as unhas dos hóspedes não arranhem tão profundamente quanto as vossas garras afiadas? Tirai a prova e havereis de ver!

ESFINGE *(em tom conciliador):* Podes ficar o tempo que quiseres, mas tu mesmo vais preferir afastar-te de nós. Cada qual só se sente à vontade em sua terra, e parece que aqui tu não te sentes bem.

MEFISTÓFELES: Até que tua parte de cima é bem atraente, mas, da cintura para baixo, tua metade animal me dá medo!

ESFINGE: Farsante! Tua estada entre nós representa para ti uma amarga penitência, pois nossas garras estão de acordo com o ambiente, enquanto que tu, por teu lado, com essa pata coxa de cavalo, não te encaixas bem em nosso meio.

(De cima, as Sereias assistem a tudo).

MEFISTÓFELES: Que aves são aquelas a se remexer nas ramas dos álamos junto ao rio?

ESFINGE: Toma cuidado! A cantilena delas já trouxe a perdição para outros melhores do que tu.

SEREIAS:
Tu estás muito deslocado
entre essas feras tão feias!
Vem cá para o nosso lado,
ouvir o canto entoado
por nós, a lindas sereias.

ESFINGES:
(debochando delas com a mesma melodia):
Se prestares atenção
a essas criaturas más,
horrorizado verás
suas garras de falcão,
que em breve te agarrarão.

SEREIAS
Chega de ódio e de ciúmes!
É de alegria este instante!
Juntos com o céu radiante,
a água e o ar, com seus perfumes,
saudemos o visitante.

MEFISTÓFELES: Eis aqui uma interessante novidade: a combinação harmônica dos sons que podem ser produzidos na garganta. Em mim, porém, esses gorjeios não fazem efeito. Quando muito, me provocam cócegas nos ouvidos, sem nunca me chegarem ao coração.

ESFINGES:
Como podes falar de coração?
É coisa que teu peito não comporta!
Um alforje de couro velho e roto
combina mais com tua cara torta.

FAUSTO *(entrando):* Que maravilha! Este espetáculo me enche de satisfação! Em meio às monstruosidades, enxergo traços firmes e vigorosos. Pressagio bons augúrios. Até onde me levará esta imponente visão? *(Apontando para as Esfinges):* Diante dessas aí postou-se Édipo outrora. *(Apontando para as Sereias):* Diante dessas aí, Ulisses se contorceu, atado com resistentes cordas de cânhamo. *(Apontando para as Formigas):* Essas aí acumularam o maior dos tesouros. *(Apontando para os Grifos):* E esses aí o custodiaram honesta e fielmente. Sinto-me possuído por um novo espírito. Os vultos são enormes, bem como as recordações.

MEFISTÓFELES: Em outros tempos tu os terias espantado com maldições, mas agora te parecem interessantes! É... quando se está à procura da mulher amada, até os monstros são bem-vindos...

FAUSTO *(dirigindo-se às Esfinges):* Já que tendes essência e forma feminina, talvez possais trazer-me alegria: alguma de vós acaso viu Helena?

ESFINGES: Não chegamos a viver em sua época. A última de nós foi morta por Hércules. Melhor seria que recorresses a Quíron[52], que deve estar galopando por aí, nesta noite espectral. Se conseguires que ele se detenha para te escutar, já terás percorrido um bom caminho.

SEREIAS:
Recorre a nós e terás
melhores informações.
Quando Ulisses aqui esteve,
fez muitas revelações.
Tudo a ti iremos contar,
se nos vieres visitar
no reino do verde mar.

UMA DAS ESFINGES: Não te deixes enganar, nobre senhor. Não é preciso que te amarres como Ulisses, basta que te ligues em nossos bons conselhos. Se puderes encontrar o célebre Quíron, terás a informação pela qual tanto anseias.

(Fausto se afasta)

MEFISTÓFELES *(intrigado):* Que aves são essas que passam grasnando e batendo as asas? Vão tão depressa que mal se deixam ver, e sempre uma atrás da outra. Cansariam qualquer caçador.

A ESFINGE: Sua velocidade é comparável à dos golpes de vento e das tempestades. Apenas podem ser alcançadas pelas flechas de Alcides[53]. Trata-se das velozes aves do lago Estinfálide, com seus bicos de abutre e suas patas de ganso. Gostariam de participar de nosso círculo, já que são parentes nossas.

MEFISTÓFELES *(fingindo-se assustado):* Há outra coisa que está silvando por aí.

ESFINGE: Não tenhas medo: são as cabeças da Hidra de Lerna. Estão separadas do tronco, mas acreditam ser entes vivos. Mas dize-nos: que se passa contigo? Por que esses gestos nervosos? Onde queres ir? Vai-te daqui, se for esse o teu desejo. Estamos vendo que esse coro te faz volver o rosto. Fica à vontade. Vai contemplar essas beldades: são as Lâmias[54], refinadas e apetitosas rameiras, sempre sorridentes e exibindo um ar impudico, que muito agrada aos sátiros. O fato de terem patas de cabra não os impede de seguirem atrás delas.

MEFISTÓFELES: Mas ficareis aqui para que vos encontre na volta?

ESFINGES:

Sim. Vai reunir-te a esse pessoal alegre.
somos do Egito e bem acostumadas
a estar imóveis por milhares de anos.
Neste local ficaremos paradas
Guardai-o, pois, para nos encontrardes.
Aqui estaremos, sempre à espera tua,
a controlar a passagem dos dias
e a regular todas fases da Lua.

Ante as Pirâmides nós nos postamos
como juízes de todas pendências;
por paz e guerra e inundações passamos,
sem que isso altere nossas aparências.

50. Animais fabulosos, com corpo de leão e asas de águia.
51. Povo mencionado por Heródoto em sua *História.*
52. O mais sábio dos centauros, a quem foi confiada a educação de Aquiles e de Hércules.
53. Outro nome pelo qual era conhecido Hércules.
54. Espectros femininos ávidos por carne e sangue humanos.

BAIXO PENEU

(A personificação do rio Peneu, rodeado de correntes de água e de Ninfas).

PENEU: Ressoa, ó sussurro que te filtras por entre os juncos e caniços! Suspirai, suavemente, salgueiros; farfalhai, matas ciliares; murmurai junto ao meu ouvido, folhagens dos álamos, para que eu retome meu sonho interrompido. Um estrondo terrível despertou-me! Um tremor que tudo sacode tirou-me a paz, obrigando-me a deixar minha ondulante corrente.

FAUSTO *(dirigindo-se para o rio):* Se meus ouvidos não me enganam, quero crer que, atrás desta vegetação fechada, dessas folhagens, desses matagais, soa algo que lembra a voz humana. A ondulação das águas produz uma sonoridade de vozes, e o perpassar da brisa parece o som de risadas.

NINFAS
(Dirigindo-se a Fausto):
Que deverás fazer?
Na relva te estender;
deixar bem repousados
teus membros fatigados;
só assim serás capaz
de reencontrar a paz.
Com doce sussurrar,
nós vamos te ajudar.

FAUSTO: Já estou desperto. Deixarei que façam o que quiserem essas formas incomparáveis que tenho diante de minha vista. Sinto-me tomado por uma profunda emoção! Que são elas: sonhos ou lembranças? Lembro-me de uma outra ocasião em que me vi tomado por um sentimento de felicidade semelhante a este. As correntes de água deslizam por entre o frescor dos espessos tufos de vegetação, que se deixam agitar brandamente. As águas não correm caudalosas, mas fluem lentas e tranquilas. De todo lugar brotam e escorrem centenas de fontes, que se reúnem num profundo e plácido remanso, a convidar para um banho. Corpos sadios de mulheres, duplicados pelo líquido espelho, deleitam a vista. Elas brincam e riem enquanto se banham. Umas nadam atrevidamente, outras bracejam com receio, mas tudo acaba em gritaria, travando-se dentro da água uma buliçosa batalha, cuja simples visão deveria bastar-me, deliciandome os olhos, mas meu pensamento me impele a querer mais. Minha vista se dirige fixamente para a exuberante moldura vegetal que esconde a nobre rainha. É uma verdadeira maravilha! Também se veem cisnes, que procedem dos longínquos regatos e flutuam nas águas majestosamente, meneando suavemente seus corpos. São gentis e sociáveis, mas também orgulhosos e seguros de si. Vede como movem suas caudas e seus bicos. Dentre eles, porém, há um que se destaca, pavoneando-se vaidosa e audazmente, postado à frente dos demais. Sua plumagem até parece inflar, formando uma onda que se torna maior à medida que se acerca do sacrossanto lugar. Os outros nadam a esmo, exibindo sua plumagem lisa e brilhante, mas subitamente se empenham num renhido combate com o único objetivo de assustar as mulheres. Elas logo se põem em fuga, esquecendo-se de seus deveres, empenhadas tão somente em garantir sua própria segurança.

NINFAS

Irmãs, vossos ouvidos apurai.
Um som familiar, posso escutá-lo,
vindo de além da margem verdejante:
é alguém que vem a trote de cavalo.
Quem é que chega aqui nesta paragem
e traz com tanta pressa uma mensagem?

FAUSTO: O chão até parece tremer, abalado pelo trotar desse ginete. Já posso divisá-lo! Será que a sorte está prestes a me sorrir? Deve alcançar-me em breve um destino favorável? Oh, maravilha sem par, eis que se aproxima um ginete a trote. Parece ser brioso e altivo, e vem montado num corcel de deslumbrante brancura. Sei quem é, e não me engano: trata-se de Quíron, o célebre filho de Filira. Alto, Quíron, para, que tenho algo para te dizer!

QUÍRON: Que ocorre? Que se passa?

FAUSTO: Refreia o passo.

QUÍRON: Não posso parar.

FAUSTO: Então, peço que me leves contigo.

QUÍRON: Monta, que assim poderemos conversar. Começo perguntando: aonde vais? Pretendo ir para a margem oposta. Se quiseres posso levar-te comigo, cruzando este rio a vau.

FAUSTO: Vou para onde quiseres, e para sempre serei grato a ti, nobre homem, insigne pedagogo, que, para eterna fama sua, educou uma numerosa geração de heróis, entre os quais a ilustre estirpe dos celebrados Argonautas e tantos outros que desfilaram pelo mundo do Poeta.

QUÍRON: Não me venhas com essa! A própria Palas não mereceu honras quando fez as vezes de Mentor[55]. No frigir dos ovos, os discípulos se comportam como se nunca tivessem sido educados.

FAUSTO: Ao médico que sabe o nome de cada planta, que conhece todas as raízes, que traz a cura ao enfermo e alívio ao ferido, abraço estreitamente em corpo e alma.

QUÍRON: Quando a meu lado caía um herói eu corria a levar-lhe alívio e conselho, mas hoje entreguei minha arte nas mãos das curandeiras e dos sacerdotes.

FAUSTO: És na verdade um grande homem que não gosta de escutar louvores; antes procuras dispensá-los modestamente, agindo como se houvesse outros iguais a ti.

QUÍRON: Pareces-me destro em fingir e adular tanto o príncipe como o plebeu.

FAUSTO: Todavia, terás de admitir que viste os maiores de tua época, que rivalizaste em proezas com os mais valentes, e que tua vida foi quase a de um deus. Portanto, dize-me: a teu ver, dentre as figuras heroicas, qual teria sido a maior?

QUÍRON: Entre os Argonautas, cada qual foi valente a seu modo, e, conforme a virtude especial que possuísse, podia compensar o que aos demais faltava. Os Dióscuros[56] sempre sobressaíram quando o que prevalecia era a plenitude juvenil ou a beleza. A ação pronta e decidida foi a melhor das qualidades dos Boréades[57]. Reflexivo, enérgico, prudente e sensível aos conselhos, com tais qualidades comandava Jasão, que era ademais considerado atraente pelas mulheres. Orfeu, terno, tímido e discreto, a todos superava quando tangia a lira. Linceu, com sua vista penetrante, tanto de dia como de noite, conduziu a nave entre os escolhos e através das tormentas. O perigo sempre se enfrentava em comum. Quando um atuava, os demais o apoiavam.

FAUSTO: Nada dizes a respeito de Hércules?

QUÍRON: Oh, dor! Não renoves meu pesar! Ainda não havia visto Febo, Ares, Hermes e outros que tais, quando tive diante de meus olhos aquele a quem todos os homens aclamam como divino. Rei de nascimento, era magnífico contemplá-lo quando jovem, mas sempre foi submisso a seu irmão mais velho, bem como às beldades. Géia não voltará a gerar um segundo Hércules, nem Hebe o levará ao Empíreo. Em vão se tenta representá-lo através da poesia e do mármore.

FAUSTO: Por muito que se esmerem os escultores, jamais conseguirão reproduzir alguém de aspecto tão impressionante.
Já falaste do homem mais belo; fala agora da mais bela das mulheres.

QUÍRON: A beleza feminina nada significa. Com demasiada frequência não passa de uma imagem estática, transbordante de felicidade e alegria de viver. A beleza se satisfaz a si mesma. O que a torna irresistível é a graça, qual a divisei em Helena, quando a carreguei.

FAUSTO: Ela montou em ti?

QUÍRON: Sim, sobre estes meus lombos.

FAUSTO: É tal minha fascinação, que me enche de alegria estar ocupando o mesmo lugar que ela.

QUÍRON: Ela se agarrava em meus cabelos do mesmo modo que tu o fazes.

FAUSTO: Oh, como isso me deixa transtornado! Conta-me como ocorreu! Somente a ela é que aspiro. Onde a recolheste e a que lugar a levaste?

QUÍRON: É fácil responder tua pergunta. Naquela ocasião, os Dióscuros haviam acabado de livrar a irmãzinha de seus raptores. Estes, porém, desacostumados à derrota, recobraram suas energias e se lançaram iradamente sobre eles. Os pântanos das cercanias de Elêusis interromperam a rápida carreira dos irmãos, que se atrasaram enquanto procuravam uma passagem que desse vau. Preferi atravessar o pântano a nado, chegando antes deles à margem oposta. Quando ela alcançou a terra firme, passou a mão em minha crina molhada, acariciando-me e me saudando com discreta amabilidade e desenvoltura. Como era atraente! Uma verdadeira delícia para os olhos de um ancião!

FAUSTO: E tinha apenas dez anos!

QUÍRON: Os filólogos te induziram a esse engano no qual eles próprios haviam caído. É singular o que ocorre com essa mulher mitológica. O Poeta a descreve como lhe convém, nunca com sua verdadeira idade. Não a deixa envelhecer, atribuindo-lhe sempre um aspecto extremamente sedutor. Ela foi raptada quando jovem; porém, mesmo muitos anos mais tarde, ainda era requestada. Em suma: o poeta não está atado a tempo algum.

FAUSTO: Tampouco a ela o tempo impôs suas condições. Quando Aquiles a encontrou em Feres, estava fora de todo tempo. Que sorte rara ter encontrado o amor apesar do destino! Não poderia eu, ardorosa energia, dar vida a essa forma única, a essa criatura eterna, da mesma origem dos deuses, tão bela quanto terna, tão majestosa quanto amável? Tu a viste faz muito tempo, e eu só hoje a vi, mas tão bela quanto atraente, tão sedutora quanto bela. Ela dominou inteiramente meu pensamento e todo o meu ser. Não posso mais viver, se não puder tê-la.

QUÍRON: No entender dos homens, meu caro estrangeiro, estás fascinado, mas para os espíritos dás a impressão de estar com a cabeça transtornada. Por sorte, tudo parece coincidir para agir a teu favor, pois todo ano, mas apenas durante um breve tempo, costumo ir à casa de Manto, filha de Esculápio[58]. Ali, em prece silenciosa, ela implora a seu pai que, em nome de sua glória, ilumine a razão dos médicos e os afaste do homicídio temerário. De todas as Sibilas, é ela a que mais aprecio. Não gesticula grotescamente, é discreta e benfazeja. Se ficares aqui durante algum tempo, ela te curará, valendo-se das propriedades das raízes.

FAUSTO: Não quero ser curado. Meu espírito é poderoso. Se for curado, tornar-me-ia tão vulgar como os demais homens.

QUÍRON: Não subestimes a cura que provém de tão rico manancial. Desmonta, que acabamos de chegar.

FAUSTO: Dize-me: a que lugar de terra firme me trouxeste, durante esta tétrica noite e através de sendas arenosas?

QUÍRON: Aqui, tendo o Peneu à direita e o Olimpo à esquerda. Roma e Grécia disputaram este vastíssimo reino que se perde de vista[59]. O rei fugiu, triunfou o cidadão. Ergue tua vista: bem perto daqui, iluminado pela claridade do luar, se ergue, imponente, o templo eterno.

MANTO *(dentro do templo, sonhando):* Ressoam cascos de cavalo a galopar no solo sagrado. Parece que se aproximam semideuses.

QUÍRON: Justamente. Abre os olhos!

MANTO *(despertando):* Bem-vindo! Já vejo que não faltas a teu compromisso.

QUÍRON: Também continua de pé o templo que te serve de morada.

MANTO: Prossegues sendo o infatigável errante de sempre?

QUÍRON: Enquanto vives no repouso, eu prefiro ficar vagueando por aí.

MANTO: No meu caso, fico aqui bem quieta, deixando que o tempo vá passando a meu redor. E esse aí, quem é?

QUÍRON: A malfadada noite, em seu torvelinho, trouxe-o até aqui. Pensa em Helena o tempo todo, sequioso por conquistá-la, mas sem saber como, nem por onde começar. Está muito mais necessitado que outros de uma cura de Esculápio.

MANTO: Amo aquele que deseja o impossível. *(Quíron sai).* Entra, temerário. Logo te alegrarás. Esta obscura passagem leva à mansão de Perséfone[60]. Na base oca do Olimpo, ei-la, atenta, esperando a visita proibida. Aqui, outrora, introduzi Orfeu[61]. Mais do que ele, aproveita tu esta oportunidade! Segue em frente sem medo.

(Os dois descem).

55. Para educar Telêmaco, Palas Atena assumiu a figura do pedagogo Mentor.
56. Castor e Pólux. A palavra significa "filhos de Zeus".
57. Filhos de Bóreas (deus dos ventos), cuja façanha mais celebrada foi livrar Fineu das harpias.
58. Deus da Medicina, filho de Apolo.
59. O reino é a Macedônia, e o lugar é Pidna, no sopé do Olimpo, cidade onde Paulo Emílio derrotou o rei Perseu em 168 AC.
60. Rainha dos Infernos.
61. Orfeu teria ido aos Infernos em busca da sua falecida esposa Eurídice, sem contudo conseguir resgatá-la.

NO ALTO PENEU

SEREIAS:
Lançai-vos na corrente do Peneu!
Como é bom nestas águas flutuar,
deixando para trás tudo o que é triste,
entoando mil cantigas sem parar.
Para nós, fora da água não existe
salvação. Sendo assim, vamos formar
um exército coeso de sereias
que se estenda, daqui deste lugar,
até o mar Egeu, onde poderemos
de todos os prazeres desfrutar.

(A terra treme).

Espumante, reflui a onda gigante,
invadindo os terrenos das baixadas.
Oscila e treme o fundo do Peneu,
e suas águas ficam agitadas.
Nas margens arenosas se abrem fendas,
de onde escapam vapores escaldantes.
Fujamos nós agora, e que nos sigam
os que de longe vieram, visitantes
que nas festas marinhas acharão
motivos de alegria, e poderão
contemplar o espetáculo belíssimo
das ondas que se agitam e intumescem
antes de se quebrarem contra as rochas
que orlam o litoral e que parecem
desfazer-se em espuma, à luz da Lua.
Ali fervilha a vida em liberdade,
enquanto aqui entre nós reina o terror
que traz consigo a dor e a mortandade.
Não há por que ficarmos mais aqui.
Que saia todo aquele que é prudente
e siga sem temor atrás da gente.

SISMO[61] *(rugindo e retumbando):* Empurremos com força uma vez mais; ergamos os ombros. Assim chegaremos ao alto, onde tudo haverá de sucumbir diante de nós.

ESFINGES:
Que tremor mais detestável!
Quem não fica apavorado
vendo tudo trepidar,
indo de um lado a outro lado!

Mas, apesar de tudo isso,
daqui não vamos sair,
mesmo se as forças do inferno
sobre nós forem cair.

Eis que uma cúpula se ergue!
Dentro se pode avistar
o velho que fez surgir
Delos das ondas do mar,
por causa de uma gestante
por quem foi se apaixonar[62].

Com redobrados esforços,
braços rijos, costas curvas,
qual Atlas, ergueu o solo,
acima das águas turvas,
formando esta ilha tranquila
com seixos, areia e argila.

Qual cariátide gigante,
sustenta o fardo pesado,
rasgando um sulco profundo
no vale, de lado a lado,
e tendo o corpo robusto
até a cintura afundado.
Sequer parece cansado,
mas dali não vai passar,
pois as Esfinges, depressa,
já ocuparam seu lugar.

SISMO: Um dia, todos haverão de saber que tudo isso se deve a mim. Não fossem meus estremecimentos e comoções, e como poderia ser o mundo tão belo? Como poderiam as montanhas, destacar-se contra o azul do céu, se eu não as houvesse soerguido, para que nos oferecessem seu aspecto pitoresco e encantador? Quando, em presença de nossos primeiros ancestrais, a Noite e o Caos, eu demonstrei minha força, participando com os Titãs de suas brincadeiras com as montanhas de Pélion e Ossa[63], dando asas ao nosso ardor juvenil, de loucura em loucura, sobrepusemo-las uma sobre a outra no Parnaso, deixando-as com o aspecto de um chapéu de duas copas. Nesse alto trono repousa Apolo, rodeado do alegre coro das Musas, e se senta Júpiter quando dispara seus raios como flechas. Agora, com enorme esforço, alcei-me sobre o abismo e vim convidar os alegres habitantes da superfície a desfrutar de uma nova vida.

ESFINGES:
Era de se supor que esta montanha
aqui estivesse desde antigamente,
mas nós pudemos ver que ela surgiu
brotando deste solo de repente.
Em seus flancos se estende um denso bosque,
e os rochedos parecem se empilhar,
mas nem por isso a Esfinge vai sair
de seu assento em tão sacro lugar.

GRIFOS:
Muito ouro em lingotes,
muito ouro em palhetas,
vemos reluzir
através das gretas.
Não deixeis, Formigas,
que venham roubar
tão rico tesouro!
Tratai de escavar!

CORO DAS FORMIGAS:
O soerguimento da montanha
foi dos gigantes a proeza,
compete agora a nós, Formigas,
tirar do fundo essa riqueza.
Com paciente diligência,
colhendo o ouro de grão em grão,
toda a fortuna aqui escondida
extrairemos deste chão.
Somente interessa a riqueza
que este subsolo contiver,
pois toda a escória deixaremos
pra quem depois de nós vier.

GRIFOS:
Trazei todo esse ouro aqui pra dentro!
Em pilhas, depositai-o já!
Poremos sobre ele nossas garras.
Ferrolho melhor que este não há!

PIGMEUS[64]:
Aqui estamos, sem saber
como foi que aqui chegamos.
Não procureis saber como;
o que importa é que aqui estamos.
Para quem alegre vive,
tanto faz montanha ou vale,
basta haver greta no chão,
pra que ali o anão se instale.
O anão e a anã, para os homens,
são um modelo exemplar,
sempre dispostos, ativos
e prontos pra trabalhar.
Talvez lá no Éden houvesse
a mesma disposição
e, em relação à Mãe-Terra
muito amor e gratidão,
pois ela, de leste a oeste,
riquezas nos propicia,
dando-nos motivos mil
para constante alegria.

DÁCTILOS[65]:
Se ele criou numa noite
esses pequeninos entes,
poderá gerar menores,
juntando-os aos existentes.

O DECANO DOS PIGMEUS: Rápido! Ocupai o lugar mais propício! Depressa, ao trabalho! É mais uma questão de rapidez do que de força. E que sempre reine a paz. Forjai vossos arneses e vossas armas. Formemos um exército. A multidão diligente das Formigas nos trará os metais. E, quanto a vós, numerosos e mínimos Dáctilos, estareis incumbidos da tarefa de recolher madeira. Lançando mão de artes misteriosas, fazei uma fogueira que nos proporcione carvão.

GENERALÍSSIMO DOS PIGMEUS: Portando arco e flechas, ponde-vos em marcha. Ide até aquele lago e abatei as garças que em grande número ali nidificam, mirando-nos com orgulho e desdém. Agi com presteza, para que logo possamos enfeitar nossos elmos com belos penachos.

AS FORMIGAS E OS DÁCTILOS:
Quem é que nos defenderá?
Pois se ouro e ferro a gente dá,
logo eles nos forjam correntes!...

Para a liberdade, ainda é cedo,
e, assim sendo, cheios de medo,
prossigamos sendo obedientes...

OS GROUS DE ÍBICO:[66]
Asas batendo angustiadas!
Gritos, lamentos de morte!
Pobres companheiras Garças,
lamentamos vossa sorte!

Após rápida sortida,
o lago de águas paradas
tornou-se rubro do sangue
das aves assassinadas!

Foi só por causa das penas,
adornos tão cobiçados,
que sobre as Garças caíram
os barrigudos soldados.

Juntai-vos ao nosso bando,
vós, que voais em fileiras,
e vamos vingar a morte
dessas nossas companheiras!

Vamos à feroz batalha
contra essa odiosa gentalha!

(Os Grous se dispersam grasnando).

MEFISTÓFELES *(na planície):* Sei muito bem como dominar as bruxas do Norte, mas aqui, entre esses espectros estrangeiros, não me sinto lá muito à vontade. O Blocksberg continua sendo o meu lugar. Ali, sim, onde quer que eu vá, sempre me sinto em casa. A postos no topo do rochedo que tem seu nome, lá está Dona Ilsen a nos vigiar, enquanto o dono do Monte Heinrich nos contempla alegremente lá do seu cume. É verdade que a Serra dos Roncadores debocha em tom grosseiro do Morro da Miséria, mas tudo isso vem acontecendo assim há milhares de anos. Aqui onde estamos, porém, quem pode dizer aonde vai, ou onde se encontra, ou mesmo se o chão não vai estalar e rachar debaixo de seus pés? Eu estava há pouco caminhando despreocupadamente através de um vale aprazível, e eis que, de uma hora para outra, irrompeu do chão uma montanha (se bem que, para dizer a verdade, não tenha altura bastante para assim ser chamada, embora fosse alta o suficiente para me separar de minhas Esfinges). É comum ver fogos a arder nas encostas e no vale, surgindo do nada, ora aqui, ora ali. Ainda requebra e dança diante de meus olhos o galante coro, que se afasta de mim com ar gaiato, atraindo-me para algum lugar distante. Mas é bom ir atrás dessas aí com muita prudência, pois mesmo quem está acostumado às finas iguarias, sempre deseja experimentar novos sabores.

LÂMIAS
(tentando atrair Mefistófeles):
Depressa, mais depressa,
sigamos sempre avante.
sem nunca nos determos,
nem por um breve instante,
mas empenhadas sempre
neste jogo excitante
de atrair para nós
o pecador errante
que, com seu pé atrofiado
caminha, claudicante,
atrás de nós, seguindo
para um lugar distante.
Enquanto ele nós segue,
seguimos sempre avante.

MEFISTÓFELES *(detendo-se):* Maldita sina esta nossa, pobres tolos, sempre enganados e seduzidos desde os tempos de Adão. Vamos ficando velhos, mas mesmo assim não adquirimos juízo. Não bastam as tantas vezes em que já fui logrado? Quem não sabe que nada de bom se pode obter dessas que usam corpete justo e besuntam a cara com cremes e pós? Nada sadio têm para oferecer. Onde quer que as apalpemos, tudo é pelanca e muxiba. Pois mesmo sabendo disso, basta que a vadia assovie, para que voltemos a dançar...

LÂMIAS:
Alto, que a presa hesitou
e não quer vir para cá!
A seu encontro, e depressa,
antes que embora se vá!

MEFISTÓFELES *(resolve prosseguir):* Vamos e deixemo-nos de receios e hesitações idiotas. Se não houvesse bruxas, quem quereria ser diabo?

LÂMIAS
(com ar sedutor):
Vamos formar uma roda
em torno do sedutor.

Talvez, por uma de nós,
seu coração sinta amor.

MEFISTÓFELES: Iluminadas por essa luz difusa, até que estais parecendo realmente belas. Espero não ofender-vos dizendo isto.

EMPUSA[67] *(intrometendo-se no coro):* Também sou uma das vossas; por isto, permiti que eu siga em vossa companhia.

LÂMIAS:
Não faltava senão esta,
que é a maior estraga-festa!...

EMPUSA *(dirigindo-se a Mefistófeles):* Quem te saúda sou eu, Empusa, tua priminha, semelhante a ti quanto às patas, que são de jumento. As tuas são de cavalo, mas, mesmo assim somos primos. Por isso, recebe minha saudação.

MEFISTÓFELES: Imaginei que aqui só iria encontrar desconhecidos, mas qual o quê: por desgraça, acabo dando de cara com parentes próximos... É como se estivesse folheando um velho livro lido e relido: vira-se a página e se depara com mais um primo, desde o Harz até a Hélade!...

EMPUSA: Sempre ajo resoluta e rapidamente, assumindo a forma que melhor me convier. Agora, para homenagear-te, decidi adotar uma cabeça de burro.

MEFISTÓFELES: Parece que essa gente valoriza muito essa questão de parentesco. Mas, haja o que houver, eu sempre me recusaria a sair por aí levando sobre os ombros uma cabeça de burro...

LÂMIAS:
Deixa de lado esse ser
odioso a mais não poder!
Tudo o que encanta e enternece
some quando ele aparece!

MEFISTÓFELES: Também suspeito de vós, doces priminhas ternas e encantadoras. Será que essas faces rosadas não acabarão sofrendo alguma metamorfose?

LÂMIAS:
Terás de tirar a prova.
Dentre nós, escolherás
uma, e se tiveres sorte,
com a melhor ficarás.

De nada te valerão
cantigas torpes de amor;

não passas de um pretendente
miserável e impostor,
por mais que tentes passar
por um distinto senhor.

Aos poucos, tu revelaste
a real identidade;
desmascara-nos e vê
como somos de verdade.

MEFISTÓFELES: Já escolhi a mais bela. *(Abraça-a)* Ui! Parece uma vassoura velha! *(Segura outra)* E esta aqui? Ah! Que cara medonha!

LÂMIAS:
Escolhe mais, não te apresses!
Coisa melhor não mereces...

MEFISTÓFELES: Eu quis agarrar a menor de todas, mas ela escapuliu de minhas mãos como se fosse uma lagartixa! E sua trança de cabelo muito liso antes me pareceu uma serpente! Então resolvi agarrar a mais alta, mas o que segurei foi um varapau, tendo uma pinha em lugar da cabeça! Oh! Será que vai sobrar alguma para mim? Quem sabe, aquela gorducha que está ali?... Farei uma última tentativa. Vamos lá! Ih, tem mais banha do que carne!... Os orientais pagariam por ela um bom preço... Ui! Estourou, qual bexiga cheia!

LÂMIAS:
Dispersai-vos pelos ares,
ao redor desse insolente,
esse filho de uma bruxa
que menoscaba da gente!
Quais morcegos pavorosos,
tratemos de circundar
o patife, e ele só sai
após bem caro pagar!

MEFISTÓFELES *(movendo-se de um lado para o outro):* Parece que ainda tenho muito que aprender. Tudo aqui é absurdo, do mesmo modo que no Norte. Aqui, como lá, existem fantasmas grotescos, gente de má catadura e poetas de mau gosto. Aqui, também, tudo não passa de uma farsa, de uma dança sensual. Deixei-me iludir por belas máscaras, e acabei abraçando seres que me causaram horror. Mas eu bem teria gostado de que a ilusão não se houvesse desfeito, e que durasse um pouco mais...

(Perdendo-se entre as rochas):

Mas... onde estou? Aonde sairei, seguindo por aqui? O que era um caminho transformou-se num monte de escombros! Cheguei até aqui seguindo por uma trilha batida, e agora só deparo com rochedos! Em vão subo e desço, sem vislumbrar uma saída! Será que voltarei a encontrar as esfinges? Nunca imaginei que iria assistir, no espaço de uma noite, ao espantoso fenômeno do soerguimento de uma montanha! É como se as bruxas, em cavalgada, trouxessem consigo seu próprio Blocksberg!

ORÉADE[68] *(saindo de uma rocha):* Sobe até aqui. O maciço onde vivo é muito antigo e conserva sua primitiva natureza. Galga com respeito este contraforte do Pindo[69]. Eu já me erguia imponente, quando Pompeu passou por mim em sua fuga. O que aí ao lado estás vendo é mero fruto da ilusão, que se desvanecerá tão logo o galo cante. Com frequência vejo surgir e logo depois desaparecer quimeras desse tipo.

MEFISTÓFELES: Honras te sejam dadas, nobre cume revestido de carvalhos majestosos! Nem mesmo um tênue raio de luar se atreve a se intrometer em tua penumbra. Entre as moitas, porém, vejo uma luz que bruxuleia timidamente. Tudo combina, tudo se encaixa. Mas... caramba! Se não é o Homúnculo! Donde vens, meu amiguinho?

HOMÚNCULO: Vou flutuando daqui para ali, mas bem que gostaria de nascer, na acepção exata do termo. Estou ansioso para sair deste vidro; porém, em vista do que vejo ocorrer, prefiro não me arriscar. Vou confiar-te um segredo: estou atrás de dois filósofos. Escutei-os pronunciar *"Natureza! Natureza!",* e não quero perdê-los de vista, pois devem conhecer a essência daquilo que é terrestre, e eu talvez acabe sabendo qual de suas teorias é a mais sábia.

MEFISTÓFELES: Isso decidirás por ti mesmo, pois onde existem fantasmas cabem também filósofos. Para que as pessoas desfrutem de sua arte e favor, podem-se criar num instante uma dúzia de novos fantasmas. Se não caíres no erro, nunca chegarás a aprender. Se queres nascer, faze-o, mas por tua conta e risco.

HOMÚNCULO: Nunca se deve desprezar um bom conselho.

MEFISTÓFELES: Então, siga cada qual seu caminho. Até a vista. *(Separam-se).*

ANÁXÁGORAS *(a Tales):* Teu rígido espírito não se curva. Que mais posso fazer para convencer-te?

TALES: A onda se deixa levar por qualquer vento, mas bate de frente contra o rochedo escarpado.

ANÁXÁGORAS: Foram as emanações do fogo que produziram essas rochas.

TALES: Foi a umidade que gerou todo ser vivo.

HOMÚNCULO *(intrometendo-se entre os dois):* Permiti que siga convosco. Anseio enormemente por nascer.

ANÁXÁGORAS: Poderias, ó Tales, fazer sair do lodo numa só noite uma montanha como esta?

TALES: Nunca a Natureza, em seu trabalho, esteve sujeita quer ao dia, quer à noite, quer às horas. Ela constrói regularmente todas as formas, grandes e pequenas, jamais recorrendo a qualquer tipo de violência.

ANÁXÁGORAS: Entretanto, empregou-a no caso presente. Primeiro, houve um terrível fogo plutônico, seguido dos formidáveis estalidos provocados pelos vapores eólios, rompendo a velha crosta plana do solo, até que, por fim, uma nova montanha surgiu..

TALES: E que se conclui disso? Ela aí surgiu e aí está. Não importa como foi que apareceu, mas sim que ei-la aí em frente. Tais discussões só servem para nos fazer perder tempo e paz de espírito, desviando os incautos para o redil que bem se desejar.

ANÁXÁGORAS: Logo a montanha será invadida por magotes de seres diminutos, que tratarão de ocupar as gretas e fendas dos penhascos. Para ela acudirão as hordas dos Pigmeus, das Formigas, dos Gnomos e de outros seres pequeninos e diligentes.

(Dirigindo-se ao Homúnculo): Tu nunca aspiraste ao que é grande, pois viveste solitário e isolado. Se te acostumares à hierarquia, porém, porei sobre ti a coroa de rei.

HOMÚNCULO: Que diz Tales quanto a isso?

TALES: Aconselho-te a não aceitar a oferta, pois aos pequenos se costumam pregar grandes logros. Olha ali aquela negra nuvem de Grous a ameaçar esse povo alvoroçado, do mesmo modo que ameaçaria seu próprio rei. Com seus bicos aduncos e suas garras afiadas estão prestes a se arrojar sobre os pequenos. Já se vislumbra no céu seu tormentoso destino. Um nefando crime tirou a vida das Garças que viviam em paz no lago tranquilo. Aquela chuva mortal de flechas fez com que se urdisse uma cruel e sangrenta vingança, suscitando o ódio dos seus parentes, que ali perto viviam, contra a criminosa ralé dos Pigmeus. De que lhes servirão agora os seus escudo, elmos e lanças? Que ajuda poderão esperar os anões dos penachos que conquistaram? Vê como os Dáctilos e as Formigas tratam de se esconder! Seu exército treme, foge e sucumbe!

ANÁXÁGORAS *(em tom solene, após uma pausa):* Se até aqui celebrei as potências subterrâneas, dirijo-me agora aos da esfera superior. Tu, que resplandeces eternamente jovem lá nas alturas; tu, que tens três nomes e que assumes três formas; é a ti que recorro, diante da dor de meu povo. Ó Diana! Ó Lua! Ó Hécate![70] Tu, que alias a bondade do coração à mais profunda razão, que sabe a hora de ser tranquila e a de ser violenta, deixa o sombrio abismo em que repousas e concede-nos presenciar teu antigo poder.

(Pausa)

Terei sido escutado nas alturas? Teria minha súplica transtornado a rígida ordem natural? Vem-se aproximando e se deixando ver cada vez maior e mais nítido o trono orbicular da deusa. É enorme, assustador! Seu fogo rubro vai aos poucos tornando-se roxo. Não chegues mais perto, disco portentoso e ameaçador, ou irás destruir a Terra e o mar!

Será verdade que as feiticeiras da Tessália, tendo recorrido a ímpias práticas de magia, fizeram com que abandonasses tua trajetória, conseguindo extrair de ti o pior dos influxos?
Aos poucos tua aura luminosa se obscurece. Eis que, súbito, explodes, brilhas e faíscas. Que estrondo! Que silvos! Que rajadas de vento! Humildemente, caio prostrado diante do trono. Perdão! Fui eu que provoquei tudo isso! *(Arroja-se de rosto contra o chão).*

TALES: Que não terá visto ou ouvido este homem! Quanto a mim, não entendi direito o que foi que nos aconteceu. Tampouco percebi o que ele sentia. Há de se reconhecer que temos passado por horas muito loucas, embora a Lua continue flutuando placidamente em seu lugar, como sempre o fez.

HOMÚNCULO: Vede a morada dos Pigmeus: a montanha, que antes era redonda, e agora é pontiaguda.
Acabo de escutar um tremendo ribombo. Um rochedo caiu, vindo da Lua, esmagando amigos e inimigos a torto e a direito.
De todos os modos teremos de louvar essas artes que permitiram erguer-se do chão uma montanha, numa única noite.

TALES: Tranquiliza-te. Tudo não passou de uma ilusão. Que se vá daqui para bem longe essa abominável raça. Por sorte não te tornaste seu rei. Vamos agora à alegre festa marinha! Hóspedes nobilíssimos são ali esperados para ser homenageados. *(Afastam-se).*

MEFISTÓFELES *(subindo pelo lado oposto):* Não tenho outra saída senão escalar estas íngremes escarpas, agarrando-me às raízes destes velhos carvalhos. Lá no Harz, o cheiro das resinas lembra o do piche, que tanto aprecio. Ali, o enxofre é abundante. Já aqui, entre esses gregos, mal se percebe um rastro desses odores. Quisera saber como se usa aqui para atormentar os condenados e avivar as chamas do inferno.

DRÍADE[71]: Em tua terra podes ser inteligente, mas não aqui em país estrangeiro. Não deverias pensar tanto em tua pátria; deverias, isso sim, venerar a dignidade dos carvalhos sagrados.

MEFISTÓFELES: Evocar aquilo a que se está acostumado é como pensar no paraíso. Mas dize-me: quem são aqueles três estranhos seres que estão de cócoras nessa fenda da montanha?

DRÍADE: São as Forquíades[72]. Chega mais perto e conversa com elas, se seu aspecto não te causar horror...

MEFISTÓFELES: E por que não o faria? É bem verdade que seu aspecto me causa um assombroso espanto. Embora orgulhoso do tanto que conheço, confesso jamais ter visto algo semelhante. São mais horrendas que a Mandrágora. Mesmo entre os pecados mais cabeludos, nenhum é mais feio que esse pavoroso trio! Não poderíamos suportar sua presença nem mesmo junto às portas do inferno. Pois não é que aqui, na pátria da Beleza, possa haver entes assim tão horríveis, os quais, além de tudo, fazem parte do conjunto que se costuma considerar como sendo os "Clássicos"?!
Estão se mexendo. Acho que perceberam minha presença, pois passaram a emitir silvos agudos, como os dos morcegos-vampiros!...

UMA FORQUÍADE: Emprestai-me o olho, irmãs, para que eu veja quem se atreve a chegar tão perto do nosso templo.

MEFISTÓFELES: Reverendíssimas senhoras, permiti que me aproxime de vós e receba vossa tríplice bênção. Embora vos pareça desconhecido, creio que somos parentes distantes. Já tive a oportunidade de ver vários outros deuses antigos e dignos, e de me inclinar diante de Opes e Réia[73]. Ontem — se não foi ontem, foi anteontem — vi as Parcas, irmãs vossas por parte do Caos. Contudo, até agora não tinha visto quem quer que fosse igual a vós. Fascinado ante vossa presença, nada mais direi.

FORQUÍADES:
Quer parecer-nos que esse ente
tem algo de inteligente.

MEFISTÓFELES: Fico surpreso por não haver um poeta que vos tenha celebrado. Dizei-me: por que isso? Que pode ter acontecido para que não haja uma estátua sequer que vos represente, e ainda mais por serdes vós quem sois, dignas como nenhuma outra de serem imortalizadas? Melhor seria que o cinzel esculpisse vossas imagens, e não as de Juno, de Palas e de outras que tais!

FORQUÍADES:
Na solidão e nas trevas
fomos, até aqui, felizes,
sem nunca nos preocuparmos
com isso que agora dizes.

MEFISTÓFELES: Mas como podeis viver tão apartadas do mundo, sem ver quem quer que seja, e sem que vivalma vos veja? Deveríeis ir morar nos lugares onde a magnificência e a arte se assentam no mesmo trono, ali onde, dia após dia, com assombrosa rapidez, um tosco bloco de mármore adquire vida, transformando-se na imagem de um herói. Sim, ali onde...

FORQUÍADES:
Cala-te e não nos inspires
desejos de aparecer.
Para quê nos conhecer?
Destas trevas não nos tires,
pois nelas sempre moramos
e, caso queiras saber,
nós mesmas nos ignoramos.

MEFISTÓFELES: Nesse caso, existe outra saída, já que é possível transferir uma pessoa para dentro de outra. A vós três bastam-vos um olho e um dente. Ora, conforme ensina a Mitologia, seria possível reunir em duas a essência das três, podendo eu assumir a figura da terceira — mas vejam bem: por pouco tempo...

UMA FORQUÍADE:
Parece uma boa ideia
e digna de que se tente?

AS OUTRAS:
Sim, mas desde que ele fique
desprovido de olho e dente.

MEFISTÓFELES: Mas assim me seria tirado o que tendes de melhor! Minha imagem não ficaria incompleta e imperfeita?

UMA FORQUÍADE: Fica com um olho fechado, o que é bem fácil, e deixa ver só uma de suas presas. Desse modo, visto de perfil, ficarás parecido conosco, como se fosse um irmão ao lado das irmãs.

MEFISTÓFELES: Que assim seja. É uma honra para mim!

FORQUÍADES:
Que seja assim!

MEFISTÓFELES *(ficando de perfil e tentando parecer uma Forquíade)*: Eis-me aqui, o filho dileto do Caos.

FORQUÍADES: Nós, sim, é que somos as filhas do Caos, e disso não resta dúvida alguma.

MEFISTÓFELES: Oh, que vergonha! Agora serei chamado de hermafrodita...

61. Personificação do terremoto.
62. O velho é Netuno, que ergueu Delos em homenagem a Latona, mãe de Apolo e Diana.
63. Revoltados contra os deuses, os Titãs tentaram escalar o Olimpo empilhando duas montanhas, Pélion e Ossa, mas foram fulminados por Zeus.
64. Povo minúsculo que se acreditava viver no interior das montanhas.
65. Outro povo minúsculo que se acreditava viver no subsolo.
66. O assassinato do poeta Íbico apenas foi testemunhado por um bando de grous. A luta dessas aves contra os Pigmeus tem a ver com as acirradas disputas acadêmicas que, na época de Goethe, costumavam ser travadas entre os "vulcanistas", que defendiam a origem ígnea da Terra (seguidores de Anaxágoras), e os "netunistas", que, seguindo Tales de Mileto, defendiam a origem aquática do planeta.
67. Espectro com corpo de mulher e patas de jumento, dotado da capacidade de transmutação.
68. Ninfa dos montes.
69. Maciço montanhoso da Grécia ocidental, que se acreditava ser a residência das Musas.
70. Esses três nomes referem-se à mesma deusa.
71. Ninfa das árvores.
72. A palavra significa "as filhas da escuridão".
73. Os dois nomes referem-se à mesma deusa, esposa de Saturno.

FORQUÍADES:
Agora somos belas e atraentes,
um trio com dois olhos e dois dentes!

MEFISTÓFELES: Agora irei esconder-me dos olhos dos homens, indo assustar os demônios nas profundas dos infernos!

ANGRA ENTRE ROCHEDOS JUNTO AO MAR EGEU

(A Lua se encontra no zênite).

SEREIAS
(dispersas pelos rochedos, tocando harpa e cantando):
Se mulheres da Tessália,
numa noite atroz e escura,
do teu curso te desviaram,
mira agora, dessa altura,
serena, as trêmulas vagas
em cintilante ondular;
clareia o tênue bulício
que fazem ao se quebrar.

Eis-nos, Lua, a teu dispor;
dá-nos sempre teu favor.

NEREIDAS E TRITÕES:[74]
(sob a forma de monstros marinhos):
Emiti sons estentóreos
que atravessem todo o mar,
para que o povo do abismo
junto de nós venha estar,
mesmo que o mar agitado,
sugira ao mais avisado
não vir à tona do mar.

Um suave canto chamou-nos.
Acorremos fascinados
com nossas joias mais caras,
correntes, broches, tiaras
com diamantes incrustados.

Foram tesouros trazidos
das profundezas do mar,
da nave que de seu rumo
se desviou, por azar,
atraída para a morte
por um sedutor cantar.

SEREIAS:
Os peixes vivem quais reis
no fresco e aprazível mar,
sem com que se preocupar.
Vós, com peixes, pareceis;
portanto, festivo bando,
estamos desafiando
que agora nos reveleis
se mais que peixes sereis.

NEREIDAS E TRITÕES:
Antes de aqui ter chegado,
já havíamos combinado
de bem depressa chegar.
Quanto menos demorar
muito mais fácil será
a tarefa de provar
que, em nós, mais que peixes há.

(Afastam-se).

SEREIAS:
Foram para a Samotrácia[75]
sem se despedir de nós.
O vento propiciou-lhes
uma viagem veloz.

Lá no reino dos Cabírios[76],
que pretenderão fazer
entre esses deuses estranhos
que estão sempre a renascer,
num contínuo propagar,
sem se deixar conhecer?

Rogamos-te, amável Lua,
que não pares de brilhar,
que a noite hoje se mantenha
e que o Sol aqui não venha
teu encanto perturbar.

TALES *(na margem, dirigindo-se ao Homúnculo):* Eu não me importaria de levar-te até o velho Nereu[77], pois não estamos longe de sua gruta, mas ele é cabeça-dura, resmungão e malcriado. No mundo inteiro, não há quem consiga fazer algo que seja do agrado desse velho turrão. Todavia, como ele sabe ler o futuro, granjeou geral respeito, e por isso todos o reverenciam. Além disso, a mais de um ele já beneficiou.

HOMÚNCULO: Vamos tirar a prova e bater-lhe à porta. Não creio que isso me vá custar o vidro e a chama.

NEREU: São vozes humanas que estou escutando? Que coisa mais aborrecida! Devem estar chegando alguns desses sujeitos que vivem pretendendo tornar-se deuses, mas que estão condenadas a permanecer iguais, como sempre foram. Faz anos que eu poderia estar desfrutando do divino repouso, se não fosse este impulso que sinto de fazer o bem aos homens bons. Entretanto, ao ver como procedem, acabo concluindo que de nada lhes valeram meus conselhos...

TALES: Apesar disso, porém, ó ancião do mar, todos confiamos em vós. Sábio sois, não nos expulseis daqui. Vede essa chama: embora tenha forma humana, deseja obedecer cegamente ao vosso conselho.

NEREU: Quê? Meu conselho? Acaso algum conselho, algum dia, teve algum valor para os homens? Palavras sensatas jamais penetram em seus ouvidos trancados. E mesmo que, mais tarde, todos se arrependam amargamente dos erros que cometeram, ainda assim continuam recalcitrantes, como sempre o foram. Quantas advertências paternais fiz a Páris antes de que a paixão por uma estrangeira o enredasse em seus laços? Na costa grega, lá estava ele, airoso e altivo, quando o alertei sobre o que meu espírito antevia: uma atmosfera pesada, colorindo tudo de um vermelho vivo; um madeirame em chamas, encimando massacre e morte. Era o derradeiro dia da existência de Troia, imortalizado por séculos afora, e tão horrendo como famoso. As palavras do ancião soaram como desvairadas aos ouvidos do imprudente jovem. Ele achou que devia seguir os ditames de seu coração, e foi por isso que Ílion[78] caiu. Depois de padecer ingente tormento, tombou como um cadáver gigantesco e hirto, servindo como um régio repasto para a águia de Pindo.

Também a Ulisses não alertei contra as manobras de Circe e a crueldade do Ciclope? Não lhe falei de sua própria falta de prudência, do espírito frívolo dos seus e de sei lá quantas coisas mais? Extraiu delas um benefício que fosse? Nenhum! Lá seguiu ele à deriva, até que as ondas o levaram a uma costa hospitaleira.

TALES: Para o sábio que sois, tal procedimento é deplorável; vossa bondade, porém, haverá de relevá-lo. Para quem é generoso, mais conta um dracma de agradecimento que uma arroba de ingratidão. De fato, não é pouco o que viemos suplicar: esse rapaz a meu lado está ansioso por nascer.

NEREU: Não queirais perturbar um de meus raríssimos bons momentos. Hoje estou à espera de algo muito diferente: ordenei que viessem para cá todas as minhas filhas, as Dóridas, que são as Graças do mar. Nem no Olimpo, nem em toda a Terra, há como se assistir a um desfile de tamanha graciosidade e beleza! Com delicadíssimos gestos, trocam o dorso dos dragões marinhos pelo dos cavalos de Netuno. É tal sua ligação com o líquido elemento, que a própria espuma do mar parece sustentá-las. Realçando o esplendor das cores que têm as conchas do carro de Vênus, nele vem Galateia[79], a mais bela de todas. Desde que Cípris[80] se afastou de nós, ela passou a ser adorada em Pafo como deusa. E por isso faz já muito tempo que essa meiga jovem tornou-se a única herdeira da cidade, do templo e do carro-trono da deidade.

Ide embora, pois agora desfrutarei das alegrias paternais. Que o ódio abandone os vossos corações, e que a blasfêmia se afaste de vossas bocas. Ide ao encontro de Proteu[81] e perguntai a esse taumaturgo como é que alguém pode nascer e transformar-se.

(Afasta-se em direção ao mar).

TALES: Nada nos adiantará tal providência. Quando se pensa ter encontrado Proteu, eis que ele já desapareceu! E se acaso alguém consegue fazê-lo deter-se e falar, não escuta senão absurdidades que irão deixá-lo perplexo. Não obstante, já que tão necessitado estás de orientação e conselho, vá lá: vamos tentar encontrá-lo.

(Afastam-se)

SEREIAS
(no alto das rochas):
Que é aquilo que ao longe vemos
deslizando sobre o mar?
Acaso são brancas velas
que o vento faz enfunar?
Oh, não, são as gentis Graças,
rainhas deste lugar.
Vamos chegar perto delas
para seu canto escutar.

NEREIDAS E TRITÕES:
Trazemos em nossas mãos
algo de agrado geral:
é o escudo de Quelona[82]
que nos protege do mal
e que traz dentro, gravado,
um painel com as imagens
de vários deuses. Prestemos
a eles nossas homenagens.

SEREIAS:
São pequenos de estatura,
mas seu poder é de vulto;
Salvam náufragos da morte
e é muito antigo o seu culto.

NEREIDAS E TRITÕES:
Nós trouxemos os Cabírios
para termos festa mansa,

pois, quando os temos por perto,
Netuno nos traz bonança.

SEREIAS
Sempre em tudo sois melhores.
Quando encalha a embarcação,
com empenho e competência
salvais a tripulação.

NEREIDAS E TRITÕES:
Conosco trazemos três.
O quarto pediu dispensa,
alegando que ele, apenas,
é quem pelos outros pensa.

SEREIAS:
Deuses troçam entre si,
pois são iguais, são amigos;
a nós só resta louvá-los
e temer os seus castigos.

NEREIDAS E TRITÕES:
Sete eles são, com efeito.

SEREIAS:
Dos outros três, o que é feito?

NEREIDAS E TRITÕES:
Não sabemos responder.
No Olimpo, ide perguntar.
Ali também mora o oitavo,
do qual, sem qualquer agravo,
ninguém costuma lembrar.

Os deuses sempre estão prontos
a favores nos prestar,
embora um ou outro, às vezes,
finjam não nos escutar.
Sem hesitar, recorramos
a esses seres tão incríveis,
cujo prazer é alcançar
as metas inacessíveis.

SEREIAS:
Estamos acostumadas
a prestar nosso louvor,

sob o sol, sob o luar,
a um deus, seja ele qual for.
Disso sempre nos resulta
boa vontade e favor.

NEREIDAS E TRITÕES:
Mais famosos nos tornamos
porque a festa organizamos.

SEREIAS:
Bem mais que a celebridade
dos heróis da Antiguidade
é a que agora granjeastes.
Se ao velo de ouro é devido
seu renome merecido,
por menos vós não deixastes:
com os Cabírios chegastes.

NEREIDAS, TRITÕES E SEREIAS:
O velo, nós não trouxemos,
mas os Cabírios nós temos!

(Vão-se as Nereidas e os Tritões).

HOMÚNCULO: Essas figuras parecem potes de barro mal conformados. Basta que os sábios nelas se encostem para que se quebrem suas cabeças duras.

TALES: Isso é precisamente o que se deseja. Quanto mais coberta de pátina, maior valor tem a moeda.

PROTEU *(sem ser observado)*: É assim que eu gosto, velho charlatão. Quanto mais raro, mais respeitável.

TALES: Onde estás, Proteu?

PROTEU *(falando como ventríloquo, ora perto, ora longe):* Estou aqui! Agora estou aqui!

TALES: Perdoo-te por essa velha e conhecida brincadeira, mas não procedas debochadamente com um amigo. Sei que o lugar de onde sai a tua voz não é aquele onde te encontras.

PROTEU *(como se estivesse à distância):* Adeus.

TALES *(em voz baixa, para que apenas o Homúnculo o escute):* Sei que ele está perto, porque tua luz está brilhando com intensidade. É curioso como um peixe, onde quer que se encontre, sob esta ou aquela forma, é atraído pela chama.

HOMÚNCULO: Vou emitir uma luz ainda mais forte, tomando cuidado para não quebrar a lanterna.

PROTEU *(sob a forma de uma enorme tartaruga):* Que é isso que reluz com tão belo fulgor?

TALES *(impedindo que ele veja o Homúnculo):* Para ver melhor, chega mais perto e assume a forma humana, postando-se ereto sobre dois pés. Esse pequeno esforço não irá prejudicar-te. Quem quiser ver o que estou ocultando, terá de me pedir licença e permissão.

PROTEU *(assumindo a figura de um nobre):* Ainda sabes dominar as sutilezas filosóficas...

TALES: E tu ainda te divertes com essas transmutações...

(Sai da frente do Homúnculo).

PROTEU *(surpreso):* Um anão luminoso! Nunca vi coisa igual!

TALES: Ele está aqui em busca de um conselho e ansioso por nascer. Segundo me disse, veio ao mundo de maneira extraordinária, mas só pela metade. Embora não lhe faltem dotes de espírito, faltam-lhe os atributos corpóreos tangíveis. Até o momento, o que lhe dá consistência é o vidro, mas ele gostaria de ser dotado de um corpo.

PROTEU: Eis um autêntico filho de virgem. Já tem existência antes de ter nascido.

TALES *(em voz baixa):* Por outro lado, o caso parece crítico. É provável que se trate de um hermafrodita.

PROTEU: Se assim for, maior será a probabilidade de termos sucesso. De qualquer modo, bastam algumas providências para que tudo se arranje. Mas não é hora de altas cogitações. Deverás encontrar tua origem no vasto mar. Ali começarás pequeno, mas logo aprenderás a devorar os menores, e desse modo irás crescendo pouco a pouco e adquirindo a condição de empreender ações mais elevadas.

HOMÚNCULO: Aqui sopra uma aragem muito suave, estamos rodeados de verdor e o cheiro é bem agradável.

PROTEU: Disseste-o bem, linda criança. Quanto mais te afastares, melhor te sentirás. Nessa estreita faixa arenosa banhada pelo mar sopra uma brisa simplesmente deliciosa. Mais à frente poderemos ver de perto o cortejo que vem singrando as ondas. Segue-me.

TALES: Irei junto.

HOMÚNCULO: Uma excursão de espíritos, triplamente digna de ser vista.

Chegam os Telquinos[83] *de Rodes, montados em hipocampos e dragões marinhos, empunhando o tridente de Netuno).*

CORO DOS TELQUINOS

Forjamos para Netuno este tridente,
com o qual ele domina as bravas ondas.
Se a Suprema Divindade nos envia
nuvens pesadas, escuras e redondas,
ao pavoroso rumor que elas provocam
se contrapõem vagalhões que quase tocam
o céu. E se das alturas são lançados,

sobre a terra e o mar, os raios fulgurantes,
Netuno faz com que surjam maremotos
causando a morte entre os pobres navegantes.
Hoje, porém, não veremos tais tragédias,
porque Netuno confiou-nos seu tridente;
faremos, pois, que o mar fique bem tranquilo,
podendo todos singrá-lo calmamente.

SEREIAS:
Vós, que a Hélio sois consagrados,
e que de dia o adorais,
esperamos que, ante a Lua,
humildes, vos submetais.

TELQUINOS:
Ó deusa meiga, que no céu fulguras,
somos devotos de teu terno irmão;
ao que se escuta em Rodes, nós pedimos
que dês ouvido e prestes atenção.
Ali se escutam hinos de louvor
enquanto o Sol vai do leste ao poente,
iluminando campos e cidades,
deitando, em tudo o que há, seu raio ardente.
Se porventura a cerração se abate,
sobre essa terra, dura um curto instante,
pois logo a brisa e o Sol, atuando juntos,
fazem que então a névoa se levante.
Ali, o Supremo pode contemplar-se
sob uma forma sempre diferente:
ora gigante, ora augusto, ora terno,
ora homem feito ou mesmo adolescente.
Temos o orgulho de dizer que fomos,
dentre os que em pedra os deuses representam,
os que, primeiro, um dia imaginaram
a digna forma humana que hoje ostentam.

PROTEU *(ao Homúnculo):* Deixa que cantem e que saiam por aí contando vantagem. Para os sagrados raios do sol que nos transmitem a energia vital, essas obras mortas não passam de engodos. Enquanto eles fundem e moldam incessantemente, conferindo aos metais novas formas, e acreditando que, por isso, teriam realizado uma notável proeza, sabes o que de fato aconteceu a esses soberbos? Apesar de imponentes e majestosas, as imagens dos deuses, tempos atrás, foram destruídas por um terremoto, e o bronze de que foram feitas já se derreteu.

Tudo o que se faz na Terra não passa de obra vã. As ondas do mar são muito mais proveitosas para a vida. Por isso, ao reino das águas eternas vai levar-te Proteu-Delfim.

(Transforma-se)

Pronto. Isso deve bastar-te. Montarás sobre mim e te desposarei com o oceano.

TALES: Cede a esse louvável desejo de começar tua criação desde a origem. Fica preparado para uma rápida ação. Agora irás submeter-te às leis eternas, mudando de forma mil, dez mil vezes, até te transformares em homem. Isso levará tempo.

(O Homúnculo monta em Proteu-Delfim).

PROTEU: Acompanha-me, ser imaterial, através da líquida imensidão. Ali te moverás a teu talante, por onde quiseres. Só te peço que não queiras alçar-te a uma ordem mais elevada, pois quando alcançares a condição de ser humano, tudo acabará para ti.

TALES: E, ao te tornares homem, que o sejas digno e criterioso, conforme as regras de tua época.

PROTEU *(a Tales):* Que seja como um de tua categoria, e que isso dure mais que um curto instante, pois faz séculos que te conheço e que te vejo sempre rodeado de pálidos espectros.

SEREIAS
(sobre as rochas):
Que anel de nuvens será esse,
ao redor da meiga Lua?
São pombas cheias de amor,
reflexos da imagem sua.

Vieram todas de Pafo,
num voo em rota direta
para encher-nos de alegria.
Nossa festa está completa!

NEREU *(chegando perto de Tales):* Um viajante noturno diria que esse halo em torno da Lua não passaria de um fenômeno atmosférico. Nós, porém, espíritos que somos, pensamos diferente e sabemos que se trata das pombas que compõem o cortejo de minha filha, acompanhando seu carro feito de conchas, num voo incessante e admirável.

TALES: Também acho que a melhor explicação é aquela que satisfaz ao homem de bem, o qual, no aconchego de seu coração, mantém aceso o lume daquilo que é sagrado.

PSÍLIOS E MÁRSIOS[84]:
(montados em touros, bezerros e carneiros marinhos):
Dentro das grutas agrestes de Chipre
não sepultadas pelo deus do mar,
nestas cavernas que nem mesmo Sismo
em tempo algum conseguiu abalar,
nós, através da refrescante brisa,
de longa data aqui dentro guardamos
a carruagem usada por Cípris,
e que através da noite transportamos.

Enquanto, embaixo, as ondas nos contemplam
em seu eterno subir e descer,
ninguém que às novas gerações pertença,
será capaz de nos ouvir ou ver.
Aqui trouxemos tua amada filha,
cuja beleza a todos nós seduz,
sem medo da Águia ou do Leão alado,
sem recear o Crescente ou a Cruz[85].

Não nos importa quem governa ou vive
na terra sólida do continente,
eles se agitam, mudam de lugar,
se digladiam de modo inclemente,
saqueiam campos, assolam cidades,
tudo devastam de maneira atroz.
enquanto, em paz, seguimos pela vida
trazendo a nossa deusa atrás de nós.

SEREIAS:
Com rapidez e movimentos suaves,
em torno ao carro, em giro encantador,
dando-se as mãos, em fileira serpeante,
vêm as Nereidas, cheias de vigor.
A contrastar com seu aspecto agreste,
formam as Dóridas a imagem linda
das divindades que, em régio cortejo,
com muito orgulho precedem a vinda
de Galateia, que é, de sua mãe,
a encantadora Dóris, o retrato.
Pelo semblante grave se adivinha
a sua essência de deusa de fato.
Porém, além de deusa, ela é mulher,
e compartilha, da mulher, a essência:
possui os dotes de graça e ternura,
de sedução, gentileza e clemência.

DÓRIDAS
(desfilando diante de Nereu, todas montadas em delfins):
Emprestai-nos, ó Lua, tua luz
e iluminai os jovens que aqui estão;
ao nosso pai viemos suplicar
que estenda até eles sua proteção.

(dirigindo-se a Nereu):
Diante de ti trouxemos estes jovens,
vítimas de um naufrágio, e que por sorte
pudemos resgatar do mar furioso,
antes que lhes coubesse horrenda morte.

Sobre leitos de musgos os deitamos
e com nosso calor lhes devolvemos
além de suas vidas, seu vigor.
Agora, com paixão nós nos beijamos
e, neste instante, aqui nós os trouxemos,
a fim de receberem teu favor.

NEREU: Não deixa de ser duplamente proveitoso poderem ser compassivas e, logo em seguida, desfrutarem de uma deleitosa recompensa.

DÓRIDAS:
Já que aprovas o nosso proceder,
concede-nos, ó pai, mais um direito:
que possamos os jovens estreitar
eternamente contra o nosso peito.

NEREU: Podeis regalar-vos com essa bela presa. Fazei, dos jovens, homens feitos, mas tende em mente que não posso atender vosso pedido e dar-vos aquilo que somente Zeus pode conceder. Tal como essa onda que vos embala e transporta, mas que um dia se quebra, também o amor não dura eternamente. Quando vossa mútua atração terminar, sem reclamar devereis depositá-los em terra.

DÓRIDAS:
Vamos ter que dos jovens separar-nos,
por mais que seus carinhos nos excitem.
Por nosso gosto, o amor seria eterno,
mas os deuses cruéis tal não permitem.

JOVENS:
À espera de morrer nos encontrávamos,
mas eis que aparecestes lá no mar,

trazendo-nos alento, amor, carinho;
mais que isso nem sonhamos desfrutar!

(Galateia se aproxima dentro de seu carro de conchas).

NEREU: És tu, minha pequena!

GALATEIA: Oh, pai, que sorte encontrar-te! Detende-vos, Delfins, que a visão de meu pai me encanta!

NEREU: Oh! Passaram sem se deter, velozes como um torvelinho, sem se importarem com a emoção que me invade o peito! Ah, se com eles me levassem! Mas basta-me o deleite de um simples olhar para me deixar feliz pelo resto do ano.

TALES: Salve, salve! Alegro-me e me rejubilo, invadido pela Beleza e pela Verdade! Tudo provém da água, e graças a ela é que tudo se mantém vivo. Favorece-nos, Oceano, com teu eterno influxo. Se não nos enviasses as nuvens e não derramasses a chuva sobre os arroios, se não dirigisses os rios para esse ou aquele lado, se não tivesses formado as torrentes, como teriam surgido as montanhas, as planícies e todo o mundo? É devido a ti que se conserva a eterna exuberância da vida.

ECO
(*com o coro de todos os círculos):*
A exuberância da vida,
à água do mar é devida.

NEREU: Vejo-os ao longe, subindo e descendo junto com as ondas. O olhar dela já não mais encontra o meu. Existem a separar-nos as extensas fileiras circulares e serpenteantes da incontável multidão que veio participar desta festa. Apesar disso, continuo avistando o carro de conchas de Galateia, luzindo como estrela por entre a turba. Através desse tropel reluz o objeto amado. Por mais distante que se encontre, é possível enxergar a sua claridade, sempre real e presente.

HOMÚNCULO: Nesse oscilante elemento tudo o que ilumino adquire uma agradável beleza.

PROTEU: Nesse elemento vítreo, tua luz refulge com grandiosidade e harmonia.

NEREU: Que novo mistério, logo atrás da turba, se revela diante dos nossos olhos? Que é aquilo que reluz entre as conchas, aos pés de Galateia? Arde ora intensamente, ora com suavidade, ora até mesmo com doçura, como se fosse movido pelo impulso do amor.

TALES: O encanto de Proteu está agindo sobre o Homúnculo, que emite sinais de incontrolável anseio. Pressinto que angustiosos soluços estão prestes a sacudi-lo, levando-o a se chocar contra o seu brilhante trono. Ei-lo a despedir chamas, deitar chispas e esvair-se!

SEREIAS:
Há um clarão prodigioso sobre as ondas,
que parecem quebrar-se cintilantes.
Todo o mar ele inunda de fulgor,
tornando os corpos ígneos, flamejantes.
Destacando-se contra a noite escura,
arde tudo o que o fogo está a rodear.
Reine Eros sobre nós, já que foi ele
quem tudo começou. E salve o mar!
Glória às ondas rodeadas pelas chamas!
Sejam prestadas honras à água clara
e a esse fogo sagrado que a ilumina.
Por fim, um viva a ti, aventura rara!

TODOS JUNTOS:
Salve, gruta misteriosa
arejada pelos ventos,
lugar onde são prestadas
honras aos quatro elementos!

74. Deuses que habitam o fundo do mar.
75. Ilha grega no mar Egeu.
76. Demônios da fertilidade, cultuados na Fenícia.
77. Deus do mar, dotado do poder de predizer o futuro.
78. Outro nome de Troia, do qual provém a palavra "Ilíada".
79. Filha de Nereu, deusa marinha da beleza.
80. Outro nome de Vênus.
81. Deus marinho dotado de excepcional capacidade de transmutação.
82. Ninfa que, por ter debochado de Zeus, foi transformada numa gigantesca tartaruga.
83. Primeiros habitantes de Rodes. Teriam sido eles que forjaram o tridente de Netuno.
84. Povos mágicos que, entre outros donos, tinham o de encantar serpentes.
85. Respectivamente: Roma, Veneza e os exércitos dos Cruzados e dos Turcos.

TERCEIRO ATO

EM ESPARTA, DIANTE DO PALÁCIO DE MENELAU

(Entra Helena, acompanhada de prisioneiras troianas.
Pantális é a corifeia).

HELENA: Eu, Helena, tão admirada quanto recriminada, acabo de aqui chegar, vindo da primeira praia em que pusemos os pés tão logo descemos em terra. Sinto-me ainda tonta, devido ao balanço da nau, provocado pelo incessante agitar das ondas. Foi em seu dorso eriçado que para aqui viemos, pela graça de Posêidon[86] e a força de Euro[87], transpondo o mar que se estende das planícies frígias até as costas de nossa pátria. Neste instante, lá no litoral, o rei Menelau ainda está celebrando seu regresso, juntamente com seus guerreiros mais valentes.

Dá-me as boas vinda, nobre morada que meu pai, Tíndaro, quando de seu regresso, mandou construir junto às faldas da colina de Palas! Enquanto eu brincava fraternalmente com Clitemnestra, Castor e Pólux, meu pai decorou este palácio com esplendor maior que o existente em qualquer outra mansão de Esparta!

Saúdo-vos, batentes de bronze desta porta! Um dia, tua ampla e acolhedora passagem foi transposta por Menelau, que veio majestoso a meu encontro, eleito meu consorte dentre um grande número de candidatos. Abri-vos de novo, para que eu possa, agora como esposa, cumprir a ordem expressa do rei. Permiti que eu aí entre e que deixe do lado de fora tudo o que de modo fatal me perturbou durante todo esse terrível passado recente. Faz tempo que, livre de preocupações, deixei este lugar para ir ao templo de Citera[88] cumprir o preceito sagrado. Foi ali que um frígio me raptou, e desde então me ocorreram as mil agruras que os homens apreciam relatar em longas e pormenorizadas narrativas, mas que não são escutadas com agrado por quem as enfrentou como parte de sua própria história, agora convertida numa fábula repleta de falsidade e exagero.

CORO:

Não desdenhes possuir esse dom
que a distingue entre as mais,ó princesa!
Para ti será melhor fortuna
a suprema fama de beleza.

Ao herói, o renome precede,
e a vaidade a esse e àquele domina,
mas por mais que ele seja soberbo,
ante tua beleza se inclina!

HELENA: Basta! Vim com meu marido na viagem de volta, e ele aqui me enviou para precedê-lo. Todavia, não adivinho quais possam ser seus pensamentos. Ele aqui me irá tratar como esposa, ou como rainha? Ou quem sabe como a vítima que deverá expiar a amarga dor do soberano e a desventura tanto tempo sofrida pelo povo grego? Fui resgatada à força das armas, mas não sei se sou considerada uma cativa. O fato é que, faz tempo, os Imortais determinaram para mim uma ambígua sorte e uma duvidosa celebridade, más companheiras da beleza, e que me acompanham até mesmo aqui, diante destes umbrais, mirando-me com semblante ameaçador. Já na côncava nau, meu marido mal me encarava, não me dirigindo sequer uma palavra de consolo. Ficava sentado a meu lado como se estivesse maquinando alguma represália. Logo que transpusemos a profunda embocadura do Eurotas,[89] quando as proas das primeiras naves já saudavam a terra firme, ele disse, como se tomado por inspiração divina: "*Meus valentes guerreiros descerão aqui. Passá-los-ei em revisa nesta praia onde termina o mar. Quanto a ti, segue viagem, avançando por entre as verdejantes margens do sagrado rio Eurotas; depois, cavalga pelos úmidos prados até alcançar a bela planície onde hoje se ergue Lacedemônia*[90]*, e que era outrora um amplo campo rodeado de alterosas montanhas. Diante do palácio real de altas torres, apeia, entra e passa em revista as donzelas e a velha ama que ali te aguardam. Elas te mostrarão os ricos tesouros ali guardados, conservados do mesmo modo como os deixou teu pai ao partir para a guerra, e que eu, em tempos de paz, aumentei. Tudo haverás de encontrar em ordem. Constitui privilégio dos monarcas, ao regressarem, encontrar tudo intacto e no mesmo lugar onde havia sido deixado, já que ao servo não compete mudar coisa alguma*".

CORO:
Deleita os olhos e alegra teu peito
com o esplendor do tesouro imperial,
a refulgência das preciosas joias
que constituem o acervo real.
Mas eis que surges, e não mais se enxergam
anéis, pulseiras, broches, diademas;
apraz-nos ver tua beleza em luta
contra o ouro, a prata, as pérolas e as gemas!

HELENA: E o soberano prosseguiu: "*Quando tiveres por fim verificado que tudo se encontra em ordem, toma algumas trípodes, tantas quantas creias necessárias, e algumas daquelas vasilhas nas quais se depositam os sa-*

crifícios para as festas; depois, pega caldeirões, taças e urnas redondas; em seguida, deita água das fontes sagradas em ânforas altas, e prepara lenha seca de fácil combustão, sem te esqueceres de deixar à mão uma faca bem afiada. Deixo a teu cuidado providenciar tudo o mais que seja necessário".

Assim falou, ordenando-me que partisse, mas não mencionou qual seria o ente dotado de alento vital que se pretendia imolar como oferenda aos Olímpicos. Isso dá o que pensar, mas mesmo assim não me inquieto, tudo entregando ao desígnio dos deuses, que saberão encaminhar as coisas para o desfecho que lhes pareça melhor. Seja o que for, bom ou mau, conforme o juízo dos homens, nós, os mortais, tê-lo-emos de suportar. Não raras vezes ocorreu àquele que executava o sacrifício, no instante em que erguia o facão para assestar um golpe sobre a cerviz da rês prostrada no solo, ter de suspender seu gesto, devido à aproximação do inimigo ou à intervenção de algum deus.

CORO:
Nem imaginas o que ocorrerá.
Com passo firme, trata de avançar
sem demonstrar desânimo ou temor.
Sorte e desgraça vão se apresentar
sem avisar, porquanto nós, humanos,
não damos crédito aos sacros videntes.
Por isso, Troia ardeu, e todos vimos
a morte cruel dada aos seus residentes.
A teu serviço nos apresentamos
para enfrentar o que der e vier;
sob este sol. radioso, temos sorte
de hoje escoltar a mais bela mulher.

HELENA: O que tiver de ser, será. Seja o que for que me esteja reservado, convém que entre sem demora no palácio real, nessa mansão que tanto desejei reencontrar, que tantas lembranças me traz, e que estou prestes a perder. Ei-la diante de mim; porém, inexplicavelmente, meus pés já não conseguem subir com presteza estes altos degraus que eu tão agilmente transpunha aos saltos em meus tempos de criança...

CORO:
Deixai, ó irmãs, longe de vós a dor
que acaso exista em vossos corações.
Compartilhai a fortuna de Helena;
participai de suas emoções.
Ela se acerca da casa paterna.
e ainda que sejam os seus passos lentos,
não titubeia, revelando estar
cheia dos mais alegres pensamentos.

Glorificai os deuses com respeito,
pois nos guiaram de regresso ao lar,
nos permitindo recobrar o alento
que só na pátria se consegue achar.

Quem livre está compraz-se em traçar planos
mirabolantes, qual se asas tivesse,
enquanto o preso, cheio de amargura,
enxerga a vida como noite escura,
na qual o sol jamais reaparece.

Dela, em mau dia, um deus se apoderou
e ela passou a ser uma expatriada,
mas outros deuses à casa paterna
a devolveram, e a lembrança terna
dos tempos bons a deixa renovada.

PANTÁLIS *(como corifeia):* Abandonai agora a senda das canções, sempre orlada de alegria, e dirigi vosso olhar para o portal. Que estou vendo, irmãs? Não é a Rainha que volta até nós, agitada e com passo vivo? Que aconteceu, Majestade? Que deparastes no recinto de vosso antigo lar que, em vez de expressar acolhimento, vos fez estremecer? Não conseguis ocultá-lo. Vejo em vosso semblante a indignação, uma nobre ira a conviver com a surpresa.

HELENA *(aparece assustada, deixando atrás de si, aberto, o portal):* À filha de Zeus não cabe sentir o temor próprio do vulgo. A mão ligeira e ágil do medo não chega a roçá-la. Não obstante, o espanto que provém do regaço da velha noite, desde os primórdios dos tempos, esse horror que se contorce e sobe, adotando muitas formas, como os jatos ardentes que escapam das fendas da montanha, essa surpresa provoca estremecimento até mesmo no peito do herói. Os Estígios prescreveram minha entrada nesta casa de uma maneira tão terrível que, qual hóspede mal recebido, antes prefiro não cruzar esse limiar tantas vezes pisado, e que por tanto tempo ansiei rever.

Mas não! Aqui retornei sob a luz do sol, e não me obrigareis a dar um passo mais à frente, ó Potestades, quem quer que sejais! Quero concentrar minha ideia no sacrifício que me foi recomendado, e logo, uma vez purificada, a chama do lar saudará tanto a dona como o dono desta casa.

CORIFEIA: Revela, nobre mulher, às servas que respeitosamente te guardam, que foi que encontraste.

HELENA: Teríeis que ver com vossos próprios olhos o que com os meus vi, se é que a velha noite não voltou a tragar essa imagem, escondendo-a em seu profundo e portentoso seio. De toda forma, para que o saibais, tentarei descrevê-lo com palavras.

Tão logo adentrei solenemente o severo recinto do Palácio, cogitando unicamente em como cumprir a minha imediata obrigação, surpreendeu-me o silêncio que reinava naqueles corredores vazios. Nenhum rumor de passos diligentes me chegava aos ouvidos. Não havia por ali qualquer sinal de atividade. Nenhuma ama ou aia apareceu diante de mim, embora umas e outras costumem saudar até mesmo os estranhos. Porém, na cozinha, quando me aproximei do fogão, vi, junto aos restos das brasas quase extintas, uma mulher alta, coberta com um longo véu, parecendo estar imersa em profunda meditação. Com palavras severas, ordenei-lhe que retornasse ao trabalho, imaginando que se tratasse da governanta, a quem certamente meu marido teria mandado avisar quanto a minha chegada. Todavia, ela nem se mexeu, permanecendo sentada como antes. Ameacei castigá-la, e ela então moveu o braço direito e apontou para a porta, num gesto inequívoco de que me estaria expulsando das proximidades do fogão e da própria cozinha de meu lar. Tomada de indignação, resolvi afastar-me dali e seguir até o quarto onde se encontra o luxuoso leito do casal, próximo da câmara dos tesouros. No mesmo instante, porém, a mulher se levantou e me impediu a passagem. Só então pude ver que era uma criatura gigantesca e descarnada, de olhar encovado e sangrento, uma horrenda figura que me perturbou a visão e a mente. Mas tais palavras se perdem no ar, porquanto, por mais que me esforce, jamais seria capaz de descrevê-la.
Mas... vede! Ei-la que se atreve a aparecer em plena luz! Quem manda aqui somos nós, até que chegue nosso amo e senhor. Febo, o amigo da beleza, haverá de dominar esses horrorosos engendros da noite, expulsando-os para as cavernas de onde vieram.

(Aparece Fórquias[91] junto à soleira da porta).

CORO:

Muito vivi, apesar de ter madeixas
que em minha fronte ondeiam juvenis,
uma porção de horrores presenciei,
tais como os que houve em certa noite gris,
quando Troia caiu. Que estrépito horrendo
dos guerreiros em luta! Até se ouviram
além dos muros, longe, muito longe,
imprecações que os deuses proferiram!
As sólidas muralhas resistiram
ao assédio sofrido, mas em brasas
ficou toda a cidade, pois as chamas
se alastraram, queimando suas casas.

Enquanto isso, uma horrível tempestade
açoitava a cidade. Então eu vi,

avançando entre as chamas e a fumaça,
vários deuses, em fúria e frenesi.

Eram eles fantásticos gigantes,
como iguais eu jamais contemplara antes.
Será mesmo que eu vi? Ou minha mente,
transida de pavor, pensava ver
coisas inexistentes e improváveis?
A resposta eu jamais irei saber...

Mas o monstro que estava no palácio,
esse eu juro que vi, tenho certeza;
até mesmo tocá-lo eu poderia,
não estivesse a mão, por medo, presa.

Agora, então, pergunto: qual das filhas
do horrendo Fórquias tenho a minha frente?
Não há sombra de dúvida de que és
uma das tais, dotada de um só dente
e um olho só, que trocam entre si.
Mas há uma coisa que eu não entendi:
como te atreves, monstro, a te mostrares
em presença de Febo? Então não sabes
que ele odeia a feiúra e não suporta
ver tais deformidades? Não te gabes
de teres enfrentado seu olhar,
pois seus sagrados olhos não enxergam
o que é tristeza e dor, sombra e pesar.

Mas nós, mortais, não temos um tal dom
e para nós é sempre um desprazer
contemplar o funesto e o repulsivo.
Os nossos olhos chegam a doer.
Só nos apraz o bom e o belo ver

Assim, já que te atreves a encarar-nos,
terás de ouvir palavras muito duras,
injúrias, esconjuros, maldições,
pois, distintas de ti, somos criaturas
que dos deuses herdaram as feições.

FÓRQUIAS: Embora o ditado seja antigo, continua valendo: a honestidade e a beleza nunca trilham o mesmo caminho. É tão entranhado o antagonismo entre ambas, que, quando se encontram, se dão as costas, como inimigas, seguindo cada qual para um lado; a honestidade, de cara sisuda; a beleza, com ar frívolo, até serem envolvidas pela escura noite do Orco[92], se é que antes não tenham sucumbido ante a tirania da velhice. Encontro-vos agora, ó insolentes, vindas do estrangeiro, qual bando de gralhas tagarelas e alvoroçadas, formando escura nuvem sobre nossas cabeças, emitindo grasnidos estentóreos que obrigam o tranquilo viajante a olhar para cima, enquanto elas prosseguem em seu voo, e ele segue rumo a seu destino. O mesmo há de ocorrer conosco.

Quem sois vós para fazer tal alarido diante do palácio real, como se não passásseis de bacantes embriagadas? Quem sois para receber com uivos a regente desta casa, assim como o fazem os cães saudando a lua? Credes que eu não saiba a que ralé pertenceis? Sois daquelas jovens concebidas durante a guerra e criadas durante as batalhas, sequiosas por homens, fáceis de ser seduzidas, hábeis no seduzir, que minam tanto a força do guerreiro como a do cidadão. Ao ver-vos assim reunidas, fazeis-me lembrar um enxame de gafanhotos a se precipitar sobre o campo, cobrindo as messes verdejantes. Sois destruidoras do esforço alheio, devoradoras ávidas de todo bem-estar, mercadoria posta à venda, mas usada e desgastada!

HELENA: Quem, em presença da dona da casa, ofende suas serviçais, usurpa o que constitui um exclusivo direito da senhora, pois somente a ela compete exaltar o que é digno de elogio e castigar o que fez jus à censura. Ademais, estou satisfeita com o serviço que elas me prestaram quando Ílion, apesar de seu poderio, foi atacada e derrotada. Não menos satisfeita fiquei quando, em nosso errante navegar, suportamos angústias e privações, durante as quais seria até normal que cada qual somente pensasse em si e em seus próprios interesses. Espero agora receber um tratamento parecido por parte desse animado grupo de serviçais. Ao amo não importa quem o serve, mas sim se o serve bem. Por isso, cala-te e pára de insultá-las. Até agora cuidaste bem do palácio real, na ausência da senhora, e isso atesta em teu favor, mas eis que aqui me encontro, e outra coisa não te cabe fazer senão saíres, para que o prêmio que fizeste por merecer não acabe por transformar-se em castigo.

FÓRQUIAS: Repreender os serviçais é lídimo direito da digna consorte do soberano, à qual os deuses tanto têm favorecido, e que sempre se distinguiu pelo acerto de suas ordens, durante os anos de seu prudente comando. Agora, sim, reconheci-vos e vejo que voltastes para ocupar vosso antigo posto de rainha e senhora da casa. Assim sendo, empunhai estas rédeas tão mal conduzidas nestes últimos anos e tomai posse do tesouro e de todas nós. Mas, sobretudo, protegei-me, a mim que sou velha e desamparada, desse grupo rancoroso, que, ao lado de vossa formosura de cisne, fica parecendo um feio e barulhento bando de gansos.

CORIFEIA: Como parece horrenda a fealdade quando contraposta à beleza!

FÓRQUIAS: Como parece estúpida a tolice quando contraposta à sabedoria!

(A partir deste ponto, são as Coristas que replicam,
saindo uma a uma do coro).

PRIMEIRA CORISTA: Conta-nos algo sobre Érebo[93], teu pai, e a Noite, tua mãe...

FÓRQUIAS: Conta tu algo de Cila[94], tua prima-irmã...

SEGUNDA CORISTA: Em tua árvore genealógica há mais de um monstro.

FÓRQUIAS: Vai visitar o Orco, pois ali encontrarás vários parentes teus...

TERCEIRA CORISTA: Os que ali vivem são todos jovens demais para ti...

FÓRQUIAS: Vai procurar teu namorado, o velho Tirésias![95]

QUARTA CORISTA: Aquela que nutriu Orion[96] foi tua tataraneta...

FÓRQUIAS: Creio que foste criada com lixo, e pelas Harpias[97].

QUINTA CORISTA: De que é que te alimentas, para seres assim tão magrela?

FÓRQUIAS: Podes crer que não é de sangue, do qual tão ávida és...

SEXTA CORISTA: Tu, sim, cadáver asqueroso, é quem está faminta de cadáveres!

FÓRQUIAS: Mas é nessa tua boca desaforada que assomam dentes de vampiro...

CORIFEIA: Se eu revelar quem és, ficarás sem ter o que dizer.

FÓRQUIAS: Pois dize primeiro teu nome, e o enigma estará resolvido.

HELENA: Mais com dissabor do que com ira, interponho-me entre vós e vos proíbo de prosseguir com essa agressiva disputa, pois nada aborrece mais o amo do que a discórdia surda entre seus fiéis servidores. O eco de suas ordens já não retorna sob a forma de ato prontamente executado, mas antes fica rugindo teimosa e confusamente a seu redor, na vã tentativa de ser obedecido. E não é só isso: essa vossa indecorosa cólera fez com que aqui se evocassem horríveis visões que me provocaram angústia, fazendo-me imaginar que eu estivesse sendo levada para o Orco, deixando para trás os campos de minha pátria. Que seria isso? Uma lembrança? Uma ilusão que tenha tomado conta de minha mente? Será que eu fui tudo isso? Sou-o ainda? Sê-lo-ei no futuro? Fui ou serei esse espantoso pesadelo, um terror que assola as cidades? Estou vendo que minhas palavras fizeram as mais jovens estremecer, ao passo que tu, a mais velha, me escutaste imperturbável. Pois fala agora, mas com sensata moderação.

FÓRQUIAS: Quem recorda os perdidos anos de ventura e alegrias, encontra, nisso que lhe parece um sonho, o supremo favor dos deuses. Vós, por eles favorecida sem medida nem limite, ao longo de vossa vida somente deparastes com amantes cheios de flama e paixão, que por vossa causa realizaram todo tipo de proezas. Quando não passáveis de uma criança, Teseu, homem forte como Hércules e admiravelmente bem conformado, possuído de forte desejo, não hesitou em raptar-vos.

HELENA: Sim, ele o fez quando eu, com apenas dez anos, não passava de uma esbelta corça, e me encerrou na fortaleza de Afidno, em terras da Ática.

FÓRQUIAS: Libertada por Castor e Pólux, logo depois fostes requestada por um bando de renomados heróis.

HELENA: Acima de todos, porém, confesso-te com prazer ter sido Pátroclo, a imagem viva de Peleu, quem obteve minha preferência.

FÓRQUIAS: Mas, como prevaleceu a vontade de vosso pai, unistes-vos a Menelau, o audaz desbravador dos mares e protetor do lar.

HELENA: A ele meu pai entregou a sua filha e confiou a guarda do reino. Desta união conjugal nasceu Hermíone.

FÓRQUIAS: Mas enquanto ele ao longe batalhava com valentia para obter o direito à sucessão de Creta, deixando-vos triste e solitária, eis que um hóspede excessivamente bem apessoado se apresentou ante a vossa presença.

HELENA: Por que me trazes à lembrança aquela meia viuvez e a cruel perdição que dela resultou?

FÓRQUIAS: Acontece que, para mim, cretense nascida livre, aquela expedição resultou em cativeiro e longa escravidão.

HELENA: Mas logo depois foste nomeada governanta, e ele te confiou várias coisas, entre as quais o palácio e o tesouro tão arduamente conquistado.

FÓRQUIAS: Mas que vós abandonastes, ansiosa por desfrutar os inesgotáveis prazeres do amor, partindo na direção de Ílion, a cidade rodeada de torres.

HELENA: Nem me lembro desses prazeres. Um amargo oceano de dor inunda meu peito e minha memória.

FÓRQUIAS: Dizem que fostes vista simultaneamente em dois lugares: em Ílion e no Egito.

HELENA: Não aumentes a confusão desta mente já tão perturbada. Neste instante, sequer sei quem sou.

FÓRQUIAS: Conta-se também que, vindo do reino das sombras, Aquiles se uniu a vós com todo o ardor, pois havia tempos já vos amava, desafiando os desígnios do destino.

HELENA: Como sombra me uni a ele, que de sombra não passava. Aquilo foi um sonho, como reza a tradição. Eu desfaleço e me torno sombra,

(Desmaia e cai nos braços do Semicoro).

CORO:

Silêncio, cala-te já,
sinistra maledicente,
dessas fauces tão monstruosas,
dessa boca de um só dente,
que mais podia sair?
Nada que possa servir!

És lobo em pele de ovelha,
és dissimulada e má,
tens a moral às avessas!
Quem é assim pior será
do que o cão de três cabeças!

Ó monstro pérfido e cruel,
estamos te perguntando:
de que abismo tu saíste?
Surgiste onde, como e quando?

Não trazes consolo e alívio,
como as águas do Leteu,
só revives, do passado,
aquilo que se esqueceu,
a lembrança mais tristonha,
que causa angústia e vergonha.

Mas a pior coisa que fazes
é que, simultaneamente,
com tua maldade ofuscas
todo o brilho do presente,
e o cintilante luzir
da esperança do porvir.

Portanto, nós te ordenamos:
Silêncio! Cala-te já,
ou a alma da soberana
daqui logo escapará,
deixando, em questão de instantes,
essas carnes fascinantes,
o corpo que lhe confere
a figura augusta e nobre,
por todos considerada,
a mais bela que o sol cobre!

(Helena voltou a si e continua de pé no meio do Coro).

FÓRQUIAS: Saiu do meio dessas nuvens passageiras o soberano sol deste dia. Mesmo quando ainda estava encoberto, ele já nos fascinava, e que dizer agora, quando reina absoluto e com brilho deslumbrante! Com vosso doce olhar, Rainha, vede como se ostenta o mundo diante de vós. Por mais horrenda que eu possa ser, não deixo de reconhecer aquilo que é belo.

HELENA: Estremecida saio do vazio em que me encontrava, tomada pela vertigem. Como apreciaria poder retornar àquele estado de repouso, tão fatigados tenho os membros... Todavia, do mesmo modo que para os homens comuns, também para as rainhas é necessário recobrar o alento e o domínio de si, a fim de enfrentar qualquer desafio que de súbito se lhe apresente.

FÓRQUIAS: Agora, sim, estais a mostrar-vos diante de nós em toda a vossa magnificência e beleza. Vosso próprio olhar revela quem é que manda aqui. Dizei-me o que quereis que eu faça.

HELENA: Trata de recuperar o tempo que perdeste com tuas rixas. Conforme ordena o rei, dispõe o que for necessário para o sacrifício.

FÓRQUIAS: Tudo já está preparado: a taça, a trípode, o cutelo afiado, água para aspergir, o incenso e o mais que é necessário. Só falta que nos digais que vítima foi escolhida para o sacrifício.

HELENA: Isso o Rei não me revelou.
FÓRQUIAS: Não vos disse... Oh, que horror!...
HELENA: Por que demonstras tal sentimento?
FÓRQUIAS: Porque sereis vós a vítima, Rainha!
HELENA: Eu?!
FÓRQUIAS: Vós e essas que aí estão.

CORO:
Oh dor! Oh consternação!

FÓRQUIAS: Sobre vosso pescoço descerá o cutelo.
HELENA: É horrível, mas eu já o pressentia, pobre de mim...
FÓRQUIAS: Seria inevitável para vós

CORO:
E que será de nós?

FÓRQUIAS: Ela morrerá de nobre morte, enquanto que vós outras pendereis dessa trave que sustenta o teto, como uma fieira de tordos.

(Helena e o Coro demonstram horror e espanto,
compondo um grupo expressivo e compacto).

Ah, fantasmas! Ficais aí como rígidas estátuas, morrendo de medo de despedir-vos do dia que não mais vos pertence. Os homens, que também não passam de fantasmas como vós, tampouco renunciam resignados à majestosa luz do sol, muito embora ninguém os salve e livre de seu destino final. Todos sabem disso, mas muito poucos o aceitam. Nada há que se possa fazer — estais perdidas. Assim sendo, mãos à obra!

(Bate palmas e, logo em seguida, aparece à porta um grupo
de anões mascarados que vão executar prontamente
as ordens que lhes forem dadas).

Vinde cá, monstrinhos roliços e tenebrosos! Vinde rolando até aqui, onde havereis de encontrar maldades de sobra para fazer. Erigi depressa a ara do sacrifício, ornada de pontas douradas. Colocai o afiado cutelo sobre o beiral de prata e enchei as jarras de água, para que se possa lavar mais tarde a horrível mancha de sangue negro. Estendei sobre o chão a preciosa alfombra, para que a vítima sobre ela caia de joelhos, em régia postura, e, embora decapitada, seja condignamente sepultada envolta em sua mortalha.
CORIFEIA: A Rainha se afastou para um lado e ali se quedou muda e pensativa. As jovens desfalecem e caem como molhos de feno ceifados. Penso

que, sendo a mais velha, desse grupo, devo dirigir algumas palavras a ti, a mais velha de todas nós. És esperta e sábia, e pareces olhar-nos com benevolência, ainda que, por insensatez e por ignorar quem eras, nosso grupo muito te tenha insultado. Dize-nos, pois, o que poderemos fazer para nos salvar.

FÓRQUIAS: Di-lo-ei agora mesmo: depende só da Rainha salvar-se a ela mesma e a todas vós. Porém, é mister que ela aja com presteza e decisão.

CORO:
Tu, Parca mais venerável,
Sibila mais sapiente,
fecha essas tesouras de ouro
e anuncia a toda a gente
nossa ansiada salvação,
pois já dá para antever
nossos membros a pender,
logo eles, que, na lembrança,
agitavam-se na dança,
até o dia clarear,
e só depois se enroscavam
no amado, pra repousar.

HELENA: Tremem de medo — não ligues para isso. Quanto a mim, sinto tristeza, mas não medo. Todavia, caso conheças o meio de salvação, dize-nos qual é, que te escutaremos com gratidão. Sem dúvida, para quem é sagaz e inteligente, o impossível muitas vezes se torna possível. Fala o que tens a dizer.

CORO:
Indica-nos a maneira
de sairmos deste aperto,
da morte que se avizinha,
de todo esse desacerto.
O laço até já parece
nosso pescoço rodear,
dispensamos o adereço
desse funesto colar,
que nos tira todo alento
e que, por sufocamento,
em breve nos vai matar.
Mãe dos deuses, nobre Reia,
enquanto ainda temos voz,
bradamos, esperançosas:
tende compaixão de nós!

FÓRQUIAS: Tereis paciência para escutar meu longo relato sem me interromper? São muitas histórias que se entrelaçam.

CORO:
Se é paciência que exiges,
paciência nós teremos;
ainda mais, porque sabemos,
que enquanto nós te escutarmos,
sãs e salvas estaremos.

FÓRQUIAS: Aquele que, quando fica em sua casa onde se guarda um rico tesouro, sabe reforçar os altos muros que a rodeiam e manter seu telhado seguro contra os efeitos danosos da chuva, esse viverá feliz por todos os dias de sua vida. Mas aquele que cruza imprudentemente o limite sagrado de seus umbrais sem sequer ali se deter, quando regressar à velha casa encontrará tudo mudado, senão mesmo destruído.

HELENA: A que vêm esses conhecidos ditados? Ias dizer-nos algo; faze-o, pois, e deixa de lado essas censuras.

FÓRQUIAS: Isso é parte da minha história, não é uma censura. Menelau navegou de enseada em enseada, em práticas de pirataria. Saqueou tudo o que pôde ao longo da costa e através das ilhas, regressando com o botim que aí está guardado. Diante das muralhas de Ílion lutou durante dez anos, e não se sabe quanto tempo despendeu na viagem de volta. Entrementes, que aconteceu com os que ficaram na augusta casa de Tíndaro e com os moradores do reino que se estende a seu redor?

HELENA: Será que a injúria se encarnou tão fortemente em ti que não sabes abrir a boca senão para insultar?

FÓRQUIAS: Todos estes anos ficou abandonado o vale situado no sopé da serra que se ergue ao norte de Esparta, em cuja encosta corre o Taígeto como um regato buliçoso, antes de desaguar no Eurotas. Ao cruzar o vale, espraia-se por entre os caniços e alimenta nossos cisnes. Aí, nesse sereno vale intermontano, assentou-se uma tribo audaz, proveniente da noite ciméria, e construiu uma fortaleza inexpugnável, da qual, a seu bel-prazer, oprime as cercanias e seus moradores.

HELENA: Como puderam fazer isso? Parece impossível!

FÓRQUIAS: Tiveram tempo para isso, pois faz vinte anos que aqui chegaram.

HELENA: Têm chefe? Embora bandidos, são unidos entre si?

FÓRQUIAS: Bandidos eles não são, e de fato têm um chefe, que muitas vezes já se apossou de pertences meus. Mas não o censuro por isso, porque, embora pudesse tomar tudo o que é meu, sempre se contentou com pequenos presentes, aos quais chama de tributos.

HELENA: Que aparência tem?

FÓRQUIAS: Nada má. A mim, agrada. É um homem ativo, valente e bem proporcionado, como poucos se encontram na Grécia. Além disso, prima pelo bom senso. Costuma-se rotular de bárbaros os que pertencem a esse

povo, mas não creio que nenhum deles se comporte com tanta crueldade quanto a que se viu por parte de certos heróis que, diante das portas de Troia, chegaram a praticar atos de canibalismo! De minha parte, admiro sua grandeza e confio nele.
E quanto a seu palácio! Tendes de ver com vossos próprios olhos! Difere inteiramente dessas construções toscas que vossos pais erigiram, cada qual a seu modo, amontoando pedra sobre pedra à maneira dos Ciclopes. Nesse outro, ao contrário, tudo foi feito com uso de prumo e de nível, tudo é certo e regular. Há que vê-lo do lado de fora: é como se tudo nele buscasse as alturas, subisse até o céu! É uma construção sólida e bem acabada, brilhante como aço polido. Nosso pensamento até escorrega, só de lembrar como ela é. Há vários pátios na parte interna, todos muito amplos e rodeados de obras arquitetônicas diversas, de todo tipo e para todo fim que se possa imaginar. Ali se veem colunas e arcos de variados tamanhos, corredores e terraços que dão para o exterior e o interior, e também muitos brasões.

CORO:
Que é isso!? São construções?

FÓRQUIAS: Não, são símbolos, do mesmo gênero daquela serpente enroscada que Ajax levava em seu escudo, conforme vós mesmas tivestes a oportunidade de ver. Os Sete que investiram contra Tebas também levavam, em seus escudos, símbolos cheios de significado: viam-se neles a Lua e as estrelas sobre o azul-escuro do céu noturno, além de efígies de deusas e de heróis, e ainda escadas de assalto, gládios, archotes e tudo o mais que aniquila a paz nas cidades. Já desde a remota antiguidade, costumavam nossos heróis levar consigo essas pinturas de cores refulgentes, representando leões e águias, garras e bicos cortantes, e ainda chifres de búfalo, asas, rosas, caudas de pavão-real, ou mesmo listras douradas, negras, cor de prata, azuis, vermelhas... São filas ordenadas de brasões desse tipo que enfeitam as paredes daquele palácio, em suas salas imensas, vastas como o mundo. Nelas, sim, sem qualquer estorvo poderíeis bailar!

CORO:
Quer dizer que, dançarinos,
ali havemos de encontrar?

FÓRQUIAS: Com certeza, e dos melhores! Uma plêiade de mancebos de cabelos dourados, recendendo a juventude! Era esse o aroma que Páris exalava quando se aproximou da Rainha

HELENA: Estás recomeçando a exorbitar. Conclui o que tens a dizer.

FÓRQUIAS: Deixo para vós a conclusão. Dizei que sim, de forma audível, e providenciarei para que sejais protegidas, transportando-vos para o interior daquele forte.

CORO:
Dizei depressa, ó Rainha,
essa breve palavrinha
que nos livrará da morte!

HELENA: Terei mesmo razões de recear que o rei Menelau seja tão cruel a ponto de querer submeter-me a tal castigo?

FÓRQUIAS: Esquecestes com que fúria ele mutilou o irmão de Páris, Deífobo, caído em combate, aquele que vos cortejou no início da viuvez, quando a dor ainda vos paralisava, não hesitando em reduzir-vos à condição de concubina? Menelau decepou-lhe as orelhas, o nariz e alguma excrescência mais. Era um horror contemplá-lo!...

HELENA: Fez tudo isso por minha causa.

FÓRQUIAS: E agora, por causa do outro, vai fazer-te o mesmo. Quem aceita compartilhar a beleza? Aquele que a possui prefere destruí-la, a ter de gozá-la pela metade.

(Ouvem-se trombetas nas proximidades. O Coro estremece).

Ressoam agudos e cortantes os sons das trombetas em seus ouvidos e entranhas! É assim também que atua o ciúme no coração do homem, não deixando que saia de sua lembrança aquilo que um dia foi seu, e que, uma vez perdido, jamais poderá ser recuperado.

CORO:
Não escutas as trombetas
que ao longe estão a tocar?
E as armas da soldadesca:
não as vês a rebrilhar?

FÓRQUIAS: Recebei as boas-vindas, meu Senhor e meu Rei! Anunciar-vos será para mim uma honra e um prazer.

CORO:
E conosco, o que há de ser?

FÓRQUIAS: Já o sabereis. Próxima está a hora da morte da Rainha, assim como a da vossa. Já não posso mais ajudar-vos.

(Pausa.)

HELENA: Já decidi quanto ao passo a tomar. És um demônio maligno, sei-o bem. Temo que possas converter em mau tudo que é bom. Contudo, aceito seguir-te até o castelo. Quanto ao resto, ficai todas vós sabendo não existir vivente algum capaz de desvendar aquilo que a Rainha leva oculto no canto mais recôndito de seu coração. Segue à frente, anciã!

CORO:
Com que alegria seguimos
caminhando com presteza
no rumo oposto ao da morte,
em busca da fortaleza
de inexpugnáveis muralhas,
iguais às que em Troia havia,
e que só foram tomadas
devido a uma aleivosia.

(A neblina se espalha e encobre toda a cena, perto e longe).

Há pouco nós desfrutávamos
de uma daquela manhãs
magníficas; de repente,
olhai ao redor, irmãs,
tudo mudou! A neblina
se espalhou, trazendo o frio
e impedindo que se veja
a várzea ao longo do rio,
do sagrado rio Eurotas,
revestida de caniços.
Também já não mais se veem
ao fundo, os altos maciços,
nem nas águas, deslizando,
com seu porte majestoso,
os cisnes de brancas penas
e de nadar tão gracioso.
Todavia, ainda se escuta
seu canto, ao longe a soar.
Dizem ser ele o prenúncio
da morte a se avizinhar;
mas como, se aqui nós viemos
para da morte escapar?

Oh, coitadinhas de nós:
com cisnes nos parecemos,
e, a quem de um cisne nasceu,
servimos e obedecemos[98]...

A névoa tudo já cobre,
impedindo que vejamos
até mesmo umas às outras!
Que acontece? Onde é que estamos?
Parecemos flutuar!

Os pés não sentem o chão!
Será que Hermes segue à frente
qual chefe de um pelotão,
o cetro de ouro a ordenar
que se siga em direção
de um tenebroso lugar
onde há só desolação:
o Hades,que é lúgubre e frio,
e eternamente vazio?

Eis que súbito escurece,
fica tudo pardacento,
embora a névoa se tenha
dissipado num momento.
Ante nosso olhar se eleva,
separando-nos do mundo,
uma muralha imponente.
Será um fosso assaz profundo?
Ou seriam as paredes
de um palácio enorme e incrível?
Seja o que for, nos transmite
uma sensação horrível:
fugir daqui é impossível!

Irmãs, é a triste verdade:
perdemos a liberdade!

86. Nome grego de Netuno, o deus do mar.
87. Vento que sopra de leste para oeste.
88. Outro nome de Vênus.
89. Principal rio da Lacônia, em cujas margens se ergueu Esparta.
90. Outro nome de Esparta.
91. Mãe das Fórquidas, de aparência pavorosa.
92. O inferno.
93. Filho do Caos, Érebo é o arquétipo da escuridão.
94. Cila, antes de ser transformada em monstro por Circe, foi camareira da corte real.
95. Os deuses concederam ao adivinho tebano Tirésias o dom da longevidade
96. De uma pele de boi regada com urina dos deuses e que permaneceu enterrada durante dez meses é que teria brotado Orion.
97. Divindades malignas, com corpo e hábitos de abutre e cabeça de mulher.
98. Para seduzir Leda, Zeus assumiu a forma de um cisne, e dessa união nasceu Helena.

PÁTIO INTERNO DE UMA FORTALEZA

(rodeado de ricas e fantásticas construções medievais).

CORIFEIA: Imprudentes e irrefletidas, sois o exemplo vivo do comportamento feminino: escravas do instante, joguete das mudanças de tempo e da fortuna, jamais sabendo suportar os seus reveses com ânimo estável. Estais sempre vos contradizendo umas às outras, e nunca de maneira sensata ou ponderada. Por outro lado, sois concordes quanto ao tom em que expressais tanto a alegria como a dor, pois vossos risos e gemidos soam com igual intensidade. Calai-vos agora e aguardai o que irá decidir o augusto tino da Rainha para ela e para nós.

HELENA: Onde estás, Pitonisa, ou que outro nome tenhas? Sai de sob as abóbadas desta sombria fortaleza e surge entre nós. Se foste anunciar-me ao legendário herói para que me prepare uma augusta recepção, agradeço-te. Mas leva-me depressa até ele, pois quero pôr um termo em meu caminho errante. Quero agora descansar.

CORIFEIA: Olhais em vão, Rainha em todas as direções. A horrenda visão desapareceu. Talvez tenha ficado presa na neblina de cujo seio saímos, chegando aqui rapidamente, sem sequer dar um passo — sabe-se lá como! Ou talvez erre ela desnorteada através do labirinto deste castelo, prodigiosa construção composta de vários edifícios, à procura do amo, a fim de lhe transmitir vossa saudação. Mas vede o diligente vaivém da numerosa criadagem nas galerias, atrás dos pórticos e das janelas: é prenúncio de uma distinta e hospitaleira recepção.

CORO:
Sinto alegre o coração!
Vede só a solenidade
com que, em passos lentos, graves
e de extrema dignidade,
desce um juvenil cortejo
em fileira bem formada.
A quem será que obedecem?
Por quem a ordem foi dada?

Que será que eu mais admiro
nesse grupo adolescente?
Será o passo tão gracioso?
Os cabelos para a frente

cobrindo em cachos a testa?
Talvez as maçãs do rosto,
antes pêssegos na cor,
e tendo ainda sobreposto
um aveludado véu
de penugem de cor de ouro?
Bem que eu queria mordê-las,
sem sentir qualquer desdouro,
mas temo que me aconteça
o que com outras se deu:
isso fizeram, e a boca
de cinzas se lhes encheu!

Os mais formosos do grupo
chegam perto, em passo lento,
trazendo consigo um trono
composto não só do assento,
mas de tudo o mais: tapetes,
reposteiros, baldaquins,
e um dossel que mais parece
nuvens, onde os querubins
alegres brincam em torno!
A sentar-se, convidada
nossa Rainha acedeu
e foi então coroada
com magnífica grinalda.
Oh, com que satisfação
vemo-la sendo tratada
com tamanha distinção!

Em respeitosa distância,
circunspectas, reservadas,
assistimos, orgulhosas,
tantas honras dispensadas
a quem, há que se dizer,
sempre as fez por merecer.

(Tudo quanto o Coro descreve vai acontecendo
simultânea e sucessivamente).

(Depois que os pajens e escudeiros acabam de descer, surge Fausto no
alto da escadaria, em trajes de cavaleiro medieval, e começa
a descer os degraus de maneira solene e majestosa).

CORIFEIA *(contemplando-o atentamente):* Se os deuses, como às vezes o fazem, não emprestaram apenas temporariamente a esse aí a admirável figura que ele ostenta, essa sua sublime distinção e admirável presença, tudo o que ele empreender haverá de consegui-lo, seja em duelos e combates, seja nas pequenas disputas pelas mais belas mulheres. Ele é indubitavelmente superior a muitos outros que já considerei de alto valor. Com passo lento e grave, digno e contido, vejo descer um autêntico soberano. Voltai-lhe vosso olhar, ó Rainha!

FAUSTO *(aproxima-se, trazendo consigo um homem acorrentado)*: Em vez da mais solene saudação que aqui seria devida, e em vez de respeitosas boas-vindas, trago-te este escravo preso por correntes de ferro. Por ter faltado a seu dever, ele me fez faltar ao meu. Ajoelha-te aqui para confessar tua culpa diante de tão nobre dama.

Ó sublime soberana, este é o homem que, em virtude da prodigiosa acuidade de sua vista, foi designado para ficar de sentinela na torre do castelo, com a incumbência de vigiar os arredores, abarcando atentamente o horizonte e a vastidão das terras circundantes, e de ver quem está passando por perto, quem está descendo as colinas fronteiras, quem vem se aproximando da fortaleza, se aquela poeira ao longe se refere a um rebanho de gado ou a uma tropa de combate, visto que o gado será protegido, e os combatentes rechaçados. Hoje, porém — quanta negligência! — ele não me deu ciência de vossa chegada, razão pela qual não providenciei uma recepção digna de tão augusta hóspede! Por sua displicência, perdeu o direito à vida. Por uma questão de justiça, já deveria ter sido executado, não fora a circunstância de caber somente a vós o direito de estabelecer seu castigo, ou então de conceder-lhe o indulto — fazei como melhor vos aprouver.

HELENA: Embora me pareça que estejas agindo assim apenas para pôr-me à prova, concedendo-me o privilégio de agir como soberana e juíza ao mesmo tempo, desincumbir-me-ei dessas tarefas a partir deste momento, cumprindo inicialmente a obrigação primordial de um juiz, qual seja a de ouvir o que o acusado tem a dizer. Fala, pois.

LINCEU, O VIGIA DA TORRE[99]:
Permiti que vos contemple
de joelhos neste instante,
seja qual for a sentença
que ocorra a vosso talante,
pois eu me tornei cativo
desse tão belo semblante.

Eu, que sempre contemplei
o Sol surgindo ao nascente,
com que surpresa o avistei
vindo do sul, de repente,
pois viestes daquele lado,
deixando-me deslumbrado!

Para lá se dirigiu
meu olhar e, em vez de ver
as planícies e colinas
que ali deveria haver,
não vi céu, nem terra ou mar,
só pude a vós avistar!

Enxergo melhor que um lince
postado à espreita da presa,
por isso, aquela visão
causou-me enorme surpresa,
e fiz um esforço ingente
para expulsá-la da mente.

Em que local eu me achava?
Não saberia dizer!
Nas ameias? Na amurada?
Onde mais podia ser?
Eis que a névoa se esvanece
e a deusa então aparece!

Por mais que isto me constranja
esta verdade eu não nego:
somente a vós enxerguei;
para o resto, fiquei cego!
Jamais eu ficara assim
tão deslumbrado! Ai de mim!

Esqueci meu juramento,
meus deveres de vigia,
minha corneta de alarme
e tudo o mais que ali havia.
Por uma tal transgressão,
mereço a condenação.

No meu íntimo, porém,
uma esperança eu conservo:
quem sabe, sejais tão boa
quanto sois bela, e este servo,
apesar da incompetência,
receba a vossa clemência?

HELENA: Não posso castigar alguém devido a um mal que eu mesma causei. Ai de mim! Que cruel destino é este que me faz transtornar assim o coração dos homens, a ponto de não respeitarem nem a si mesmos, nem a quem quer que seja? Eles me raptam, me tentam seduzir, se batem em duelo, me carregam de um lugar para outro... Semideuses, heróis, deuses e até demônios me levaram ao desvario, errando comigo de um lado para outro. Não conheço outra que, como eu, tamanha perturbação tenha causado ao mundo! Dupliquei, tripliquei, quadrupliquei desastres! Chega! Solta esse bom homem! Liberta-o já! Não é justo que recaia a vergonha sobre ele, porquanto foram os deuses que o cegaram.

FAUSTO: Com assombro, ó Rainha, vejo ao mesmo tempo aquela que fere certeiro e aquele que por ela foi ferido. Vejo o arco que desfechou a seta e o peito que a recebeu. Flechas e flechas se sucedem ininterruptamente, e acabaram me acertando Provêm de todo canto, todas emplumadas e sibilantes, cruzando de um lado ao outro o pátio da fortaleza.

E agora, a que me reduzi? Eis que meus servos leais se rebelam e que minhas sólidas muralhas parecem abaladas e inseguras. Receio que meu exército passe a prestar obediência apenas a essa mulher vitoriosa e invicta! Assim, nada mais me resta fazer senão render-me a vós e entregar-vos tudo o que até então considerava como sendo meu. Permiti que, de maneira voluntária, me prostre a vossos pés, protestando fidelidade e reconhecendo como soberana a vós, cuja simples presença foi suficiente para conquistar este trono e todo este reino.

LINCEU

(arrastando uma arca e acompanhado de criados, todos fazendo o mesmo que ele):

Eis-me de volta, ó Rainha,
mendigando o vosso olhar.
Sinto-me como se fosse
um indigente sem lar
e, ao mesmo tempo, um nababo,
dono de bens a fartar.

Que era eu antes? E agora,
que sou? Que posso querer?
Que faço? De que me serve
este dom de poder ver
com visão tão aguçada,
se a vista, diante de vós,
súbito fica embaçada?

A este lugar nós chegamos,
deixando atrás o Nascente,
e em seguida sujeitamos
vários povos do Ocidente,
muitos dos quais se ignoravam,
tão longe uns e outros moravam!

Eis como foi a conquista:
cai o primeiro da lista;
já o segundo sai de cena;
vem mais um; morrem dez, vinte,
morrem trinta, uma centena;
além de matar milhares,
também saqueamos seus lares.

Onde gente e bens houvesse,
lá íamos avassalar,
e de onde um hoje é senhor,
outro amanhã vai saquear.
Tudo então era pilhado:
mulheres, pertences, gado.

De minha parte, eu gostava
de pesquisar o mais raro,
a minha visão aguda
me valia mais que o faro,
perscrutando prateleiras,
nichos, arcas, algibeiras.

Assim, pilhas de ouro e joias
preciosas eu amealhei,
dentre elas, esta esmeralda
para vós eu reservei.
Só a ela cabe o direito
de enfeitar o vosso peito.

Para as orelhas, as gotas
ovais do fundo do mar,
e não rubis: vossa boca
vai fazê-los descorar.
Entregar-vos quero e posso
tais riquezas: tudo é vosso.

Tomai todo este tesouro,
fruto de muita pilhagem,
e mais trarei se deixardes
que vos siga nessa viagem,
porque, se não for assim,
nada tem valor pra mim!

Bastou subirdes ao trono
para que vossa beleza

fizesse por merecer
honras, poder e riqueza.
Tudo o que por meu eu tinha
pertence a vós, ó Rainha!

Para mim, este tesouro
perdeu seu valor e peso,
tornou-se erva seca e murcha
que eu contemplo com desprezo,
mas bastará que o mireis
com vosso olhar divinal,
para que ele recupere
seu valor original.

FAUSTO: Tira daqui, e depressa, todas essas preciosidades obtidas com denodo e coragem. Teu ato não será censurado, mas tampouco fará jus a prêmios ou elogios. A ela já pertence tudo o que esta fortaleza encerra; portanto, é inútil oferecer-lhe algo especial. Faze o seguinte: dispõe ordenadamente nossos tesouros em pilhas, para que ela tenha diante de si um espetáculo soberbo e magnífico, como jamais se viu outro igual. Que seu brilho se reflita nas abóbadas, fazendo-as luzir como um céu estrelado, compondo verdadeiros paraísos de vida inanimada. Precedendo os passos que ela dará, estende ricos tapetes decorados, para que seus pés sempre pisem um chão de extrema maciez, e sua beleza, que só aos deuses não deixa deslumbrados, resplandeça com máximo fulgor.

LINCEU:
Será fácil cumprir vosso comando,
e vou fazê–lo agora, neste instante,
pois, acima dos bens e das riquezas,
reina a sua beleza fascinante.
Vede o exército como se rendeu!
Todos já depuseram as espadas!
Nem mesmo o Sol resiste ao ledo encanto
dessas faces tão lindas e rosadas!
E enquanto o seu semblante resplandece,
tudo o mais perde a graça e desvanece.

(Sai.)

HELENA *(dirigindo-se a Fausto):* Quero dizer-te uma coisa, mas, antes, senta-te aqui perto de mim. Este lugar vazio reclama a presença do dono, a quem devo a concessão e a defesa do lugar que agora ocupo.

FAUSTO: Antes de tudo, nobre senhora, consenti em aceitar a homenagem que de joelhos te presto. Permiti que beije a mão que me chama a ocupar esse lugar a vosso lado. Confirmai-me junto a vós como regente deste império que não conhece limites. Com isso, tereis doravante um admirador, protetor e escravo, os três numa só pessoa.

HELENA: Já vi e ouvi muitos prodígios, mas este me enche de assombro. Tenho muitas perguntas a fazer, mas quero que antes de tudo me digas por que a fala desse homem me soa tão rara, tão diferente, tão agradável de se ouvir. Os finais das frases parecem acomodar-se entre si, e mal uma palavra acaricia os ouvidos, vem outra ainda mais acariciante![100]

FAUSTO: Se vos agrada o modo de falar de nossos súditos, certamente também vos haverá de fascinar seu canto, que causa profundo prazer tanto à alma, quanto aos ouvidos. Podemos praticá-lo, se assim quiserdes. O diálogo alternado provoca e facilita o falar desse jeito.

HELENA: Explica como poderei dizer palavras tão belas e tão bem combinadas.

FAUSTO:
É fácil: basta deixar
que os versos possam brotar
do fundo do coração,
e quando este se encontrar
numa angustiosa aflição,
cheio de ânsias e de zelo,
podeis então perguntar:

HELENA:
Quem é que pode entendê-lo?

FAUSTO:
Pedi então a vossa mente
que não olhe para frente
nem para trás. Se o fizer...

HELENA:
... vai afrontar o presente...

FAUSTO:
Felicidade é um tesouro
cuja outorga e concessão
cabe aos deuses. Como então
consegui-lo eu poderia?
Quem acaso me daria
tal tesouro? ...

HELENA:
Minha mão!

CORO:

Quem pode censurar a soberana
por mostrar rosto alegre ao castelão?
Pois, confessemos, todas nós estamos
na triste e deplorável condição
de prisioneiras, desde que passamos
a errar por longes terras, vastos mares,
após a queda de Ílion, que nos fez
perder a liberdade e os nossos lares.

Mulheres ao amor acostumadas,
não podem nunca os homens escolher;
sem dúvida, porém, conhecem bem
o assunto, pela prática de ter,
entre seus braços, ora horrendos faunos
de pelo negro e crespo, ora pastores
com seus cachos dourados. A uns e aos outros
terão de conceder os seus favores.

O Príncipe e a Rainha se aproximam;
encostam-se ombros, braços, mãos e joelhos;
trocam leves carícias e segredos,
entreolham-se a sorrir, rostos vermelhos.
Sentados sobre os tronos confortáveis,
não sentem qualquer pejo de mostrar
aos súditos, que os olham espantados,
o quanto se comprazem em se amar.

HELENA: Sinto-me tão longe, e no entanto tão perto, e não me canso de repetir: aqui estou, estou aqui.

FAUSTO: Eu mal consigo respirar, e minha voz sai trêmula e hesitante! Isto é um sonho que fez desvanecer o tempo e o espaço!

HELENA: Embora muito tenha vivido, sinto como se estivesse rejuvenescendo só de estar contigo. Ser-me-ás fiel, desconhecido?

FAUSTO: Não queirais adivinhar o que o destino nos reserva. Existir é um dever, ainda que somente por um instante.

FÓRQUIAS *(entrando impetuosamente):* Estais aí soletrando o abecedário do amor, num doce devaneio, a desfrutar do ócio entre suaves carícias, mas não há tempo para isso! Não percebeis o rumor surdo da tormenta? Não escutais o som das trombetas? O desastre se avizinha! Conduzindo suas legiões, Menelau se aproxima cada vez mais. Quanto a ti, prepara-te para a guerra, ou do contrário ficarás como Deífobo, a fim de expiar tua afeição à companhia feminina. Quando estiverem pendentes e oscilantes todas essas esbeltas figuras, à principal delas estará reservado no altar: um novo cutelo afilado.

FAUSTO: Que interrupção mais atrevida! Entraste aqui numa hora muito inoportuna! Mesmo em caso de perigo iminente, abomino demonstrações de desatino e afobação! Se uma notícia má enfeia até o mensageiro mais formoso, isso explica tua horrenda aparência, já que somente te comprazes em trazer notícias péssimas! Mas desta vez só assustarás o vento: não há qualquer perigo por perto, e, mesmo que houvesse, não passaria de vãs ameaças.

(Clarões e lampejos de explosões são vistos nas torres. Ouvem-se toques de clarins e cornetas, e o som distante de música militar. Assiste-se ao desfile de um poderoso exército).

Não há perigo. Em breve, verás aqui reunido o invencível conjunto dos heróis, aqueles que recebem o favor das mulheres, pois sabem como defendê-las com mão forte.
(Dirigindo-se aos chefes do exército que se apresentam diante dele, dando um passo à frente para se destacarem das colunas): Com esse furor contido e ímpeto forte, penhor seguro da vitória, eis que aqui chegastes, flores varonis do Oriente e brotos juvenis do Setentrião. Só de aparecerdes, a Terra estremece; só de avançardes, tudo retumba. Desembarcaremos em Pilos[101], onde Nestor já não mais se encontra, e logo em seguida nosso indômito exército derrotará os reis que se reuniram em pequenas alianças. Não tardeis em rechaçar Menelau e devolvê-lo ao mar. Ali ele poderá navegar a esmo e pilhar à vontade, conforme ordena sua propensão natural. Hei de nomear-vos grãos senhores, atendendo ao que me ordena a Rainha de Esparta. Ponde agora a seus pés os montes e vales ao redor, e o restante do Império será vosso. Tu, Germano, defende a baía de Corinto com trincheiras e baluartes. A ti, Godo, confio-te Acaia e seus cem desfiladeiros. Que se dirijam a Élida as hostes do Franco. Messênia tocou ao Saxão. Limpa os mares, Normando, e reconstrói a Argólida. Depois disso, cada qual regressará a seu lar e enviará suas forças e seu poder contra o inimigo externo, mas sempre se submetendo ao domínio de Esparta, a antiga residência da Rainha. Cada qual deverá reger sua terra de modo tal que ali nunca falte o bem-estar, buscando a seus pés, com toda a confiança, obrigações, conselho e permissões.

(Fausto desce. Os príncipes se reúnem em torno dele para ouvirem de mais perto sua preleção e suas ordens).

CORO:

Quem quiser conquistar a mais formosa,
mostre diante de todos seu valor,
ache como prover-se de armamentos,
sabendo que quem julga ser senhor
de presa tão valiosa e cobiçada,

nunca mais viverá calmo e tranquilo,
pois haverá sempre um querendo tê-la,
e ele que encontre um modo de impedi-lo.

Por isso louvo o nosso soberano,
que é, por certo, um dos reis mais competentes,
pois, além de se impor pela coragem,
foi sábio e soube aliar-se aos mais valentes,
fazendo com que os fortes o obedeçam
e suas ordens cumpram fielmente,
em seu próprio interesse, pois com isso
terão fama e fortuna consistente.

Sabendo do valor que ele possui,
quem vai poder tirá-la dele agora?
Quem poderá transpor essas muralhas
após vencer o exército lá fora?

FAUSTO: Foram magníficos os presentes que lhes concedemos. Cada qual recebeu uma gleba de terra produtiva. Que marchem agora, deixando-nos no centro, para garantir nossa proteção.

Ó península batida por ondas e ligada aos derradeiros contrafortes montanhosos da Europa por um alinhamento de colinas baixas: eles saberão defender-te com bravura. Essa terra que recebe os raios do sol antes de todas as outras, próspera se torne para todo o sempre e para todas as nossas tribos, agora que se tornou parte de nosso império. Nesta hora matinal, volvo para ela o meu olhar, agora que a brisa murmura por entre os juncais que orlam o Eurotas, e noto que ela como que rompeu a casca, deixando deslumbrada a pátria-mãe e as nações irmãs. Essa terra a ti restituída brinda a mais esplêndida de suas florescências. Seja ela a preferida neste mundo do qual és a senhora.

Mal as pontas dos dardos arremessados pelo Sol tocam o cume de seus montes, logo se veem seus verdejantes penhascos, onde a ávida cabra rói seu parco sustento. A água brota dos mananciais, formando regatos que se precipitam pelas escarpas e se reúnem em seu sopé. Nas encostas, os prados reverdecem. Disseminadas pela planície, centenas de colinas abrigam rebanhos de gado lanígero. Aqui e ali, pacatas e precavidas, reses de longos chifres caminham até alcançar a borda abrupta do precipício, mas ali não lhes falta abrigo, pois a parede rochosa se abre em gretas e fendas, formando mais de mil grutas.

Pã os protege, enquanto que as ninfas da vida vivem no fresco interior desses abrigos naturais. As árvores, ansiando por se elevarem o mais que possam, crescem frondosas, muito próximas umas das outras. São antigos esses bosques. Os carvalhos se erguem impávidos e orgulhosos, entrelaçando suas ramas caprichosamente. O plátano de cerne tenro e

seiva adocicada se eleva a prumo, abrindo-se no topo em esguios galhos. Sob a sombra do arvoredo, mana o leite que alimenta a criança e o cordeiro. Perto daí se colhem frutas, delícias que a planície proporciona, e das partes ocas dos troncos escorre o doce mel.
Aqui, o bem-estar é hereditário. Só se veem faces radiantes e bocas sempre risonhas. Todos estão contentes e sadios. Cada qual tem sua terra e se sente imortal.
Assim, sob a clara luz do dia, o infante se desenvolve, adquirindo pouco a pouco a robustez paterna. Diante deles postamo-nos admirados, perguntando se seriam homens ou deuses.
Vivendo entre os pastores, Apolo apenas parecia ser o mais belo dentre eles, pois onde reina a Natureza em sua esfera própria, os diferentes mundos se encadeiam.

(Senta-se junto a Helena e prossegue): O mesmo sucede com nós dois. O passado ficou para trás. Embora procedas de um deus supremo, agora pertences apenas ao primitivo mundo. E não terás de ficar encerrada numa fortaleza. Nas proximidades de Esparta se encontra a Arcádia, terra da eterna juventude, convidando-nos a desfrutar ali uma vida venturosa. Estás sendo chamada a viver num lugar cheio de felicidade, entregando-te a um destino auspicioso. Terás por trono os bosques frondosos. Vamos gozar na Arcádia dias de ventura e liberdade!

(O cenário modifica-se inteiramente. Vê-se agora uma série de grutas abertas nos penhascos, orladas por densos matagais. Um pequeno bosque se estende até o sopé dos rochedos escarpados, que fecham a cena, formando um semicírculo. Não mais se veem Fausto e Helena. O Coro jaz em torno, disperso e adormecido).

FÓRQUIAS: Não sei quanto tempo faz que essas jovens estão dormindo. Também ignoro se chegaram a ver em sonhos o que eu vi clara e distintamente. Por isso, vou despertá-las. Os jovens devem assombrar-se igual a vós, homens barbados, que aí permaneceis sentados, esperando ver o que haverá de resultar desses verdadeiros prodígios. Vamos, vamos, sacudi vossas cabeleiras! Espantai de vossos olhos o sono e, sem pestanejar, escutai-me.

CORO:

Conta, pois, o desfecho dos prodígios,
mesmo que a narrativa cause medo.
É melhor escutar histórias tolas,
que perder tempo olhando esse rochedo.

FÓRQUIAS: Mal despertastes e já vos sentis enfastiadas? Ficai sabendo que, dentro dessas cavernas e grutas, atrás desses matagais, encontrou abrigo e refúgio esse casal apaixonado composto por nossa Rainha e nosso senhor.

CORO:
Como? Em seu interior?

FÓRQUIAS: Eles se retiraram do mundo e apenas chamaram a mim, para servir-lhes em silêncio. Sinto-me altamente honrada por estar a seu lado; contudo, como cumpre agir quando se é um confidente, deles me afastei, buscando nos arredores uma coisa e outra, indo daqui para lá, recolhendo raízes, musgos e cascas, conhecedora que sou de todas as suas propriedades. Assim, deixei-os a sós.

CORO:
Falas como se aí houvesse
bosques, campos, rios, mares;
que proveito irás tirar
por tais coisas inventares?

FÓRQUIAS: Ó insensatas! Sem dúvida alguma, ali há locais profundos ainda inexplorados, salas atrás de salas, pátios atrás de pátios. Eu os estava percorrendo distraidamente, quando, súbito, ressoou uma risada no interior da gruta. Fui investigar o que seria e vi saltar um menino do colo da mãe para o do pai, deste para o da mãe, e assim sucessivamente. As carícias, as brincadeiras, os pequenos agrados amorosos, os gritos alvoroçados e as exclamações de júbilo me deixaram confusa e intrigada. A criança estava desnuda, qual um gênio sem asas, ou alguma espécie de fauno privado de bestialidade. Quando saltou sobre o solo firme, o chão, reagindo, arremessou-a às alturas, e, ao segundo ou terceiro salto, ela chegou a tocar no teto. Preocupada, a mãe avisou: *"Podes saltar o quanto quiseres, mas nada de voar, pois o voo livre te foi proibido"*. Já o pai assim aconselhou: *"No chão reside a força que te lança para cima. Se tocares o solo apenas com o dedo grande do pé, ficarás forte como Anteu, o filho da Terra"*. E assim foi que o menino continuou saltando por entre aquelas paredes rochosas verticais, pulando de uma para outra, até que, de repente. desapareceu dentro de uma fenda, deixando-nos todos com a impressão de que estaria perdido. A mãe se pôs a chorar, enquanto o pai a consolava, e eu a tudo assistia encolhida e assustada. De repente, ei-lo que reaparece, e todo ataviado! Haveria tesouros escondidos ali dentro? Ele agora se mostrava ricamente trajado, ostentando uma roupa florida. Pendiam-lhe franjas dos braços, e seu peito estava envolto em fitas que ondulavam ao ar. Qual Febo infante, levava na mão sua lira de ouro. Avançou confiante até o ponto mais saliente da borda da garganta, deixando-nos extasiados. Emocionados, os pais se abraçaram. Como reluzia o adorno que ele trazia na cabeça! É difícil saber de que se tratava. De uma tiara de ouro? De uma chama de enorme força espiritual? Seus movimentos revelaram que aquele menino iria tornar-se, no futuro, o mestre de toda a beleza, aquele que saberá reger e executar a música eterna. Tereis a oportunidade de ouvi-lo e vê-lo com admiração sem igual.

CORO:

Não sei como é que tu, nascida em Creta
e acostumada à jônica poesia,
te espantas com tais coisas! Não te lembras
das lendas que escutaste ainda outro dia?
Dos deuses, dos heróis da Hélade eterna
acaso tu os terias esquecido?
Tudo o que ocorre nestes nossos dias,
daquele tempo é o eco esmaecido.

O espantoso relato que fizeste
de modo algum se pode comparar
à história do viril filho de Maia[102],
na qual se pode ou não acreditar.
Ao menino gracioso, mas robusto,
enquanto não passava de lactente,
envolveram em panos mui felpudos
e ataram-no com faixas, tão somente
pensando em protegê-lo. Não contavam
com sua incrível força e habilidade!
Quando deram por si, viram que a criança
estava alegre e nua em liberdade,
qual borboleta livre do casulo!
O traje que a oprimia foi deixado
no leito, e ela se alçou de pronto aos ares,
ao destino que lhe era reservado:
aos ladrões e velhacos ajudar,
e a todos nós o bem proporcionar.

Unindo o seu pendor para a galhofa
à sutil esperteza que detinha,
ao deus dos mares rouba o seu tridente,
a Marte arranca a espada da bainha;
tira de Febo a aljava, as flechas, o arco,
a Vulcano as tenazes! Mesmo Zeus,
foi vítima de suas brincadeiras,
pois apesar de ser o sumo deus,
não o viu surripiar até seu raio!
Além disso ele enfrenta Eros e o vence,

lançando mão de esperto estratagema,
e com a agilidade de um circense,
consegue a própria Cípris iludir,
roubando o cinturão que ela trazia,
sem que ela o percebesse, tendo-o ao colo
a ressonar, fingindo que dormia...

(Ouve-se, saindo da gruta, uma música muito melodiosa, tocada por instrumentos de corda. Todos a escutam, e parecem intimamente comovidos. Deste ponto até a próxima pausa, essa música não cessa de tocar).

FÓRQUIAS: Escutai esses sons encantadores. Libertai-vos logo das fábulas, deixai de lado essa velha coorte de deuses — tudo isso já acabou. Ninguém mais os aceita. O que agora se requer é um valor mais elevado, pois só comove o coração aquilo que de dentro dele procede.

(Retira-se para o rochedo).

CORO:
Se até a ti, criatura horrenda,
comove essa melodia,
ela, a nós, faz renascer
e até chorar de alegria!
Ao ver a alma a reviver,
a luz do sol fica oclusa.
Só no coração se encontra
o que o mundo a nós recusa.

(Helena, Eufórion e Fausto, com os trajes já descritos).

EUFÓRION: Ao escutardes cantos infantis, ficais tomados de alegria; mas ao me verdes dando saltos, vossos corações paternos se agitam.

HELENA: O Amor, para fazer feliz os humanos, une um nobre par, mas para o entusiasmo dos deuses, forma um delicioso trio.

FAUSTO: Já nada nos falta. Sou teu e tu és minha, e assim permaneceremos unidos. Não poderia ser de outra maneira.

CORO:
Anos de felicidade
trouxe a beleza desse ente
ao venturoso casal.
Oh, que união mais comovente!

EUFÓRION: Agora, deixai-me brincar, deixai-me saltar! Começa a se apoderar de mim um desejo insopitável de me lançar aos ares.

FAUSTO: Vai com calma, devagar. Não sejas afobado. Receamos que uma queda desastrosa venha causar uma desgraça, afetando a ti, filho querido.
EUFÓRION: Não quero permanecer no solo por mais tempo. Largai meus braços, soltai meus cabelos, desatai minhas roupas, deixai-me com tudo o que é meu!
HELENA: Lembra-te daqueles a quem pertences. Quanto nos doeria se destruísses o vínculo que conseguimos formar com tanto empenho, e que hoje nos une a ti, a mim e a ele como se fôssemos um só!

CORO:
Nós receamos que essa união
tenha pouca duração.

HELENA E FAUSTO:
Esses excessos de vitalidade
vê se os reprime, pelo nosso bem;
do proceder gentil dá o bom exemplo,
e esses impulsos violentos contém.

EUFÓRION: Para satisfazer-vos, vou conter meu ímpeto.

(Entra no meio do Coro e obriga as coristas a dançar).

Aqui, junto ao belo sexo, eu me movimento mais à vontade. Mas essa melodia e esse compasso serão os mais adequados?
HELENA: Ah, sim, agora tudo está como devia estar. Junto dessas beldades, participa dessa dança artística.
FAUSTO: Quando será que tudo isso irá acabar? Essas patuscadas jamais me agradaram.

(Eufórion e o Coro se movimentam, dançando e cantando, em fileiras que se entrelaçam).

CORO:
Vendo com que elegância e graça
sabes os braços agitar,
e vendo os teus cachos dourados
oscilando soltos pelo ar,
enquanto teus pés, agilmente,
deslizam no chão sem parar,
fazendo com que todas nós
queiramos contigo dançar,
fica sabendo, bom menino,
que já conseguiste acertar
teu alvo: nossos corações
acabaste de conquistar.

(Pausa).

EUFÓRION: Ah, corças ligeiras, quão numerosas sois! Vamos brincar de caçada. Vós sois a caça, e eu o caçador. Tratai de fugir.

CORO;
Se quiseres agarrar-nos,
não precisas rede ou laço,
pois o que nós mais queremos
é estreitar-te num abraço!

EUFÓRION: Vamos, minhas corças, tratai de dispersar-vos pelo bosque. Ide esconder-vos atrás dos troncos e das pedras. Não gosto de obter coisa alguma sem dificuldade. Só me agrada aquilo que somente usando de violência posso conquistar.

HELENA E FAUSTO:
Que impetuosidade!
Quanta afobação!
Jamais agirá
com moderação!
Parece que se ouve,
no vale aí em frente,
trombetas de caça
e tropel de gente!
Mas todo esse alarde
é impressão, somente!

CORO
(uma a uma, vão entrando as Coristas apressadamente):
Com desdém e com desprezo,
ele aqui por nós passou.
Agarrou a mais esquiva;
para as demais, nem olhou!

EUFÓRION *(trazendo consigo uma jovem):* Arrasto comigo esta donzela rebelde, para forçá-la a sentir prazer. Ao menos eu terei com ela deleite e gozo, estreitando contra o meu esse peito arisco, e beijando à força essa boca arredia.

A JOVEM: Deixa-me em paz! Sob esta frágil aparência externa, existe ânimo forte e vontade férrea. Nossa consciência é semelhante à tua, e nada fácil de dobrar. Crês que me subjugaste? Confias demais em teu braço! Aperta-me o mais que puderes, e verás como escapo, debochando de tua estupidez!

(Eleva-se no ar, ardendo em chamas).

Vem rápido pelos ares atrás de mim! Procura-me dentro das grutas! Tenta encontrar a presa que se evola!

EUFÓRION *(sacudindo de si as chamas que nele caíram):* Que dizer dessa penedia rochosa em meio ao bosque? Não me detém tal obstáculo, pois sou jovem e robusto. Ouço ao longe o vento que assovia e as ondas que rugem. Como gostaria que estivessem próximo daqui!

(Vai escalando o rochedo aos saltos).

HELENA, FAUSTO E O CORO:
Por que ages à maneira dos cabritos?
Não vês que isso nos deixa muito aflitos?

EUFÓRION: Quero ir cada vez mais para o alto! Quero ver tudo de cima, do mais de cima que puder. Agora sei onde estou. Em meio da ilha que é chamada de Pélope[103], nesse lugar que tanto tem a ver com a terra, como tem a ver com o mar.

CORO:
Se tu não vives contente
quer no bosque ou na montanha,
muda então para as colinas,
onde a fartura é tamanha,
que figos, uvas, maçãs,
quem desejar, ali apanha!
É a terra onde tudo cresce,
e onde a alma rejuvenesce.

EUFÓRION: Sonhais com dias de paz? Deixai tais sonhos para quem pode. A senha da vez é *"Guerra"*, e que o eco arremate: *"Vitória!"*.

CORO:
Quem deseja guerrear,
embora viva a bonança
da paz, logo se verá
despojado da esperança.

EUFÓRION: Que alcancem sua recompensa todos os que esta terra concebeu no perigo e para o perigo, e os que tornou livres e de ilimitado valor, sempre prontos a derramar seu sangue; que a alcancem todos aqueles dotados do sagrado sentimento de honra que nunca e por nada se desfaz; que a alcancem todos os combatentes.

CORO:
Vede que altura alcançou!
No entanto, a sua figura
continua refulgente
qual se ele usasse armadura!

EUFÓRION: Não façais fossos ou muros. Cada qual cuide de si. A fortaleza mais resistente é o peito firme de um homem. Se não quiserdes que alguém vos conquiste, ide ao campo de batalha com armas ligeiras. Que cada mulher se transforme em amazona, e cada menino em bravo combatente.

CORO:
Sagrada poesia
que no céu despontas,
és astro tão belo
que nos deixas tontas!
Por mais que tu estejas
distante de nós,
sempre te escutamos,
e como gostamos
de ouvir tua voz!

EUFÓRION: Não, não me trateis como criança! Sou um adolescente e venho armado. Aliei-me aos fortes, aos livres. Junto dos audazes, forjei meu espírito. Avante, vamos! Sigamos pelo caminho que nos conduzirá à glória.

HELENA E FAUSTO:
Mal começaste a viver,
mal à luz do Sol saíste,
e já queres alcançar
alturas que nunca viste,
de onde um passo em falso basta
para uma sorte nefasta!

Será que não nos tens consideração?
Não dás maior valor a esta nossa união?

EUFÓRION: Ouvis como retumbam os trovões do lado do mar? O eco desses ribombos se faz ouvir por todo o vale. Entre nuvens de pó e em ondas, dois exércitos avançam e recuam, trazendo e levando dor e tormento. Sabem que terão de combater até morrer, conforme lhes foi ordenado.

HELENA, FAUSTO E O CORO:
Oh que horror! Que desatino!
Será a morte o teu destino?

EUFÓRION: Deveria contemplá-la de longe? Não, quero compartilhar dos riscos e dos sacrifícios.

HELENA. FAUSTO E O CORO:
Quem enfrenta o perigo de peito aberto
encontrará na morte o destino certo.

EUFÓRION: Sinto que um par de asas se desdobra em minhas costas. Devo seguir para bem longe. Deixai-me alçar voo.

(Lança-se aos ares. As vestes se enfunam, sustentando-o no alto durante um curto instante. Sua fronte resplandece, e ele deixa atrás de si um rasto de luz).

CORO:
Ó Ícaro! Ícaro, sim!
Teu tormento chega ao fim!

(Um belo adolescente cai aos pés de seus pais, que creem reconhecer no morto uma figura conhecida; mas a matéria corpórea logo se esvai, enquanto uma auréola se eleva aos céus como um cometa. As vestes, o manto e a lira ficam no chão).

HELENA E FAUSTO:
À alegria inicial
segue-se a angústia mortal.

VOZ DE EUFÓRION *(vinda das profundezas):* Mãe, não me deixes seguir sozinho para o reino das trevas!

(Pausa).

CORO
(canto fúnebre):
Não estarás sozinho lá onde fores,
pois vamos sempre a ti reconhecer.
Embora a luz do dia não mais vejas,
em nossas mentes vais permanecer.

Contudo, não devemos lamentar-nos,
pois é digna de inveja a tua história.
Ainda ressoam ecos do teu canto,
que permanecerá em nossa memória.

Nasceste sob o signo da alegria;
herdaste dos avós tua atitude;

por azar, não pudeste desfrutar
de tua florescente juventude...

Teu penetrante olhar tudo observava;
por todos demonstravas simpatia,
mormente pelas belas, a quem, sempre,
teu canto melodioso seduzia.

Sem que fosses contido por alguém,
te arrojaste ao vazio, sem temor,
rompendo, como sempre, leis e regras,
causando, em quem te amava, angústia e dor.

Embora teus intentos fossem nobres
e magnífica a meta a que visaste,
teus planos resultaram em fracasso,
e a glória de voar não alcançaste.

E acaso alguém a obteve? Isso eu não sei,
nem o Destino sabe, ele que um dia
trouxe sangue e derrota a todo um povo,
quando a vitória perto parecia.

Mas deixemos de lado esta tristeza,
pois há de a Terra em breve conceber
mais seres desse tipo, como sempre
ela o fez e outras vezes vai fazer.

(Pausa completa. Cessa a música).

HELENA *(a Fausto):* Para minha desgraça, um antigo provérbio que me disseram acaba de se comprovar: a beleza e a boa fortuna não caminham da mãos dadas durante muito tempo. Rompeu-se o vínculo da vida com o amor. Pranteando os dois, despeço-me de ti com tristeza, e pela derradeira vez me deito em teus braços. Tu, Perséfone, que me levaste o filho, leva agora a mim!

(Abraça-se a Fausto. Sua matéria corpórea se desvanece,
deixando as vestes e o véu nas mãos de Fausto).

FÓRQUIAS *(a Fausto)*: Guarda contigo tudo o que dela restou. Não te desprendas do vestido. Os demônios já o estão puxando pelas fímbrias, esforçando-se por levá-lo para os infernos. Agarra firme! Já não está aqui a deusa que perdeste, mas isso que tens nas mãos é de divina essência.

Aproveita-te do magnífico e inestimável dom que recebeste e trata de elevar-te. Isso te levará ao éter, acima de tudo o que é mesquinho, durante todo o tempo em que viveres. Nós nos voltaremos a ver longe, muito longe daqui.

(As vestes de Helena transformam-se em nuvens que envolvem Fausto, suspendendo-o nos ares e desaparecendo com ele).

FÓRQUIAS *(pegando no chão a túnica, o manto e a lira de Eufórion, acercando-se do proscênio e exibindo os despojos):* Este também é um feliz achado. É verdade que a chama da vida desapareceu, mas não o lamento. Aqui há o suficiente para fornecer inspiração aos poetas e despertar inveja nos grêmios de artesãos. Se não posso conferir talento, ao menos poderei conservar estas roupas comigo.

(Senta-se no proscênio, encostado numa coluna).

PANTÁLIS: Apressai-vos, meninas. Estamos livres do feitiço, libertas da opressão que exercia sobre nós essa velha bruxa da Tessália. Já estamos livres do rumor contínuo, daquele ruído ensurdecedor que confundia os ouvidos e mais ainda os sentidos internos. Desçamos para o Hades, para onde a Rainha já se dirigiu em passo solene. Que suas pegadas sejam seguidas imediatamente pelas nossas, já que fomos suas leais servidoras. Encontrá-la-emos junto ao trono da Inescrutável[104].

CORO:

Rainhas sempre são mui bem servidas
onde quer que se encontrem. Mesmo no Hades
recebem tratamento especial,
pois seus pares lhes fazem as vontades,
considerando ser pessoa amiga
aquela a quem Perséfone é que abriga.

Mas nós, se formos dar com os costados
nessas planícies cheias de espinheiros,
entre álamos de altura desmedida
e impenetráveis moitas de salgueiros,
que diversão podemos esperar?
Talvez, como os morcegos, só nos reste
errar de norte a sul, de leste a oeste,
soltando horrendos guinchos sem parar!

PANTÁLIS: Quem não conquistou renome, nem aspirou a feitos nobres empreender, pertence aos elementos. Assim, pois, parti. Ardo em desejos de rever a Rainha. Não só em razão de nosso mérito, mas antes por nossa fidelidade, temos assegurada a imortalidade. *(Vai-se).*

TODO O CORO:
À luz do dia fomos devolvidas.
A essência de pessoas já perdemos.
Sabemos, lamentamos e sentimos,
mas ao Hades jamais retornaremos.
A eterna Natureza exercerá,
já que essência de espíritos nós temos,
legitimo direito sobre nós,
igual ao que sobre ela exerceremos.

UMA QUARTA PARTE DO CORO:
Ao tremor sussurrante de mil ramas,
impelimos a seiva na subida,
fazendo-a ir das raízes até as flores,
deixando, onde ela passa, força e vida.
O sopro do ar excita a flor, que se abre,
formando o fruto, e então, quando este cresce,
fica maduro e cai, acorrem todos,
para o regalo bom que ele oferece.
Logo, em torno de nós, eles se prostram
como diante de um deus, em muda prece.

OUTRA PARTE DO CORO:
Ao reflexo magnífico das rochas
nos grudamos, de modo suave e terno,
atentas ao rumor da ave, do junco,
e da flauta de Pã, em eco eterno.
Se há zumbidos, zumbimos; se há trovões,
nós também, em resposta, trovejamos;
qualquer que seja o som: seja alarido,
seja sussurro, grito ou estampido,
nós duplicamos, nós centuplicamos!

UMA TERCEIRA PARTE:
Somos irmãs de espírito agitado,
com os regatos, sempre caminhamos,
encosta abaixo, em descida veloz,
até que a várzea, enfim, nós alcançamos.
Então, seguimos calmas, lentamente,

regando pastos, campos, bosques, prados,
seguindo a direção que nos indicam
as copas dos ciprestes afastados.

UMA QUARTA PARTE:
Enquanto vos moveis, nos instalamos
na encosta da colina cultivada
com videiras, nas quais o vinhadeiro
labuta, com ancinho, pá e enxada.
Enquanto cava e poda, invoca os deuses,
especialmente o Sol, do qual depende,
mas Baco, o efeminado, faz que ignora;
somente aos jovens faunos ouve e atende,
numa constante semi embriaguez,
enquanto odres e jarras esvazia.
Por sorte, os outros deuses, Hélio à frente,
não deixam que lhe falte a luz do dia,
nem o frescor da brisa ou do rocio,
para que os frutos brotem na videira.
Com isso, o agricultor vê compensado
o cansaço, o suor, a trabalheira;
multiplica as estacas, colhe os frutos,
enche as cestas e as leva até o lagar
onde ágeis dançarinos vão poder
em breve sobre as bagas pisotear.

A sagrada abundância, aos pés calcada,
num mar de espuma vai-se transformando,
e pouco após se escuta o som vibrante
de sinos jubilosos repicando.

Dioniso revelou-lhe seu mistério,
e surge, como sempre, acompanhado
de sátiros, que dançam loucamente,
pisando em toda parte sem cuidado,
enquanto orneja a besta de Sileno[105]
e a vertigem se apossa do embriagado.

Quem bebe, embora tente ser prudente,
vai aos poucos perdendo a compostura;
afinal, ao tumulto vai juntar-se,
e do comedimento se descura.
Bebe-se mais e mais. A embriaguez
se evidencia até no próprio rosto;

como se diz: tonel velho só serve
para esvaziar e então guardar-se o mosto.

(Cai o pano. No proscênio, Fórquias aparece como se fosse um gigante. Tira os coturnos, depois a máscara e o véu,
mostrando-se então como Mefistófeles, pronto
para comentar a peça ao chegar o epílogo,
se assim for necessário).

99. Goethe desloca para o alto da torre de vigilância de um castelo medieval o próprio Linceu, vigia da nau dos Argonautas.

100. De fato, Helena não poderia conhecer a arte de rimar, pois esse recurso poético somente passou a ser empregado a partir da Idade Média.

101. Principal porto do Peloponeso, próximo de Esparta.

102. Hermes ou Mercúrio, deus da cultura física, do comércio e dos ladrões.

103. Ou seja, o Peloponeso, que não é ilha, mas sim península.

104. Ou seja, de Perséfone, a rainha das trevas.

105. Filho de Baco, que sempre andava montado num burro.

QUARTO ATO

CORDILHEIRA

(Cumes rochosos escarpados e amedrontadores. Uma nuvem se aproxima da montanha, encosta-se nela e vai descendo até atingir um ressalto, junto ao qual se detém e se abre, deixando sair Fausto).

FAUSTO: Ao contemplar sob meus pés a mais profunda das soledades, quedo-me pensativo junto à borda desta escarpa, após deixar a nuvem que até aqui me trouxe por sobre terras e mares, flutuando durante todo este dia radioso. Segue ela agora para longe de mim, sem se dissipar. Sua massa compacta avança para o Oriente, enquanto meus olhos pasmados acompanham seu curso. Eis que ela se divide em partes, mas prossegue em seu avanço, adquirindo novas formas.

Vejo-a agora assumindo o formato de uma figura feminina. Sim, meus olhos não me enganam: destas elevações banhadas de sol enxergo uma imagem de mulher parecida com uma deusa, reclinada langorosamente sobre coxins. Lembra Juno, lembra Leda, lembra Helena — quão majestosa se apresenta diante de meus olhos!

Oh! Está mudando de forma! Voltou a acumular-se, retratando a imagem de uma montanha coberta de neve, para os lados do Oriente. Seu reflexo deslumbrante me traz a recordação de dias fugazes. Em torno de mim, à altura de meu peito e minha fronte, flutua uma faixa de névoa que me refresca e acaricia.

Agora sobe ligeira e sinuosamente, cada vez mais alto, até adquirir uma nova conformação: seria a sedutora imagem daquele supremo bem que desfrutei na juventude, e que há tanto tempo perdi? Tesouros há tempos enterrados vêm à tona, brotando das profundezas do coração e trazendo-me à lembrança, qual num voo ligeiro, o amor que assinalou a aurora de minha vida. Essa fugaz visão, embora mal e mal percebida, perdura em minha mente, superando o brilho de todos os tesouros. Ao relembrá-la, minha alma realça sua beleza. Mas eis que sua imagem, mesmo sem se dissipar, ascende ao céu, levando consigo o melhor que trago dentro de mim.

(Uma pisada de bota de sete léguas retumba no solo. A esta, sucede-se outra. Mefistófeles desce delas. As botas prosseguem seu caminho ascendente).

MEFISTÓFELES: Isso, sim, é que é andar para frente! Mas conta-me: que se passa dentro de tua cabeça? Por que quiseste descer por estes despenhadeiros de boca estreita e vir parar logo aqui? Conheço bem este lugar, que me faz lembrar as profundezas dos infernos.

FAUSTO: Lá vens de novo com tuas narrativas de lendas mirabolantes. Vais inventar mais uma?

MEFISTÓFELES: Quando Deus, o Senhor — bem conheço as razões — nos fez migrar dos ares para as mais remotas profundezas, ali em cujo centro arde um fogo eterno, logo estranhamos aquele lugar excessivamente claro, apertado e incômodo. Todos os diabos começamos a tossir ao mesmo tempo, e o inferno se encheu de um mau cheiro que lembrava mistura de ácido e de enxofre. Formou-se um gás de tal poder de pressão, que a crosta terrestre rachou de fora a fora, permutando os extremos: o que antes era abismo tornou-se cume e vice-versa. Nisso se assenta a reta doutrina: há que se inverter o mais profundo, transformando-o em ponto culminante. Assim, de um lugar acanhado e abrasador, passamos à vastidão do ar livre. Esse é um mistério bem guardado, que somente no futuro será revelado às gentes. *(Cf. Efésios, 6, 12).*

FAUSTO: Os maciços montanhosos permanecem inteiramente silenciosos à minha frente. Não pergunto de onde vieram, nem por que estão aí. Quando a Natureza se autoconcebeu, o globo terrestre assumiu por conta própria uma perfeita forma esférica e, para distrair-se, formou picos e vertentes abruptas, modelou as plácidas colinas de encostas suaves e aplainou os vales, onde tudo passou a crescer e reverdecer. Como se vê, ela não precisa de efervescer para entreter-se.

MEFISTÓFELES: É assim que pensas, e isso te parece tão claro como a luz do sol. Quem esteve lá, porém, sabe que tudo ocorreu de maneira diferente. Ali estava eu quando a massa fervente e borbulhante do abismo subiu, despedindo uma tormenta de chamas. Ao ser golpeado contra as rochas, o martelo de Moloch lançou a grandes distâncias os escombros dos montes. Na terra ainda se podem encontrar acúmulos dessas estranhas massas. Quem poderia explicar a força desse impulso? Nenhum filósofo o consegue. A rocha ali está, e não sabemos qual seria a sua origem, por mais que meditemos até estourar a cabeça. O povo simples é o único que o compreende, sem precisar recorrer a explicações absurdas. Nele, a sabedoria teve tempo suficiente para amadurecer. Está aí um prodígio que se deve atribuir a Satanás. Coxeando e apoiando-se em seu cajado, o peregrino passa ao lado da Pedra do Demônio e atravessa a Ponte do Diabo.

FAUSTO: É curioso observar como os comparsas de Satã costumam participar da Natureza...

MEFISTÓFELES: E que tenho eu a ver com isso? Que a Natureza seja como lhe apraz. A questão de honra é que, quando ela se fez, ali estava o diabo.

Somos destinados a realizar grandes feitos. Tumulto, violência e delírio: eis aí a comprovação. Mas, falando claramente: será que não existe algo sobre a face da Terra que desejes possuir? Já pudeste abarcar com o o-lhar a extensão imensurável de *"todos os reinos do mundo com o seu esplendor"(Mt, 4, 8)*. Dessa contemplação não te adveio algum desejo que pudesses saciar?

FAUSTO: Claro que sim. Há uma certa realização — coisa grande! — que me seduz. Adivinha o que poderia ser.

MEFISTÓFELES: Em breve providenciarei para que consigas realizá-la. De minha parte, eu gostaria de possuir uma cidade, uma capital, assim constituída: no centro, ali onde os cidadãos obtêm seu sustento, ruelas estreitas e tortuosas, casas de fachadas alcantiladas, um pequeno mercado com repolhos, nabos, cebolas e postas de carne sobre as quais pululam moscas para cevar-se de gordura. Ali se depara, durante todo tempo, com fedor e atividade febril. Mais adiante, amplas praças e ruas largas, aparentando uma certa distinção. Finalmente, além das muralhas e das portas, estende-se um nunca-acabar de arrabaldes. Ali me deleitarei, contemplando o desfile das carruagens, o vaivém do tráfego, as idas e vindas do povo, como num fervilhante formigueiro. E por onde quer que eu passe, a pé ou a cavalo, sempre serei saudado e aclamado por centenas de milhares de pessoas.

FAUSTO: Uma coisa dessas não me daria prazer algum! A mim me alegra que as pessoas se multipliquem, que se alimentem bem e se divirtam, e que se eduquem e se instruam... Todavia, outra coisa não se consegue senão produzir rebeldes.

MEFISTÓFELES: Então, num lugar aprazível, eu construiria um palácio de recreio em estilo grandioso, como bem o sei fazer. O bosque, as colinas, as planícies, a campina, tudo estaria disposto como num esplêndido jardim. Orladas por muros de verdura, avenidas retilíneas, arborizadas com arte, chafarizes e repuxos de todo tipo, jorrando água sem parar; aqui brotando com ímpeto, ali escorrendo sussurrante, acolá descrevendo mil filigranas no ar. Para as formosas damas eu construiria casinhas acolhedoras e cômodas, para ali desfrutar longas horas de repouso, sempre em boa companhia. Digo "damas" porque, não custa deixar claro, somente aprecio a beleza no plural.

FAUSTO: Ah, novo e cruel Sardanapalo[106]!

MEFISTÓFELES: E no teu caso, será possível saber o que desejavas realizar? Certamente haveria de ser algo sublime e atrevido. Como andaste tão perto da Lua, acaso te teria levado até lá o teu desejo?

FAUSTO: Absolutamente! A esfera terrestre oferece campo vasto e suficiente para ousadas empresas. Aqui mesmo poderei realizar algo digno de admiração. Sinto-me com forças para empreender um nobre feito.

MEFISTÓFELES: E que pretendes com isso? Granjear fama? Vê-se que conviveste há pouco com heroínas...

FAUSTO: O que me interessa é alcançar o poder e obter a posse. A ação é tudo; a fama, nada é.

MEFISTÓFELES: Sempre haverá poetas para relatar à posteridade teus brilhantes feitos, usando tua loucura para trazer à tona a loucura alheia.

FAUSTO: Alheio é o teu conhecimento de tudo isso. Que sabes acerca dos anseios do homem? Quem és tu, ser tacanho, amargo e repugnante, para estares a par daquilo que os homens carecem?

MEFISTÓFELES: Seja então conforme desejas. Conta-me o que andaste elucubrando.

FAUSTO: Meus olhos contemplavam o alto mar, vendo-o intumescer, alçar-se ao topo, e depois desfazer-se em ondas que quebravam na praia e penetravam pelo interior da terra firme. Isso me aborreceu, por me fazer lembrar como o orgulho, excitando um sangue inquieto e apaixonado, pode desvirtuar o pensamento reto daquele que respeita todos os direitos. Mas logo vi que se tratava de uma ideia passageira, porque, prosseguindo em minha contemplação, notei que a onda se detinha, retrocedia e se afastava do trecho que orgulhosamente havia alcançado, para logo em seguida recomeçar sua brincadeira.

MEFISTÓFELES *(aos espectadores):* Que grande novidade acabo de escutar! Há uns cem mil anos que sei de tudo isso!

FAUSTO *(continuando a falar com entusiasmo):* A onda estéril vai deslizando, espargindo sua esterilidade pelos mil lugares por onde passa. Ela incha, cresce e depois se quebra, espraiando-se pelas areias ermas da praia deserta. Após exercer seu domínio, numa sequência de onda atrás de onda, retira-se dali sem criar coisa alguma, o que me intriga e desespera. Trata-se do desencadeamento absolutamente inútil de potentes elementos. É contra isso que meu espírito se revolta, ansioso por enfrentar e domar essa força. E isso é possível de se conseguir! Por mais alta que seja a maré, o mar sempre se detém diante de qualquer outeiro que se lhe anteponha. Mesmo que ele prossiga com sua presunçosa agitação, qualquer pequena elevação desfaz o seu orgulho, e basta uma pequena fenda para capturá-lo inexoravelmente. Isso me fez conceber um plano atrás de outro, na doce esperança de expulsar o soberano mar para longe das margens que constituem seu limite, reduzindo seus extensos e úmidos domínios temporários, e deixando-o contido em seu domínio perma-nente. Fui pouco a pouco amadurecendo esta ideia, que hoje constitui o meu desejo. Vê se consegues concretizá-lo para mim.

(Ouvem-se ao longe o repique de tambores e o som de música de guerra, proveniente do lado direito do cenário).

MEFISTÓFELES: Um pedido fácil de se atender! Não escutas tambores ao longe?

FAUSTO: Guerra de novo! Ao homem sensato esse som aborrece.

MEFISTÓFELES: Na guerra ou na paz, o que importa é tirar partido das circunstâncias. Há que se estar atento à oportunidade e saber quando ela está prestes a chegar. Ei-la que se aproxima, Fausto: aproveita-a!

FAUSTO: Poupa-me desses enigmas e explica logo o que tens em mente.

MEFISTÓFELES: Durante minhas viagens não deixei de recordar que o nosso bom Imperador anda passando por apuros. Quando lhe pusemos nas mãos uma falsa riqueza, ele achou que podia comprar o mundo para si. Era muito jovem quando teve a sorte de herdar o trono, e sua inexperiência, somada ao fato de ser um belo rapaz, o levou à falaz conclusão de que poderia governar e divertir-se ao mesmo tempo.

FAUSTO: Grave erro! Quem governa deve concentrar seu prazer no simples ato de comandar. Seu peito tem de estar repleto de intenções, mas o que ele almeja deve ser insondável para todos. O que segreda aos ouvidos dos súditos mais leais, logo o executa, deixando os demais surpresos. Além de ser o governante supremo, tem de ser o mais digno possível, porquanto a diversão vulgariza a pessoa.

MEFISTÓFELES: Foi ele próprio quem se entregou aos prazeres — e como! Nesse meio tempo, o império afundou numa verdadeira anarquia, na qual o grande e o pequeno brigavam por dá cá aquela palha. Viam-se então irmãos pelejando entre si e se matando, fortaleza combatendo contra fortaleza e cidade contra cidade, grêmios de artesãos rebelando-se contra as prerrogativas da nobreza, o bispo se opondo ao clero e à comunidade. Bastava que dois se entreolhassem, para que ambos se tornassem inimigos. Até nas igrejas eram habituais a morte e o assassinato. Atrás das portas da cidade, não havia comerciante ou mercador que se sentisse a salvo. A ousadia de todos aumentava a olhos vistos, já que, para viver, era preciso defender-se. E era desse modo que tudo ia seguindo seu curso.

FAUSTO: Mas que modo de seguir um curso: mancando, tropeçando, caindo, voltando a levantar-se, para em seguida cair de chofre no chão!

MEFISTÓFELES: Ninguém ousava condenar aquela situação. Todos podiam e procuravam fazer e acontecer. O menor de todos podia tudo cobiçar. Por fim, até mesmo os melhores começaram a achar que tudo aquilo se tornara insuportável. Foi então que os mais esclarecidos se levantaram desassombradamente e disseram: *"Queremos ser governados por quem nos proporcione a paz. O Imperador não pode proporcioná-la, e muito menos mantê-la. Assim sendo, vamos eleger um novo Imperador, que imponha um novo estilo de vida ao Império, e que nos satisfaça a todos, inaugurando uma nova era de paz e de justiça".*

FAUSTO: Isso soa muito clerical.

MEFISTÓFELES: Também havia clérigos entre eles, e esses tais gostavam de manter as panças bem repletas. Por isso, sentiam-se mais prejudicados que os outros. O levante cresceu e por eles foi abençoado. Agora, o Imperador, a quem um dia tanto fizemos feliz, bateu em retirada e se dirige para cá, talvez para enfrentar sua última batalha.

FAUSTO: Sinto pena dele, porque me parecia uma pessoa boa e franca.

MEFISTÓFELES: Vamos examinar a situação. Enquanto há vida, há esperança. Livremo-lo de sua prisão neste estreito vale. Salvando-o uma vez, será como se mil vezes o houvéssemos salvo. Quem sabe como irão cair os dados na próxima jogada? Se a sorte lhe sorrir, não lhe faltarão vassalos...

(Sobem a uma montanha de altura mediana, e observam o exército no vale, preparando-se para a luta. Ouve-se no topo do monte o rufar dos tambores e o som de música marcial).

Vejo que a posição foi bem escolhida. Basta uma pequena intervenção nossa, e a vitória estará garantida.

FAUSTO: A que tipo de truques irás agora recorrer? A ilusionismo? A artifícios mágicos? Ou a aparências vazias?

MEFISTÓFELES: Lançarei mão de estratagemas táticos que nos ajudarão a ganhar batalhas. Conserva teus nobres ideais na mente e não percas de vista teus elevados fins. Se lhe preservarmos o trono e o império, bastará que te ajoelhes a seus pés para que recebas como recompensa toda a extensa região costeira.

FAUSTO: Já realizaste numerosos feitos. Vamos ver se agora consegues vencer uma batalha.

MEFISTÓFELES: Eu, não; tu, sim, irás vencê-la. Para tanto, serás nomeado general-em-chefe.

FAUSTO: Assenta-me bem tal distinção!... Como ser o comandante, se nada entendo dessas coisas?

MEFISTÓFELES: Deixa os detalhes com o Estado Maior, e assim o Marechal não ficará malsatisfeito. Faz já tempos que senti o mau cheiro da imundície bélica; então, por precaução, formei antecipadamente um conselho de guerra, servindo-me da incontrolável força dos rudes e primitivos habitantes das montanhas. Feliz daquele que consegue contar com eles.

FAUSTO: Que gente é essa que ali vejo, toda equipada e armada? Conseguiste pôr em pé de guerra os montanheses?

MEFISTÓFELES: Não, mas, do mesmo modo que Peter Squenz[107], consegui extrair a quintessência dessa imunda ralé.

(Entram Os Três Valentes — Samuel, II, 23, 8).

Eis aqui meus rapazes. Cada qual tem sua idade, seu armamento e seus trajes, todos diferentes. Não te sairás mal com eles.

(Entram espectadores): O que têm em comum é gostar de usar arnês e elmo, e ainda que tais complementos sejam alegóricos, sentem-se muito bem com eles.

MÃO-PESADA *(jovem apetrechado com armas ligeiras e vestido com um traje muito colorido):* Se alguém me encarar, dou-lhe um pescoção, e se o covarde fugir, seguro-o pelos cabelos.

MÃO-LEVE *(viril, bem armado, ricamente vestido)*: Isso não passa de bravata e perda de tempo. Ocupa-te tão somente de te tornares dono do que for possível pegar, deixando o resto para outra ocasião.

MÃO-FIRME *(entrado em anos, armado dos pés à cabeça, trajado com sobriedade)*: Tampouco se ganha muito com isso. Um grande cabedal rapidamente se desfaz, tragado pela correnteza da vida. Embora tomar seja bom, conservar é melhor. Confia na experiência deste teu colega grisalho, e não permitas que pessoa alguma tire de ti seja o que for.

(Todos vão descendo).

106. Rei assírio, paradigma da gula e da luxúria.

107. Personagem de uma obra de André Grypphius (1657), na qual se conta a história de um diretor de teatro que, embora não dispondo de atores profissionais, mas tão somente de gente do povo, mesmo assim consegue encenar com brilhantismo uma peça considerada difícil.

NO SOPÉ DA CORDILHEIRA

(Rufar de tambores e toque de música militar no vale logo abaixo. A tenda do Imperador está sendo armada).

(O Imperador, o Generalíssimo e a Escolta Imperial.

GENERALÍSSIMO: Continuo achando bem traçado o plano de manter o exército concentrado neste vale dotado de tão boa situação Espero que esta ideia seja proveitosa.

IMPERADOR: Já se verá o resultado. Causa-me mal-estar esta espécie de fuga, esta retirada.

GENERALÍSSIMO: Observai, Majestade, nosso lado direito. Trata-se de uma posição mui adequada à estratégia bélica. As colinas, conquanto não sejam escarpadas, tampouco são de todo acessíveis, o que as torna propícia defesa para os nossos e perigosa armadilha para o inimigo. Estando nós semi escondidos nesta ondulada planície, a cavalaria não ousará penetrar até aqui.

IMPERADOR: Não me resta outro remédio senão concordar. Aqui se poderá pôr à prova a força dos braços e dos corações.

GENERALÍSSIMO: Aqui neste amplo espaço central da planície vereis a falange disposta para o combate. As lanças cintilam no ar, refletindo a luz do sol que se filtra por entre os vapores da névoa matinal. Vede como se agita o poderoso quadrado, formado por milhares de homens dispostos a realizar uma notável façanha. Bem podereis avaliar a força desse conjunto. Confio em que saberão como dispersar as tropas inimigas.

IMPERADOR: Pela primeira vez vejo algo tão belo de um só golpe de vista. Um exército assim vale por dois.

GENERALÍSSIMO: E nada digo de nosso flanco esquerdo. A íngreme penedia está ocupada por bravos heróis. Ali onde agora reluz o brilho das armas estamos defendendo a estratégica passagem do estreito desfiladeiro. Posso até antever a fragorosa e sangrenta derrota que ali será infligida às falanges contrárias.

IMPERADOR: Do outro lado vão os falsos parentes que, chamando-me de tio, primo e irmão, estavam sempre se permitindo novas liberdades. Foram eles que tiraram a força do cetro e a veneração que se deve ter pelo trono. No início, disputando o poder entre si, devastaram o império; agora, tornando-se aliados, voltam-se contra mim. A multidão fica hesitante e indecisa, mas acaba se deixando levar pela correnteza.

GENERALÍSSIMO: Um homem fiel, enviado como espia, vem descendo apressadamente a encosta. Oxalá tenha tido sorte.

PRIMEIRO EXPLORADOR: Agindo com astúcia e coragem, pudemos percorrer o território em todas as direções, mas não são boas as notícias que trazemos. Muitos se comprometem a prestar-vos vassalagem plena, jurando fidelidade perene, mas alegam como desculpa para a sua inatividade a agitação interna que grassa entre o povo.

IMPERADOR: A doutrina do egoísmo é e sempre será guardar-se a si próprio, sem se preocupar com coisas tais como gratidão, dever e respeito. Não vos dais conta de que, quando menos esperardes, o incêndio da casa do vizinho irá se alastrar até a vossa?

GENERALÍSSIMO: Aproxima-se o segundo explorador. Esse já desce vagarosamente. Demonstra estar fatigado, e todos os seus membros estão tremendo.

SEGUNDO EXPLORADOR: Já desde o início pudemos testemunhar o povo em tumulto, num total desnorteio. Inopinadamente, eis que surgiu um novo Imperador e, através de sendas e rotas predeterminadas, arrastou consigo a multidão através da planície. Com sua natureza de cordeiro, todos foram atrás das enganosas bandeiras com que ele os conclama.

IMPERADOR: Considero positivo o surgimento desse Anti-Imperador, pois isso me torna consciente da minha condição efetiva de Imperador. Antes eu só havia envergado o arnês em desfiles militares; agora pô-lo-ei com finalidades mais elevadas. Durante os festejos e torneios, ainda que neles sobrasse ação e nada parecesse faltar, na realidade uma ausência eu sentia: a do perigo. Quando acontecia o jogo de ensartar o anel na lança, meu coração batia forte, e eu começava a respirar o ar próprio dos torneios. De fato, se não me houvésseis desaconselhado a guerrear, eu já teria granjeado fama pelos feitos heroicos realizados. Senti gravada em meu peito a marca da independência quando me vi refletido no reino do fogo. As chamas se arrojaram ferozmente sobre mim. Era só uma ilusão, mas como aparentava ser real! Em meu delírio, me vi conquistando triunfos e glórias. Agora poderei reparar aquilo que, esquecendo minha honra, deixei de fazer.

(Os Arautos são enviados para se apresentar diante do Anti-Imperador, desafiando-o para um combate singular.
Fausto enverga arnês e elmo, e mantém a viseira entreaberta. Junto dele estão os Três Valentes, armados e usando os trajes há pouco descritos).

FAUSTO: Eis-nos aqui em vossa presença, confiantes de não sermos repreendidos. Mesmo quando não é necessária, é sempre bem-vinda a previdência. Como bem o sabeis, a gente da montanha estuda e discute o que aprendeu no livro da Natureza e nas rochas. Os espíritos que faz tempos emigraram da planície foram-se aprofundando cada vez mais nos segredos das encostas rochosas da serra. Trabalham em silêncio através das intrincadas fendas das montanhas, em meio aos gases produzidos pelas ricas emanações metálicas. Num constante afã, destilando, provando e fundindo, têm como objetivo único descobrir coisas nova. Com mãos detentoras de poderes espirituais, modelam formas diáfanas, e depois visualizam no cristal os fenômenos misteriosos do eterno mundo superior.

IMPERADOR: Ouvi falar deles, e creio no que acabaste de me contar. Todavia, a troco de quê, meu bravo, me dizes tais coisas?

FAUSTO: O nigromante sabino de Nórcia, fiel e honrado súdito vosso, mandou-me em seu lugar. Ele estava prestes a ser executado, condenado que fora a uma cruel e horrenda morte. Quando os galhos secos misturados a pez e enxofre começavam a crepitar consumidos pelo fogo, quando se imaginava que nenhum homem, nem Deus, nem o demônio. iriam salvá-lo, Vossa Majestade arrancou-o dali e rompeu aquelas cadeias candentes. Foi em Roma que isso ocorreu. Destarte, ele ficou devendo-vos a vida, passando a acompanhar atentamente tudo o que se passa convosco. Desde então esqueceu-se de si mesmo, e só faz consultar as estrelas e as entranhas da Terra. indagando sobre vossa sorte. Ele nos encarregou de vos prestarmos apoio e ajuda, acompanhando-vos de perto. São pujantes as forças da montanha. Ali a Natureza atua com liberdade e com grande poder. A obtusa inteligência dos clérigos entende que isso tudo seja bruxaria...

IMPERADOR: Em dias de comemorações festivas, sempre recepcionamos todos os convivas que vêm despreocupadamente desfrutar dos festejos, e é com prazer que vemos como todos se empurram e se comprimem, e como a entrada de um convidado atrás do outro vai tornando pequenos os recintos do palácio. Que dizer então da recepção à qual faz jus o homem leal que se apresenta diante de nós oferecendo-nos apoio e ajuda durante o inquietante amanhecer, quando diante de nós se vê a balança oscilante do Destino! Mesmo que estejamos passando por um momento de angústia, podes descansar a mão que empunha a espada, deixando para brandi-la na hora em que milhares se empenharão em lutar a meu favor ou contra mim. O homem vale pelo que é. Quem aspira ao trono e à coroa, que seja digno deles. Portanto, seja nosso o punho que há de remeter ao reino dos mortos o abantesma que se ergueu contra nós, autoproclamando-se Imperador e novo dono de nossas terras, chefe de nossos exércitos e comandante de nossa nobreza.

FAUSTO: Sem dúvida, seria glorioso realizardes tal façanha, mas não me parece sensato que exponhais assim vossa cabeça. Não estais devidamente protegido por vosso elmo, dotado de cimeira e penacho? É ele que defende a cabeça que nos anima. De que servem os membros, se o corpo estiver privado da cabeça? Se ela adormecer, todos ficarão paralisados. Se for ferida, todos também o serão. Se eles tornam a entrar em ação, é porque ela se curou. Com rápido reflexo, sabe o braço defendê-la com firmeza, erguendo o escudo para proteger o crânio. Ao mesmo tempo, a espada cumpre decididamente seu dever, desviando o golpe e devolvendo-o. O ágil pé toma parte na refrega, calcando a nuca do adversário derrubado.

IMPERADOR: É assim que minha ira me induz a tratá-lo: fazendo de sua orgulhosa cabeça um escabelo.

OS ARAUTOS
(retornando):
Em vez de sermos tratados
com respeito e honraria,
receberam-nos com risos,
com escárnio e zombaria.
"*Vosso Imperador*", disseram,
"*como um eco se desfez,*
e se nos vem à memória,
morre no início da história:
fica ali no era-uma-vez"...

FAUSTO: Os acontecimentos estão vindo ao encontro dos anseios daqueles que se mantiveram fiéis a vosso lado. Eis que o inimigo se aproxima. Vossos homens aguardam-nos cheios de ardor. Ordenai o ataque, porquanto o momento é propício.

IMPERADOR: É hora de renunciar ao comando.

(Dirigindo-se ao Generalíssimo): Em tuas mãos deponho este alto encargo.

GENERALÍSSIMO: Então que entre em ação a ala direita. O flanco esquerdo do inimigo, que vem galgando a encosta neste instante, antes de chegar ao passo deverá recuar diante da pujança juvenil dos nossos, cuja fidelidade ora será posta à prova.

FAUSTO: Permiti que este dinâmico herói se integre agora mesmo a vossas fileiras, reforçando-as com seu valor e participando de suas ações *(aponta para o guerreiro da direita)*.

MÃO-PESADA *(adiantando-se)*: Quem me encara de frente terá de olhar para o lado de mandíbulas quebradas. Quem me dá as costas logo recebe um tal pescoção, que sua nuca fica pelada. Aos que ferirem vossos homens com clava ou espada, logo darei o troco, fazendo com que um a um se afogue em ser próprio sangue. *(Vai-se)*.

GENERALÍSSIMO: Que a falange deixe, e sem alarde, o centro da tropa, lançando mão de astúcia e força para enfrentar nosso inimigo. Que se desloque um pouco para a direita, e ali, partindo para o ataque sem trégua, nosso pelotão de choque desfaça tudo o que o inimigo planejou.

FAUSTO *(mostrando o guerreiro do meio)*: Que este também obedeça a vosso comando. Sabe ser veemente e persistente.

MÃO-LEVE *(adiantando-se)*: À bravura heroica da tropa imperial deverá somar-se a volúpia da pilhagem. Tenham todos por objetivo a rica tenda do Anti-Imperador. Ele nunca mais voltará a ficar pavoneando em torno dela. Rogo-vos que me ponhais à frente da falange.

VIVANDEIRA ESPERTA *(sempre se aconchegando a Mão-Leve):* Ainda que eu não seja sua esposa, considero este aqui o mais adorável dos galãs. A safra está madura, é hora de colher. Mulheres são firmes no agarrar e tirar, e sem escrúpulos no saquear e carregar. À vitória, porque agora vale tudo!

(Ambos se vão).

GENERALÍSSIMO: Como estava previsto, o flanco direito do inimigo acaba de ficar face a face com a nossa ala esquerda. Teremos um feroz combate homem a homem, todos empenhados no intento de conquistar o estreito desfiladeiro rochoso.

FAUSTO *(indicando o lado esquerdo)*: Peço-vos, Majestade, que atenteis também para esse aí. Não faz mal algum reforçar aquilo que já é forte.

MÃO-FIRME *(adiantando-se):* No que concerne à ala esquerda, não haverá por que se preocupar. Onde eu me encontro, ninguém tira o que já se conquistou. Confiai na experiência do velho: nem o raio destrói o que comigo está. *(Vai-se)*

MEFISTÓFELES *(descendo lentamente):* Vede agora como, de dentro de cada fenda das rochas, sai uma legião de guerreiros armados, tornando ainda mais apertado este estreito passo. Com seus elmos, arneses, espadas e escudos, formam uma verdadeira muralha em nossa retaguarda, aguardando apenas um sinal para deflagrarem o ataque.

(Falando em tom confidencial): Não deveis perguntar de onde eles vieram. A verdade é que não me fiz de bobo: esvaziei todas as salas de armas que havia nos arredores. Ali estavam os guerreiros, uns a pé, outros a cavalo, como se fossem os senhores da terra. Outrora, tinham sido cavaleiros, reis, imperadores; hoje não passam de cascas vazias, quais conchinhas de caracol. Recheei-as com duendes, reavivando desse modo a Idade Média. Embora não passem de diabretes fantasiados, mesmo assim conseguem produzir um belo efeito!

(Em voz alta): Escutai como se batem enfurecidos, como se empurram uns contra os outros, como entrechocam suas couraças. Os farrapos das velhas bandeiras se transformam em estandartes, esperando ansiosamente um sopro de ar fresco para voltarem a flutuar. Lembrai-vos de que estamos diante de um povo antigo, decidido a tomar parte num combate moderno.

(Som estentóreo de trombetas vindo de cima. O exército inimigo demonstra uma evidente hesitação).

FAUSTO: O horizonte tornou-se escuro. Só aqui e ali se distingue um clarão avermelhado, trazendo um mau pressentimento. São as armas ensanguentadas que reluzem, misturadas aos lampejos dos penhascos, do bosque, da atmosfera e de todo o céu.

MEFISTÓFELES: O flanco direito se mantém firme. Entre os que aí lutam vejo como se destaca João Mão-Pesada, o incansável brutamontes, empenhado naquilo que sabe fazer.

IMPERADOR: Primeiro, vi um braço erguido, mas logo em seguida não era um, eram doze, e cheios de fúria. Isso não me parece natural.

FAUSTO: Não ouvistes falar das esgarçadas nuvens de névoa que pairam diante das costas da Sicília? Ali flutuam nitidamente em plena luz do dia. Quando se elevam até a região média do ar, refletem imagens difusas, e então surgem no éter estranhas visões de cidades oscilantes, jardins que sobem e descem, miragens que se sucedem uma após outra.

IMPERADOR: Mas que estranho! Vejo cintilar todas as pontas finas das lanças. Sobre elas dançam pequenas chamas. Isso me parece ter a ver com os espíritos.

FAUSTO: Perdoai, Majestade, mas são apenas vestígios de entes espirituais desaparecidos, um reflexo dos Dióscuros, pelos quais juravam outrora os navegantes. Eles aqui concentraram o que ainda restava de suas forças.

IMPERADOR: Mas dize-me, a quem devemos essa tão extraordinária ajuda que a Natureza nos vem proporcionando?

MEFISTÓFELES: A quem, senão ao mestre que decidiu velar por vós e proteger vosso destino? Deixaram-no perturbado as violentas ameaças de vossos inimigos. Devido à gratidão que sente por vós, quer ver-vos a salvo, ainda que isso lhe custe sua própria vida.

IMPERADOR: O povo se comprazia ao ver-me passar com grande pompa. Naquela época, eu tinha algum prestígio. Quis tirar a prova e, sem muito pensar, deparei com a possibilidade de conceder ar fresco àquele indivíduo de barbas brancas. Frustrei o clero, e isso não me granjeou precisamente sua simpatia. Devo agora, depois de tantos anos, experimentar o efeito de uma boa ação?

FAUSTO: Um grande favor sempre resulta em benefício. Dirigi vosso olhar para diante, pois parece que ele quer enviar-nos algum sinal. Prestai atenção, porque isso acontecerá dentro em breve.

IMPERADOR: Vejo uma águia a voar nas alturas. Um grifo a persegue, ameaçando-a ferozmente.

FAUSTO: Vede bem: isso me parece ser de bom presságio. O grifo é um animal imaginário. Como poderia esquecer-se tanto de sua natureza, a ponto de querer medir-se com uma águia real?

IMPERADOR: Estão a rodear-se mutuamente, descrevendo círculos muito amplos. Agora, subitamente, arrojaram-se um contra o outro, cada qual se empenhando em bicar o peito e a garganta do oponente.

FAUSTO: Observai agora como o nefasto grifo, derrotado na refrega, demonstra a dor que o consome, e então, enfiando sua cauda de leão por entre as pernas, despenca sobre o bosque que se estende através da encosta do morro, e desaparece.

IMPERADOR: Que tudo se cumpra conforme foi prenunciado. Aceito-o, tomado de espanto e admiração.

MEFISTÓFELES *(olhando para a direita):* O inimigo está retrocedendo, em razão de nossos golpes potentes e repetidos, e, defendendo-se desordenadamente, dispersa-se em tropel para a direita, deixando desprotegido o flanco esquerdo, no qual se concentra sua principal força. Ao mesmo tempo, a compacta vanguarda de nossa falange ataca o lado direito e, rápida como um relâmpago, acomete o seu ponto fraco. Agora, como ondas fragorosas provocadas por uma tempestade, as duas tropas se entrechocam, numa luta feroz e sem trégua. Coisa alguma mais grandiosa que essa seria possível imaginar-se. Pode-se dizer que, para as nossas hostes, a batalha está ganha.

IMPERADOR *(à esquerda de Fausto):* Naquele outro ponto, contudo, as coisas me parecem estar correndo mal. Nossa situação ali é melindrosa. Não vejo pedra alguma sendo lançada, mas sim os rochedos do sopé da montanha sendo escalados. As posições superiores já foram abandonadas. O inimigo avança em massa a olhos vistos. Talvez já tenha conquistado a passagem. Eis o resultado de vossas ímpias manobras. Vossos artifícios se mostraram inúteis!

(Pausa).

MEFISTÓFELES: Aí vêm meus dois corvos. Que mensagem me trarão? Temo que nos tenhamos saído mal...

IMPERADOR: Que novas nos trazem essas aves agourentas? Lá vêm elas planando, com suas asas negras abertas, após terem deixado o ardente combate que se trava junto às rochas.

MEFISTÓFELES *(aos corvos)*: Pousai à altura de meus ouvidos. Ainda não está perdido aquele a quem protegemos, pois vosso conselho é sempre sensato.

FAUSTO *(ao Imperador):* Por certo já ouvistes falar dos pombos que voltam de terras longínquas, aqui fazendo seus ninhos e caçando o sustento de sua ninhada. Agora ocorre algo semelhante, se bem que com alguma diferença. Os pombos trazem mensagens de paz, enquanto que os corvos ficam incumbidos dos comunicados de guerra.

MEFISTÓFELES: Anuncia-se um desastre. Vede! Mirai os apuros em que se encontram nossos heróis cercados por esses rochedos. As posições mais elevadas foram tomadas, e estaremos em situação difícil se o inimigo conquistar o passo.

IMPERADOR: Fui logrado! Caí em vossa rede, e tremo de horror ao me ver nela preso!

MEFISTÓFELES: Antes de tudo, mantende elevado o vosso ânimo. Nem tudo está perdido. Conservai vossa paciência e esperança até o último instante. Normalmente é no final que aparecem as maiores dificuldades. Tenho aqui meus fiéis mensageiros, que levarão vossas ordens até os combatentes.

GENERALÍSSIMO (*acabado de chegar):* Confiastes nessa dupla, o que muito me constrangeu. O ilusionismo não proporciona sorte duradoura. Já não sei como proceder para mudar o curso desta batalha. Eles que a começaram, eles que a concluam. Deponho aqui meu bastão de comando.

IMPERADOR: Guarda-o até que cheguem horas mais propícias, quando talvez tenhamos melhor sorte. Causam-me horror esse tenebroso conselheiro e sua intimidade com os corvos.

(Dirigindo-se a Mefistófeles): Não posso confiar-te o bastão de comando, pois não me pareces competente para empunhá-lo. Entretanto, dá as ordens que nos possam salvar, e que aconteça o que tiver de acontecer.

(Vai para a tenda acompanhado do Generalíssimo).

MEFISTÓFELES: Pode ser que esse bastão rombudo lhe traga proteção! Para mim, de nada serviria, pois traz inscrita uma cruz.

FAUSTO: Que teremos de fazer?

MEFISTÓFELES: Já está feito. Agora, primos negros, ao trabalho! Ide ao lago da montanha, apresentai minhas saudações às Ondinas e pedi-lhes que assumam a aparência de uma inundação. Mediante artes insondáveis, elas sabem forjar como sendo real aquilo que não passa de aparência, e não há quem não jure que o apenas aparente se trate de fato de algo concreto e palpável!

FAUSTO: Nossos corvos devem ter adulado bastante essas jovens regentes do elemento líquido, pois já estamos começando a ver as primeiras águas a manar das rochas desnudas e áridas, como se nelas houvesse fontes volumosas e torrenciais. Assim, a vitória que se anunciava para o inimigo tornou-se agora impossível de se alcançar.

MEFISTÓFELES: Por essa eles não esperavam! Quem mais alto galgou, mais desnorteado está.

FAUSTO: É um ribeiro atrás do outro precipitando-se vertente abaixo. Quando se juntam, dobram seu volume, que logo se transforma em torrente e se despeja na planície, invadindo-a e se chocando contra as rochas, formando ondas que rugem e espumam. Aos poucos, o vale vai sendo inundado. Contra isso, que adianta esboçar uma resistência valente e heroica? O vagalhão tudo cobre e tudo arrasta consigo. Até eu próprio fico horrorizado ao presenciar essa onda feroz e irrefreável.

MEFISTÓFELES: Não consigo enxergar o que não passa de uma ilusão aquática, pois só os olhos humanos se deixam enganar. Vejo apenas o estranho e curioso fenômeno de homens despencando em massa dos rochedos. Pobres tolos! Embora pisando em terra firme, creem estar se afogando: respiram com dificuldade, arquejam e gesticulam grotescamente, como se estivessem nadando. Entre eles, reina o caos!

(Os corvos voltam).

Hei de elogiar-vos perante o Grande Mestre. Para que demonstreis quão competentes sois, voai até a incandescente forja onde os duendes golpeiam o metal e a pedra, tirando deles chispas e faíscas, e pedi-lhes, com palavras persuasivas, que produzam o fogo mais luminoso, brilhante e crepitante que possa haver. Pode ocorrer que, numa noite de verão, se vejam relâmpagos ou estrelas cadentes, mas sempre à distância. Já não é tão comum ver relâmpagos e estrelas estourando ou silvando sobre o solo úmido de bosques densos. Assim é que, sem demora, deveis primeiro pedir, mas em seguida ordenar.

(Os corvos se vão. Cumpre-se a ordem)

Que trevas densas cubram os inimigos, para que seus tímidos passos e desorientados avanços os levem a lugar algum. Que centelhas errantes, saídas de todo lado, produzam uma luz que os deslumbre. Tudo isso já é muito bom, mas ainda falta algo: um pavoroso estrondo!

FAUSTO: Retiradas das salas que constituem seus sepulcros e expostas ao ar livre, as armaduras vazias voltaram a recobrar vida! Já faz algum tempo que se escutam rangidos e estalos, compondo um barulho assustador e dissonante.

MEFISTÓFELES: Muito bem. Nada mais pode contê-los. Já se ouve o ruído das justas cavaleirescas, como nos bons e velhos tempos. Os braçais e as perneiras dos Guelfos e Gibelinos retomam sua eterna luta. Firmes, como sempre se vê entre os de sua estirpe, continuam inconciliáveis. O estentóreo alarido ressoa cada vez mais alto e mais intenso. É fatal: em todas as festas diabólicas, o ódio entre dois partidos atinge graus extremos de crueldade. Isso faz com que o pânico e o pavor, somados a um estridor satânico, tomem conta de todo o vale.

(Sons de combate tumultuam a orquestra, que por fim passa a executar uma alegre música militar).

A TENDA DO ANTI-IMPERADOR

(Trono ricamente ornamentado)

(Mão-Leve e Vivandeira Esperta)

VIVANDEIRA ESPERTA: Ora veja! Fomos os primeiros a chegar!

MÃO-LEVE: Corvo algum conseguiria voar tão rápido.

VIVANDEIRA ESPERTA: Oh, que tesouro está aqui guardado! Nem sei por onde começar e por onde acabar...

MÃO-LEVE: Está tão repleto que também não sei o que irei apanhar.

VIVANDEIRA ESPERTA: Este tapete aqui vai me servir muito bem. Minha cama é incômoda demais.

MÃO-LEVE: Que vejo? Uma clava de aço! Faz tempo que estou procurando uma dessas!

VIVANDEIRA ESPERTA: Sempre sonhei em possuir algo como este manto vermelho pespontado de ouro!

MÃO LEVE *(tomando a clava)*: Com isso se resolve qualquer pendência, e bem depressa: mata-se um desafeto de uma cacetada e se segue em frente. Encheste demais esse saco, sem nele deitar coisa alguma de valor. Deixa para trás essas quinquilharias e leva algumas dessas pequenas arcas de ferro. É com o que nelas se contém que o exército nos paga. Em seu ventre não há outra coisa senão ouro!

VIVANDEIRA ESPERTA: Esta arca é pesada demais! Não consigo erguê-la; quanto mais carregá-la!

MÃO-LEVE: Trata de abaixar. Tens de ficar agachada, para que eu a ponha sobre tuas costas largas.

VIVANDEIRA ESPERTA: Ai, ai, ai! Eu não dou conta! O peso está me entortando o espinhaço!

(A arca cai no chão e se abre).

MÃO-LEVE: Aqui há ouro, e do puro, aos montões! Trata de recolhê-lo, e depressa!

VIVANDEIRA ESPERTA (*agachando-se*): Pronto. Põe tudo isso aqui na barra da minha saia. Teremos ouro para o resto a vida.

MÃO-LEVE: E ainda vai sobrar! Vamo-nos.

(Vivandeira Esperta se levanta).

Ih, teu avental tem um buraco! Onde quer que estejas ou por onde quer que vás, sempre estarás semeando riquezas, qual uma esbanjadora.

GUARDA DO IMPERADOR:
Que fazeis neste sacro local?
Que buscais no tesouro imperial?

MÃO-LEVE: Acabamos de arriscar nossa pele e viemos aqui recolher nossa parte dos despojos. É assim que costuma proceder o inimigo, e também nós, pois todos somos soldados.

A GUARDA:
Não é costume entre nós
ser ladrão e militar.
Se um soldado, porventura,
tiver de se aproximar
do Imperador, é preciso
que, além de ser um soldado,
seja também probo e honrado.

MÃO-LEVE: É coisa bem sabida: essa honradez se chama "recompensa". Todos agem igual: "*passa o que é meu para cá*" é o lema de vossa turma.

(*Dirigindo-se à Vivandeira Esperta*): Apressa-te e trata de arrastar para fora o que conseguiste pegar. Aqui não somos hóspedes bem-vindos. *(Vão-se).*

PRIMEIRO SOLDADO: Dize-me aqui, por que não deste um pescoção nesse descarado?

SEGUNDO SOLDADO: Não sei, faltaram-me forças. Os dois tinham um aspecto um tanto fantasmagórico...

TERCEIRO SOLDADO: Meus olhos ficaram cegos. Tudo estava indistinto e tremelicante, e eu não enxerguei direito.

QUARTO SOLDADO: Eu não saberia como explicar, mas o fato é que, durante todo o dia, fez um calor tão abafado, tão opressivo, tão insuportável!... Este aqui estava imóvel de pé, aquele ali vacilava e caía, a gente combatia às tontas, desferindo golpes às cegas. A cada inimigo derrubado, formava-se diante dos olhos uma espécie de halo, e depois tudo começava a zumbir, a crepitar e a silvar, e então, sem que se saiba como, viemos parar aqui!

(Entra o Imperador com quatro Príncipes. A Escolta se retira).

IMPERADOR: Seja como for, ganhamos. Em sua desordenada fuga, o inimigo se dispersou pelo campo de batalha. Aqui está o trono vazio, enquanto que o tesouro, amealhado desonestamente, aguarda que dele nos apossemos, sob os tapetes que o recobrem. Ladeados por nossa guarda imperial, aqui nos postamos, esperando a chegada dos representantes das nações aliadas. De todo lado chegam mensagens de congratulações. Reina a paz no Império, e todos querem render-nos homenagens. Embora a nossa tática de guerra se tenha valido de alguns golpes de ilusionismo, no final enfrentamos o inimigo com nossas próprias forças. É certo que houve alguns acasos que nos favoreceram, como pedras a caírem do céu, sangue a chover sobre as hostes contrárias, estranhos ruídos a sair das fendas das rochas, provocando ardor em nosso peito e pavor no do inimigo. Cai o vencido, e logo se torna alvo de debiques, ao passo que o vitorioso, resplandecente de orgulho, entoa loas ao seu propício deus. E, sem que ninguém o ordene, milhões de gargantas, em uníssono, proclamam essas palavras: "*Louvado seja Deus!*" Neste momento, deixo de lado os louvores e reflito comigo mesmo: enquanto jovem e desmiolado, pode um soberano desperdiçar seu tempo; porém, com o passar dos anos, vai aprender a valorizar cada momento de sua vida. Por isso, sem mais esperar, e estando diante de quatro dignos varões, firmo convosco um pacto, visando ao bem da Casa Real, da Corte e do Império.

(Dirigindo-se ao primeiro príncipe): A ti, Príncipe, devemos a hábil disposição do exército e, no momento em que foi preciso, sua heroica e audaz investida. Doravante, nos tempos de paz, atua como irá requerer esta nova condição. Nomeio-te Supremo Marechal e te confio a espada.

SUPREMO MARECHAL: Quando vosso leal exército, neste momento ocupado em debelar o levante interno, conseguir garantir-vos o trono até as fronteiras do Império, pedimos permissão para preparar-vos um banquete comemorativo, na sala da espaçosa fortaleza de vosso pai. Perante vós, desembainho minha espada, mantendo-a sempre pronta a ser brandida a vosso favor, para a perpétua proteção de Vossa Suprema Majestade.

IMPERADOR *(ao segundo):* Tu, que sempre te mostraste afável e complacente, serás meu Camareiro-Mor. Não será fácil cumprir tuas incumbências. És a cabeça de toda a nossa criadagem. Parece-me que, devido a dissensões intermas, existem aqui muitos maus servidores. Que teu exemplo seja honrosamente imitado como o de alguém que agrada a seu Senhor, à Corte e a todos em geral.

CAMAREIRO-MOR: Servir a meu judicioso senhor me acarretará vários benefícios, como o de poder ajudar os bons e castigar os maus, o de poder ser franco sem precisar usar de astúcia, e ser sereno sem precisar usar de artimanhas. O que enxergais em mim, senhor, basta-me como recompensa. Posso participar dos preparativos do banquete? Quando então vos dirigirdes à mesa, porei diante de vós a bacia de ouro e guardarei vossos anéis, para que, durante esse momento de prazer, vossas mãos estejam descansadas e vosso grato olhar me encha de regozijo.

IMPERADOR: Na verdade, não me sinto muito propenso a participar de festas, mas que assim seja. Um começo alegre sempre traz um bom proveito.

(Ao terceiro): Nomeio-te Cozinheiro-Chefe. Encarregar-te-ás das caças, das aves, dos currais e das despensas. Haverás de providenciar que pre-

parem cuidadosamente meus pratos preferidos, em todas as refeições e segundo as estações do ano.

COZINHEIRO-CHEFE: Que um rigoroso jejum seja meu dever enquanto não vir servido diante de vós as iguarias que vos tragam deleite e satisfação. O pessoal da cozinha há de se empenhar junto comigo na busca dos melhores produtos, ainda que vindos de longe. Sei que não vos preocupais com que a mesa esteja decorada com rebuscamento ou repleta de produtos exóticos ou temporões, mas que antes vos apraz a simplicidade e sustância dos alimentos.

IMPERADOR *(ao quarto):* Como inevitavelmente aqui estaremos sempre às voltas com festas e comemorações, nomeio-te, jovem herói, meu Copeiro-Mor. Cuida de que nossa adega esteja sempre provida de bons vinhos. Sê moderado e não te deixes levar pela tentação, jamais ultrapassando o limite da serena alegria.

COPEIRO-MOR: Quando se tem confiança nos jovens, Majestade, eles se convertem em homens feitos e direitos antes de que alguém se dê conta. Também quero participar da grande festa. Arranjarei da melhor maneira possível a mesa imperial, dispondo sobre ela um jogo de luxuosas taças de ouro e prata, mas não sem antes separar para vós a melhor de todas, feita de finíssimo cristal veneziano, e cuja maior qualidade reside em sua capacidade de realçar o sabor do vinho, sem deixar que ele produza embriaguez. Devido a essa maravilhosa propriedade, costuma haver quem a leve aos lábios sem a devida moderação, o que não vos acontecerá, devido à conhecida temperança de Vossa Majestade.

IMPERADOR: Sabei que, embora vos tenha designado oralmente para tais cargos e funções, foi de uma boca fidedigna que procederam estas palavras, proferidas neste momento solene. A palavra do Imperador é digna de confiança, bastando ela para assegurar todos estes dons e concessões. Todavia, para que tudo seja ratificado e sacramentado, providenciaremos um documento escrito e subscrito com minha firma. Vejo que aqui está chegando o homem adequado para isso, e no momento oportuno.

(Entra o Arcebispo-Chanceler).

Quando se apoia uma abóbada sobre sólidos pilares de pedra, ela permanecerá ereta por toda a eternidade. Tens aí quatro príncipes. Antes de tudo tivemos em mente o que mais possa beneficiar a Casa e a Corte. Agora, porém, queremos outorgar poder e autoridade a vós cinco, com respeito a tudo quanto se contém no Império. Começo concedendo-vos a posse de vastas terras. Para tanto, ampliarei os limites daquelas que já possuís, transferindo para vós as propriedades daqueles que de nós se afastaram. Portanto, a vós, que me fostes fiéis, lego esses vastos terrenos, concedendo-vos o direito de estendê-los ainda mais, segundo as circunstâncias, por sucessão, compra e permuta. Que além disso vos seja concedida expressamente a prerrogativa de exercer sem entraves os direitos que a vós, senhores da terra, vos correspondem. Como juízes, ditareis as sentenças finais, não cabendo qualquer apelação quanto ao vosso veredicto. Também serão vossos os impostos, os interesses, os tributos em espécie, os feudos, os direitos de aduana e as concessões sobre minas, salinas e cunhagem de moeda. Para demonstrar meu reconhecimento, elevar-vos-ei à condição hierárquica imediatamente inferior à de minha Majestade.

ARCEBISPO: Em nome de todos, recebei nosso mais penhorado agradecimento. Ao demonstrardes vossa confiança em nós cinco, concedendo-nos tais direitos, lograstes reforçar o vosso próprio poder.

IMPERADOR: Pois quero outorgar-vos uma honra ainda maior. Doravante, hei de viver em prol de meu Império, e outro desejo não tenho senão este. Mas a longa série dos nobres antepassados desvia o meu pensamento das glórias de hoje, remetendo-o à preocupação com possíveis ameaças do porvir. Chegado o tempo em que terei de me separar de meus entes queridos, incumbo-vos de eleger meu sucessor. Depois de coroado, sacramentai-o, levando-o ao santo altar, e desse modo encerrando de maneira pacífica aquilo cuja obtenção acarretou tamanho derramamento de sangue.

CHANCELER: Com orgulho guardado no fundo do coração e demonstrando humildade em nosso semblante, nós, os principais desta terra, nos inclinamos diante de vós. Enquanto correr em nossas veias sangue leal, comporemos um corpo pronto a executar as ordens ditadas por vossa vontade.

IMPERADOR: Para concluir, que tudo aqui hoje disposto seja confirmado por escrito e com minha rubrica. Na realidade, como senhores, disporeis de vossas possessões como vos aprouver, mas com a condição de que sejam indivisíveis. E, de igual modo, todo aumento porventura acrescido ao que vos legamos deverá ser herdado por vossos primogênitos.

CHANCELER: Com extrema satisfação, repasso ao pergaminho esse importantíssimo estatuto, tão vantajoso para nós e para o Império. Da cópia e do selo encarregar-se-á a Chancelaria, enquanto que Vossa Majestade tudo ratificará com vossa sagrada firma.

IMPERADOR: Retirai-vos, pois, para que possais meditar e avaliar a grandiosidade do que se sucedeu neste dia de hoje.

(Os príncipes seculares se retiram. Permanece o Arcebispo, que passa a falar inflamadamente).

ARCEBISPO: Já não está mais aqui o Chanceler, mas tão somente o Bispo, que pretende passar-te um severo sermão, já que seu coração de pai está perturbado por tua causa.

IMPERADOR: Que vos deixa perturbado nesta hora tão feliz? Falai!

ARCEBISPO: Com que amarga dor vejo tua sagrada pessoa coligada com Satanás! Parece evidente que já te firmaste no trono, mas, por desgraça, às custas de escarnecer de Deus Pai e do Santo Padre, o Papa. No caso de Sua Santidade ficar ciente disso, no mesmo instante haverá de condenar teu Império, arremessando-lhe seu santo raio. Com efeito, ele não se esqueceu de como, naquele momento tão solene, justo no dia de tua coroação, ordenaste que fosse libertado aquele feiticeiro. O primeiro raio de graça que teu diadema despediu não serviu senão para conservar a vida daquele energúmeno, em prejuízo da Cristandade. Bate no peito e faze uma contribuição a uma santa causa. A ampla planície, rodeada por colinas, onde acampaste, onde os maus espíritos se coligaram em tua defesa, e onde prestaste ouvidos obedientes ao Príncipe da Mentira, trata agora de consagrá-la, piedosamente inspirado, a uma obra santa. Consagra-a juntamente com os montes e o denso bosque que a rodeiam, por mais distantes que eles se estendam, e ainda com os altos cumes que se cobrem com o verdor de seus pastos, com os cristalinos lagos ricos em peixes, e com os incontáveis regatos que correm serpenteantes pela encosta abaixo, precipitando-se no vale. Consagra todo esse conjunto formado pelo amplo vale, seus prados, suas elevações e suas depressões. Assim expressarás tua contrição e alcançarás teu perdão.

IMPERADOR: Sinto-me consternado ao tomar consciência do grave pecado que cometi. Rogo-vos que fixeis o limite de minha penitência, segundo vosso critério.

ARCEBISPO: Em primeiro lugar, e o mais rapidamente que for possível, o espaço profanado deverá ser dedicado ao Altíssimo. Já posso até antever os sólidos muros a se erguerem contra o horizonte e os raios do sol matinal a incidirem sobre o coro. O edifício será construído em forma de cruz. A nave irá projetar-se para frente e para cima, atraindo os fiéis, que para ela afluirão, transpondo o seu digno portal tomados de prazer e fervor. O bimbalhar dos sinos, tangidos nas altas torres, ressoará através dos montes e do vale, parecendo subir até o céu. Esse som chamará o penitente, que logo acorrerá, na esperança de iniciar uma vida nova. No grande dia da consagração – oxalá não demore a chegar! – tua presença haverá de conferir excelso realce a tudo.

IMPERADOR: Que uma tão grandiosa obra patenteie meu piedoso desejo de louvar a Deus Nosso Senhor, assim como o de expiar meus pecados. Basta! Sinto elevar-se dentro de mim o meu espírito.

ARCEBISPO: Como Chanceler, vou providenciar a elaboração e expedição de um documento formal.

IMPERADOR: Quando o apresentardes a mim, obedecendo os preceitos, firmá-lo-ei com prazer.

ARCEBISPO *(despede-se, mas decide voltar quando havia começado a sair):* Tão logo se inicie a construção da obra, a ela destinarás dízimos, impostos e tributos perpétuos. É preciso uma vultosa quantia para sua digna manutenção. Além disso, uma administração cuidadosa exigirá gastos elevados. Para apressar tal construção num lugar deserto, basta destinar-lhe uma certa quantidade de ouro tirada das arcas dos despojos. Por fim, falta apenas falar da necessidade de madeiras-de-lei raras, cal, piçarra e outros materiais desse gênero. O povo, motivado a colaborar pelas palavras vindas do púlpito, encarregar-se-á do transporte. A Igreja abençoará aqueles que se dispuserem a por ela trabalhar. *(Vai-se).*

IMPERADOR: É bem grave o pecado que carrego. Os miseráveis bruxos me prestaram um péssimo favor.

ARCEBISPO *(regressando, e fazendo uma profunda reverência):* Perdoa-me, Majestade. Cedeste a esse homem de maus bofes as praias do Império. Sobre ti recairá o anátema se, como compensação, não concederes à Igreja os dízimos, os censos e as prerrogativas advindos desses territórios.

IMPERADOR *(mal-humorado)*: Como assim, se esses territórios sequer existem? Por enquanto, estão cobertos pelo mar!...

ARCEBISPO: Desde que nos correspondam tais direitos, teremos toda a paciência de esperar sua emersão. Confiamos em tua palavra para manter a vigência deste acordo. *(Vai-se).*

IMPERADOR: Um pouco mais e terei de doar todo o Império!...

QUINTO ATO

(Campo aberto).

CAMINHANTE: Sim, aí estão as umbrosas tílias, grossas e altaneiras. E pensar que iria reencontrá-las agora, depois de tão longa peregrinação. Eis o mesmo velho lugar, a cabana que me abrigou quando as ondas tempestuosas me arremessaram nas dunas. Quisera poder testemunhar meu agradecimento ao hospitaleiro e generoso casal que aqui me acolheu naquela ocasião, mas não creio que estejam vivos, pois eram entrados em anos já naquele tempo. Sim, eram gente de bem! Que faço — bato na porta ou chamo em voz alta? Recebei minha saudação, caso ainda possais exercer vossa habitual hospitalidade, acolhendo com gentileza quem vos vem procurar.

BÁUCIS[108] *(anciã de aspecto bondoso):* Sê bem-vindo, forasteiro, mas não faças barulho. Mantém-te em silêncio, para que meu esposo possa descansar. Os idosos precisam de sono prolongado para reporem seu breve vigor.

CAMINHANTE: Vejo, boa mulher, que ainda estás aqui para receber meu agradecimento. És tu aquela mesma que, tempos atrás, juntamente com teu marido, ajudaste um jovem náufrago? És Báucis, a que diligentemente reavivou o alento de um moribundo?

(Entra o marido).

E és tu o valente Filémon, que não mediu esforços para resgatar das ondas meus pertences? O brilho da fogueira que acendestes e o som argentino de vossa sineta impediram que aquela arriscada aventura se transformasse em tragédia.
Agora, permiti que eu me poste diante do mar sem fim, para ali rezar, pois sinto o peito muito oprimido.

(Avança para as dunas).

FILÉMON (*a Báucis)*: Apressa-te e serve a mesa no lugar mais florido de nosso jardim. Deixa-o correr, deixa que se assombre, pois não irá acreditar no que verá.

(Posta-se junto do viajante): Vê em que se transformou aquele mesmo mar que tão cruelmente te tratou. Ontem, selvagem e espumante; agora,

cultivado como um jardim, converteu-se num quadro paradisíaco. Velho como estou, faltam-me forças para salvar vidas, mas quando minhas forças começaram a faltar, a onda já havia recuado para bem longe. Os ativos servidores de um hábil mestre cavaram fossos e fizeram diques, reduziram o âmbito do mar e se assenhoreando do que antes eram seus domínios. Agora não se enxergam senão pradarias a perder de vista. Vê as pastagens, as glebas cultivadas, o povoado e o bosque. Vem e desfruta desta paisagem, pois o sol em breve se despedirá. Só bem longe daqui há velas enfunadas, a buscar, noite afora, um porto seguro. Como as aves, sabem onde encontrar seus ninhos. Forçando a vista, divisarás ao longe a espuma azul do mar, mas tanto à direita como à esquerda se estende a terra firme densamente povoada.

(Os três estão sentados à mesa, arrumada no jardim).

BÁUCIS: Então, não abres a boca? Não dizes palavra, nem comes coisa alguma?

FILÉMON: Talvez ele esteja querendo inteirar-se de como se obrou este prodígio. Tu, que tanto gostas de falar, põe-no a par de tudo.

BÁUCIS: Realmente, aqui ocorreu um prodígio, e desde então não tive mais sossego, pois não foi de maneira natural que isso aconteceu.

FILÉMON: Acaso teria o Imperador cometido pecado pelo fato de doar para alguém esta faixa de beira-mar? Assim o proclamou um arauto quando por aqui passou, depois de tocar sua trombeta. Pouco depois, num lugar não distante destas dunas, foram armadas tendas e cabanas, e não custou a ser construído um palácio em meio ao verdor.

BÁUCIS: De dia, e inutilmente, era grande o ruído que os servos faziam, cavando o chão com suas enxadas e pás, golpe atrás de golpe. À noite, ali revoluteavam pequenas chamas e, no dia seguinte, lá se via um dique construído. Deve ter havido sacrifícios sangrentos, pois, durante a noite, podiam ser escutados muitos gemidos de dor. Onde um rastro de fogo se alastrava pelo mar a dentro, no dia seguinte se via um canal. Pois esse homem que não demonstra possuir temor de Deus ambiciona tornar-se dono de nossa cabana e nosso bosque, e não sabemos como recusar atender a um tão poderoso vizinho.

FILÉMON: À guisa de compensação, ofereceu-nos um belo terreno em outro local.

BÁUCIS: Não te fies em terrenos arrancados ao mar. Conserva o que está em terra firme.

FILÉMON: Vamos à capela contemplar o pôr do sol. Ali tocaremos o sino, nos ajoelharemos e faremos preces, encomendando-nos ao velho e bom Deus.

108. Filémon e Báucis foram poupados do dilúvio por terem abrigado Júpiter e Hermes, quando esses dois deuses percorreram a Terra. Com isso, tornaram-se o paradigma da hospitalidade.

PALÁCIO

(Amplo jardim de recreio. Um grande canal, em linha reta. Fausto, já velho, passeia e medita).

LINCEU, O VIGIA (*usando um megafone):* O sol se põe. Os últimos navios chegam ao porto sulcando velozmente o mar. Uma grande embarcação está prestes a chegar, seguindo pelo canal. A brisa faz ondear alegremente seus vistosos estandartes, ao mesmo tempo em que enfuna as velas, fazendo trepidar os mastros. De ti se orgulha o navegante, pois, no momento da chegada, lhe sorri a Fortuna.

(Vindo das dunas, ouve-se o som da sineta).

FAUSTO *(com raiva):* Maldito ruído! Fere pelas costas, qual tiro disparado à traição. Diante de meus olhos se estende meu reino sem limites, mas, atrás de mim, tudo é tormento e dissabor. Esse desagradável tilintar me faz lembrar que não detenho a plena posse dessas terras. Esse bosque de tílias, essa choça escura, essa ermida em ruínas, nada disso é meu. E quando quero ali repousar, sombras estranhas me causam estremecimento. São como espinhos incomodando meus olhos e ferindo meus pés. Oh, quem me dera estar longe daqui!...

LINCEU *(ainda com megafone):* Quão veloz se aproxima daqui a nau de cores vistosas, impelida pela brisa vespertina! Já se pode divisar sua preciosa carga: são pilhas e montes de cofres, de caixas e de sacos!

(Chega um magnífico navio carregado com grande diversidade de produtos vindos de terras distantes.)

(Entram Mefistófeles e os Três Valentes)

CORO:
Aqui já chegamos
e desembarcamos.
Ao mestre e patrão,
nossa saudação.

(Desembarcam. As mercadorias são levadas para terra).

MEFISTÓFELES: Saímo-nos bem desta prova. O elogio do patrão será bastante para nós. Partimos daqui com apenas duas naves e regressamos com vinte. Pelo valor da carga que trouxemos se pode deduzir o grau do risco que enfrentamos. O mar aberto transmite sua liberdade ao espírito — quem nele se encontra não perde tempo com reflexões. A única forma de ali se prosperar é agarrando depressa o que surgir pela frente. Pesca-se um peixe, apresa-se um embarcação, em breve se é dono de três, não demora a ser de quatro e, quando menos se espera, lá vem a quinta. Quem tem a força, tem o direito. O que importa são os fins, e não os meios. Não me interessa entender de marinhagem, basta-me saber que a guerra, o comércio e a pirataria são uma trindade inseparável.

OS TRÊS VALENTES:
Nem muito obrigado e nem sede bem-vindos!
Nem sede bem-vindos, nem muito obrigado!
Fica parecendo que a peste trouxemos,
pelo ar de repulsa que nos foi mostrado!
É de se estranhar que este régio botim
seja recebido, por El-Rei, assim...

MEFISTÓFELES: Não espereis mais qualquer prêmio ou recompensa augusta. Já recebestes vossa parte dos despojos.

OS TRÊS VALENTES:
Só ninharias lá nós apanhamos;
partes iguais agora reclamamos.

MEFISTÓFELES: Ordenai primeiro que levem para cima e ponham nessa e naquela sala todos os objetos preciosos. Quando ele vir tanta riqueza e estimar seu valor mais acuradamente, não se mostrará tacanho e dará à tripulação festa atrás de festa. Aquelas aves coloridas que tão bem conheceis chegarão aqui amanhã. Vou cuidar delas com muito carinho.

(Enquanto a carga é levada dali, ele se dirige a Fausto): Com cenho carregado e olhar sombrio recebes a enorme fortuna que te foi trazida. O alto saber demonstrou seu valor. Agora o mar e o litoral se harmonizaram. Dos novos portos à beira-mar partem navios para as longas travessias. Tens de reconhecer que, daqui deste palácio, teu braço abarca todo o mundo. Foi aqui que tudo começou. Aqui construímos a primeira cabana de tábuas. Ali onde agora trabalha o remo diligente foi que começamos a erguer um dique. A força de tua mente brilhante e o esforço de teus operários tornaram-se merecedores da nova linha de encontro do mar e da terra. Foi daqui...

FAUSTO: Este "aqui", este lugar maldito é meu grande desgosto. Confesso-o a ti, que és tão capaz: é algo que me punge o coração. Faltam-me forças para enfrentá-lo, e, como te disse, me faz sentir vergonha. Os velhos que aí vivem têm de ir embora, pois anseio por viver à sombra dessas tílias que não são minhas, e que, por pouca área que ocupem, me tolhem a posse plena desse mundo. Eu gostaria de derrubá-las, usando seus troncos para construir escadarias de madeira, de cima das quais pudesse enxergar até os confins de meus domínios. Assim, de um só golpe de vista, conseguiria abarcar esta obra-prima do espírito humano que, atuando inteligentemente, criou vastas extensões de terra para que as pessoas aí viessem habitar. A mais pungente das angústias é a de padecer por causa de uma pequena carência em meio à abundância. O som dessa sineta e o cheiro das tílias me envolvem como se eu estivesse numa igreja ou dentro de uma tumba. Minha vontade sem limites veio quebrar-se nesta praia arenosa. Como conseguirei tirar da mente este sofrimento? Basta soar a sineta para que se desate a ira dentro de mim.

MEFISTÓFELES: É natural que um desgosto assim tão grande te faça segregar bile. Como negá-lo? A todo nobre ouvido parece odioso o bimbalhar dos sinos. Esse maldito som tolda o claro céu do entardecer e se infiltra insidiosamente em cada acontecimento da vida, desde o primeiro banho até a sepultura. É como se, entre o blim e o blão, a vida não passasse de um sonho evanescente.

FAUSTO: A resistência e obstinação dessa dupla estão arruinando a maior das realizações. Por isso, mas para meu tormento, cansei de ser justo.

MEFISTÓFELES: Por que te atormentas com tão pouco? Faz tempo que já devias ter levado a cabo essa colonização.

FAUSTO: Vai então e tira-os de junto de mim. Já sabes onde fica a bela fazendinha que reservei para o casal de velhos.

MEFISTÓFELES: Vamos agarrá-los e os levarmos para lá. Antes de que se deem conta, estarão ali assentados e, vendo que bela mansão lhes foi dada, logo esquecerão a violência que acabaram de sofrer.

(Emite um assovio estridente.
Os Três Valentes se apresentam).

Ide cumprir a ordem do amo, e amanhã haverá festa para a tripulação.

OS TRÊS VALENTES: O patrão não nos recebeu com a devida consideração. A tripulação bem merece uma festa.

MEFISTÓFELES *(aos espectadores):* Vai ocorrer aqui o mesmo que há tempos sucedeu a um certo Nabot que tinha uma vinha[109]... *(Reis, 1, 21).*

83. Nabot negou-se a entregar sua vinha ao rei Acab, razão pela qual foi acusado falsamente, condenado e apedrejado.

NOITE PROFUNDA

LINCEU
(cantando em seu posto de vigia no castelo):
Nascido para escutar,
atento e meditabundo,
nesta torre de vigia
fico, contemplando o mundo.
Perscruto o perto e o distante,
atento a quaisquer sinais,
conheço a lua e as estrelas,
os bosques e os animais.

Em tudo o que olho, eu distingo
o encanto que possa ter,
transformando a vigilância
num ofício de prazer.
Felizes estes meus olhos,
que viram tanta beleza
e que tanta ainda irão ver
contemplando a Natureza.

(Pausa).

Mas deste alto onde eu me posto
nem tudo é divertimento;
a cena que agora vejo
me causa estremecimento:
ao longe, perto das tílias,
posso um clarão distinguir,
são chamas, que o vento forte
mais aumenta e faz subir.
O fogo destrói a choça
que há tanto tempo ali existe!
Gritos de socorro se ouvem,
mas em vão! Que cena triste!

Sinto pena dos velhinhos
que residem no lugar,
sempre atentos, cuidadosos...
e o fogo: como explicar?

Que trágica situação!
Oh, que cenário infernal!
Que se perca a choça humilde,
mas que se salve o casal!

Como deter essas chamas
que avançam sem contenção?
Agora é a capela que arde!
Seu teto desaba ao chão!

Eis que o fogo alcança as tílias
tornando rubras as ramas.
Aos poucos, um e outro galho
vão caindo ao chão em chamas!

É triste olhar sem poder
fazer com que as chamas cessem...
Queria até que meus olhos
tal alcance não tivessem!

Aos poucos somem-se as chamas,
não se escutam mais os brados;
das tílias somente restam
os troncos carbonizados...

(Longa pausa. Canto).

Para os olhos, tal regalo
não posso mais contemplá-lo...

FAUSTO (*no terraço situado defronte às dunas):* Que lamentos são esses que estou a escutar? É um canto triste que meu vigia está entoando, mas as palavras chegam aqui algo truncadas. Parece que ele deplora o incêndio que está consumindo as tílias. Também a mim perturbam atos cruéis como esse. Contudo, já que do bosque de tílias nada mais restou senão horríveis troncos meio carbonizados, logo poderá ser ali construído um mirante que me permita contemplar a imensidão. Dali até poderei ver a nova casa que reservei para o casal de velhos. Creio que eles, tocados pela minha generosa reparação, poderão doravante desfrutar alegremente seus derradeiros dias.

MEFISTÓFELES E OS TRÊS VALENTES
(vindos de baixo):
Desempenhada a incumbência,
tivemos pressa em voltar,
porém, são más as notícias
que trouxemos do lugar;

perdoai, bem que tentamos
agir conforme pedistes,
porém não nos foi possível,
o que nos deixou bem tristes.
Chegando à porta, batemos,
mas ninguém veio atender;
golpeamos com mais força,
sem qualquer resposta obter.
Então, forçamos a porta,
até que ela veio ao chão,
a aos velhinhos ordenamos
deixarem a habitação,
pois iríamos levá-los
a sua nova morada,
mas eles se recusaram
a cumprir a ordem dada.
Gritamos, ameaçamos,
mas foi grande a teimosia
do casal, que se negou
a sair da moradia.
Só empregando a força bruta
ante aquela obstinação,
porém, com o susto, os velhos
caíram mortos no chão!
Um estranho que ali estava
quis resistir com a espada;
logo o deixamos inerte
com a garganta cortada.
O vento e o fragor da luta
travada junto ao fogão,
logo espalharam as brasas,
que caíram pelo chão,
fazendo-as soltar fagulhas,
as quais ao teto se alçaram
e, encontrando a palha seca,
rapidamente a incendiaram.

O fogo nada respeita,
tudo destrói e desfaz;
agora, sob os escombros,
o infeliz trio ali jaz.

FAUSTO: Fostes surdos a minhas palavras? Eu queria permutar, não espoliar! Condeno acerbamente vossa ação selvagem e insensata, e jamais irei perdoar-vos por isso!

CORO:

Há um dito popular que vem das priscas eras:
prestai cega obediência a quem detém poder.
Se és valente e tenaz, arrisca o lar e a vida.
Ou tudo ganharás, ou tudo irás perder.

(Saem).

FAUSTO (*no balcão):* As estrelas ocultam seu brilho. O fogo já arrefeceu e dele só restam pequenas chamas. O vento que sopra me causa calafrios. Névoa e fumaça recobrem meu corpo. Foi muito precipitada a ordem que dei, e mais precipitado ainda o seu cumprimento...

Que é isso a se mover no ar com aspecto tão fantasmagórico?

MEIA-NOITE

(Quatro mulheres grisalhas).

A PRIMEIRA: Meu nome é Escassez.
A SEGUNDA: Meu nome é Culpa.
A TERCEIRA: Meu nome é Inquietação.
A QUARTA: Meu nome é Necessidade.

TRÊS DELAS
(exceto a Inquietação):
Esta porta está trancada,
e não podemos entrar.
O rico que aí reside
não vai deixar-nos passar.

INQUIETAÇÃO: Aqui, não passo de uma sombra.
CULPA: Aqui eu nada sou.
NECESSIDADE: A mim eles nem enxergam, pois somente têm olhos para o que é belo e bom.
INQUIETAÇÃO: Irmãs, nem podeis, nem deveis entrar aí. Só eu consigo imiscuir-me pelo buraco da fechadura.
ESCASSEZ: Ó encanecidas irmãs, vamo-nos embora daqui.
CULPA: Irei atrás de ti, seguindo bem de perto.
NECESSIDADE: Pisando vossos calcanhares, seguir-vos-á a Necessidade.

AS TRÊS:
Escondem-se as estrelas; enquanto isso as nuvens
se dissipam, sopradas por um vento forte;
de longe vem chegando a derradeira irmã:
a única que faltava: a poderosa Morte!

FAUSTO *(no palácio):* Vi quatro chegarem, mas só três irem embora. Não entendi o sentido de suas palavras. Soou algo parecido com "necessidade", ou talvez "mortandade". Era um som surdo, algo fantasmagórico e abafado. Todavia, não me mostrou uma saída para a minha libertação. Ó Natureza mestra, se eu pudesse tirar do passado tudo o que tivesse a ver com magia, e esquecer todas as fórmulas de encantamento, terias diante de ti um homem, e nada mais; nesse caso, porém, como valeria a pena ser um homem!

Isso era o que fui, antes de buscar a escuridão e condenar à maldição, com palavras sacrílegas, a mim e ao mundo. Agora o ar está tão cheio desses espíritos, que nem sei como evitá-los. Mesmo nos dias em que o céu claro e limpo me sorri, a noite me enreda numa trama de lúgubres sonhos. Quando volto de um passeio ao campo verdejante, eis que escuto uma ave a grasnar. Que será que tais grasnidos prenunciam? Infortúnio. Enredado pela superstição, quer de noite, quer de dia, tudo se converte em sinais repletos de significado, tudo são avisos, tudo são presságios, e é assim que me sinto: solitário e atemorizado.

A porta rangeu, mas ninguém entrou.

(*Assustado):* Tem alguém aí?

INQUIETAÇÃO: Essa pergunta recebe um sim como resposta.

FAUSTO: Quem és?

INQUIETAÇÃO: Importa é que estou aqui.

FAUSTO: Sai daqui! Vai embora!

INQUIETAÇÃO: Estou no lugar onde deveria estar.

FAUSTO *(falando para si próprio; primeiramente encolerizado, mas logo em seguida mais calmo):* Aproxima-te devagar, e cuida de não proferir esconjuros.

INQUIETAÇÃO: Ainda que os ouvidos não me escutem, minhas palavras soam nos corações, e seu eco até retumba. Assumindo figuras diversas, exerço sobre os homens meu poder. Seja nos caminhos da terra firme, seja sobre as ondas do mar, converto-me no horrível companheiro que, embora jamais convidado, sempre está presente, ora adulado e bem tratado, ora repelido e maldito. Não reconheces a Inquietação?

FAUSTO: Nada mais fiz que percorrer o mundo e desfrutar descomedidamente de seus prazeres. Deixava de lado aquilo que não me satisfazia, e jamais corria atrás daquilo que não podia alcançar. Outra coisa não fiz que dar asas aos desejos e realizá-los, para logo em seguida novos desejos sentir. Assim, revestido de poder, deixei que fosse transcorrendo em tumulto a minha vida. Agora, porém, procuro viver de maneira sábia e judiciosa. Deste mundo já possuo suficiente conhecimento, e não me está vedada a visão do que existe mais além. É insensato aquele que dirige para lá seu olhar, deslumbrando-se com o que vê e imaginando serem iguais a si os que existem acima das nuvens. Melhor fará permanecendo com os pés no chão e se preocupando apenas com o que está a seu redor. Para o homem inteligente, o mundo não é mudo. Que benefício iria advir-lhe de vagar a esmo pela eternidade?

O que pode ser reconhecido deixar-se-á apreender. E é assim que ele deverá prosseguir seu caminho durante a jornada da vida. Que continue sua marcha, ainda que os espíritos o queiram atormentar. À medida que avança, irá deparar com sofrimento e prazer, mas a insatisfação sempre estará presente em sua jornada.

INQUIETAÇÃO: Para aquele que caiu sob o meu jugo, de nada haverá de valer o mundo. Uma eterna escuridão irá envolvê-lo. Não haverá para ele nascer ou pôr do sol. Embora seus sentidos atuem plenamente, as trevas reinarão em seu interior. Não poderá manter consigo tesouro algum. Sentir-se-á perturbado tanto na sorte como no infortúnio. Mesmo na abundância haverá de passar fome. Adiará para o dia seguinte tanto o prazer como o pesar, e desse modo nunca poderá sentir-se satisfeito.

FAUSTO: Basta! Não há de ser assim que conseguirás impressionar-me. Não quero escutar essas tolices. Vai-te! Essa aborrecida ladainha leva ao desespero até o mais sensato entre os homens.

INQUIETAÇÃO: Deve ele ir? Deve vir? Tornou-se um irresoluto. Mesmo quando segue por caminho já trilhado, anda às cegas e hesitante. Vai-se perdendo e se confundindo cada vez mais. As coisas parecem tornar-se progressivamente mais complicadas. Acaba por sentir raiva de si próprio e de todos. Respira, mas sente falta de ar. Não se afogou, mas sente como se tivesse perdido a vida. Não está desesperado, mas tampouco está resignado com sua situação. Sua vida tornou-se um incessante oscilar, um doloroso renunciar, o constante cumprimento de um cruel dever, que pela metade o liberta e pela metade o oprime, um sonho intermitente, um mau descanso, que o deixa preso em seu lugar, preparado para ser levado ao inferno.

FAUSTO: Fantasmas nefastos! É assim que tratais e maltratais o gênero humano. Até mesmo os dias normais conseguis transformá-los num horrível turbilhão de dor e sofrimento. Bem sei como é difícil para alguém livrar-se dos tormentos. Não se podem cortar os apertados laços espirituais. Contudo, jamais irei reconhecer o teu poder, Inquietação, por mais que o alardeies.

INQUIETAÇÃO: Nota então como me afasto celeremente de ti, enquanto te maldigo. Ao longo da vida, os homens se mostram cegos. Em teu ocaso, Fausto, agora é que o serás. *(Sopra-o no rosto).*

FAUSTO *(cego):* A noite parece tornar-se cada vez mais escura; no entanto, bem no íntimo do meu ser, brilha uma luz intensa. Apresso-me a realizar aquilo que idealizei.

Só a palavra do amo produz efeito. Portanto, servos, de pé! Erguei-vos um a um do leito. Deixai-me ver o que atrevidamente concebi. Empunhai vossas ferramentas! Ponde a funcionar as pás e enxadas. Que se execute aquilo que se planejou! O rigoroso cumprimento de uma ordem estrita sempre faz jus a uma significativa recompensa. Para que se realize a maior de todas as obras, são necessárias mil mãos, mas basta uma única mente.

PÁTIO EXTERNO DEFRONTE AO PALÁCIO

(Iluminado com tochas).

MEFISTÓFELES (*como capataz, à frente de todos):* Vinde, vinde aqui, lêmures[110] bamboleantes, seres incompletos, constituídos apenas de nervos, tendões e ossos.

LÊMURES
(em coro):
Prontos, aqui estamos nós
a vossa disposição,
e, tanto quanto sabemos,
mais tarde receberemos
terrenos em profusão.

Eis as estacas pontudas,
correntes de medição
e tudo o que precisamos
pra exercer nossa função.

Só uma coisa não sabemos:
para que foi que aqui viemos?

MEFISTÓFELES: Não se trata de fazer uma obra de arte. Procedei segundo os ditames de vossa natureza. Que o mais comprido dentre vós se deite estendido no chão, enquanto os outros capinam a relva a seu redor. Como o fizeram nossos pais, também fareis um buraco largo e quadrado, entre o palácio e esta estreita morada. É nisso que consiste o estúpido desfecho de tudo.

LÊMURES
(cavando com gestos debochados):
Quando era jovem e amava,
tudo parecia doce,
mas esse tempo acabou-se.
Eu era então muito alegre,
e, quando música ouvia,
meu corpo até estremecia!
Agora, a idade chegou,

e a Velhice. essa demônia,
me empurrou, sem cerimônia,
para dentro de uma tumba.
Ali espero a morte certa.
Por que a deixaram aberta?

FAUSTO *(saindo do palácio às apalpadelas, tateando os umbrais da porta):* Como me agrada esse ruído produzido pelos enxadões! É a multidão que trabalha sob minhas ordens, reconciliando a terra consigo mesma, estabelecendo uma contenção para as ondas e circundando o mar com uma sólida cercadura.

MEFISTÓFELES (*à parte):* É para nós que trabalhais, enquanto construís esses diques e contenções, pois com isso estais preparando para Netuno, o demônio das águas, um lauto banquete. Não importa o que façais, perdidos já estais. Os elementos estão em conluio conosco, e tudo concorre para a vossa perdição.

FAUSTO: Capataz!

MEFISTÓFELES: Presente!

FAUSTO: Reúne o maior número de trabalhadores que puderes, motiva-os com prêmios e castigos, promete-lhes boa paga; a uns, seduze; a outros, espreme. Quero estar ciente dia a dia de como está progredindo a construção do fosso.

MEFISTÓFELES *(a meia voz)* Se não estou enganado, aqui estamos para construir não um fosso, mas sim uma fossa...

FAUSTO: Junto ao sopé da montanha se estende um brejo que empesta todo o ambiente. Supremo triunfo teremos alcançado quando acabarmos de drenar este charco pestilento. Com isso, abrirei um novo espaço para milhões de homens, onde, mesmo que não se sintam seguros, poderão viver de maneira ativa e livres. Ali haverá de se estender uma campina verdejante e fértil. Homens e rebanhos haverão de se fixar nesta novíssima terra, junto à base da colina, cultivada por um povo audaz e laborioso. Teremos do lado de cá um recanto paradisíaco. Quando, lá fora, a maré alta fizer as águas subirem até a borda do dique, e com seus golpes violentos abrirem nele uma brecha, todos logo se unirão, empenhando-se em fechá-la. Vivo inteiramente entregue a essa ideia, que entendo constituir o ápice da sabedoria.

Só merece a vida e a liberdade aquele que tem de conquistá-las todo dia. É assim que, rodeado de perigos, com alegria e proveito, vive o menino, vive o adulto, vive o ancião. Quero ver uma multidão de gente assim levar, numa terra livre, a vida de um povo livre. Eu então poderia ordenar ao momento presente: *"Para! Detém-te. És belo demais!"* Assim, a lembrança de meus dias não se perderá nos tempos, nem se tornará uma eternidade vazia e carente de sentido. O simples prelibar desta enorme alegria me faz desfrutar agora do prazer que sentirei nesse instante supremo.

(Fausto cai de costas. Os Lêmures o amparam e o estendem no chão).

MEFISTÓFELES: Não o sacia prazer algum, não o satisfaz felicidade alguma, segue incessantemente em busca de novas sensações. O infeliz anseia por reter este derradeiro, ínfimo e vão instante. Ele, que tanto se opôs a mim, acabou sendo vencido pelo tempo. Jaz o velho, prostrado no pó. E o relógio parou.

CORO:
Parou, calado está.
Caíram seus ponteiros:
é meia-noite já!

MEFISTÓFELES: Caíram. Tudo está consumado.

CORO:
Findo e acabado.

MEFISTÓFELES: Acabado — estúpida palavra! Que vem a ser "acabado"? Acabar ou nunca ter sido: tanto faz como tanto fez. Para que serve, então, a eterna criação? Para que aquilo que se criou venha um dia a reduzir-se a nada. Que se pode dizer daquilo que acabou? Que é como se nunca houvesse existido, embora ainda circule como se existisse. A isso, prefiro o vácuo eterno.

110. Gênios maléficos, segundo a mitologia etrusca.

UMA CATACUMBA

LÊMURE *(sozinho):* Quem terá usado pá e enxada para construir tão mal esta casa?

LÊMURES
(em coro):
Para vós, hóspede mudo,
que bata de linho usais,
ela não só é bem boa,
como é até boa demais.

LÊMURE: Quem terá arranjado esta sala com tamanho mau gosto? Onde estão a mesa e as cadeiras?

LÊMURES:
Foram emprestadas
a uns certos senhores
temporariamente.
Chamam-nos "Credores".

MEFISTÓFELES: Aí jaz o corpo. Se seu espírito quiser escapar, mostrar-lhe-ei o pacto que acertamos, firmado com sangue. Desgraçadamente, no entanto, existem diversos meios de roubar as almas ao diabo... Se pela antiga senda já tropeçávamos, pela nova também não somos bem-vindos. Noutros tempos, eu teria feito isso sozinho; hoje, tenho de recorrer à ajuda de outros. Como tudo piorou para nós!... Ninguém mais liga para os costumes tradicionais e para os nossos direitos adquiridos... Já não se pode confiar em coisa alguma. Naqueles bons tempos, a alma se evolava com o último suspiro. Era então que eu ficava de atalaia e — zás! — igual faz um gato com o rato, por mais ágil que este seja, a mantinha bem presa em minhas garras. E hoje em dia? Agora ela vacila e resiste em deixar para trás o horrendo cadáver que constituía sua escura e repugnante morada, só o fazendo quando os elementos materiais — que, aliás, a odeiam — dali a despejam de maneira humilhante. E ainda que eu me pergunte durante horas e durante dias: "Quando? Como? Onde foi que isso aconteceu?", é lamentável ter de reconhecer que a velha Morte perdeu seu antigo poder. Agora costuma perdurar por longo tempo a dúvida quanto a estar a pessoa morta ou não. Aconteceu-me com frequência deparar com membros rígidos aparentemente mortos, mas que, súbito, se reanimavam e voltavam a se mover!

(Passa a fazer uma gesticulação espaventosa, parodiando os gestos de comando militares). Pelotão, sentido! Ordinário, marche! Acelerado! Vocês aí, de chifres torcidos, diabos de velha cepa, que trazeis convosco as próprias fauces do inferno. É verdade que o inferno tem muitas, muitas fauces, e engole cada qual segundo convém a sua condição e dignidade, mas, nesta última etapa, e doravante, não permaneceremos com tantos escrúpulos.

(À esquerda se abre a horrenda boca do inferno).

Seus dentes pontiagudos rangem, e lá das profundas do abismo brota, iracunda, uma torrente de fogo. Através da densa fumarada que tolda o fundo, diviso a cidade das chamas, em perpétua incandescência. O rubro incêndio se alastra, alcançando a altura dos dentes. Alguns condenados, na esperança de se salvarem, chegam ali a nado, mas a colossal hiena os tritura. e eles angustiosamente percorrem de novo a férvida via. Nos cantos e recantos ainda se podem descobrir muitos horrores em exíguos espaços. Fazeis muito bem em aterrorizar os pecadores, pois eles creem que tudo isso não passe de mentira, engano e sonho.

(Dirigindo-se aos diabos gorduchos, de cornos curtos e retos): Biltres barrigudos de bochechas coradas, inchados e bem alimentados pelo enxofre do inferno, e de pescoço curto e grosso como um toco de pau. Dirigi vossos olhares aqui para baixo e dizei se vedes arder uma chamazinha de fósforo: trata-se da pequena alma, da psique dotada de asas. Se a privardes delas, reduzir-se-á a um miserável verme. Quisera marcá-la com meu selo, para em seguida levá-la ao torvelinho do fogo. Vossa missão, odres de vinho, será vigiar as regiões inferiores. Não se sabe bem se ela gosta de ali viver, mas é sabido que aprecia pousar no umbigo. Tende cuidado para não deixar que escape por ali.

(*Aos diabos magros,* de cornos *retorcidos):* Vós, abestalhados e grotescos cerra-filas, treinai continuamente, arranhando o ar. Mantende-vos de braços abertos e garras bem afiadas, para que possais aferrar a fugitiva alada. O fato é que ela se sente mal em sua morada antiga, e, como gênio que é, tenta escapar pelas alturas.

(O lado direito torna-se resplandecente).

MILÍCIA CELESTE:
Segui, ó enviados
dos Céus, a voar,
trazendo a esperança
de as almas salvar.
Enquanto a Milícia

lentamente passa,
vai deixando um rastro
de bênção e graça.

MEFISTÓFELES: Ouço sons dissonantes, uma cantilena desagradável que vem do alto, juntamente com uma insuportável claridade diurna. Lá vêm eles — ou elas, — meio moças, meio rapazes, com um aspecto que bem se encaixa no gosto santarrão. Sabeis que, em nossos momentos de ímpia meditação, divertimo-nos em planejar a aniquilação do gênero humano. Pois são justamente nossas idealizações mais nefandas que vão de encontro a sua devoção. É nessa hora que chegam os tais hermafroditas hipócritas e nos arrebatam algumas de nossas presas, usando para conosco de nossas próprias armas! Eles também são demônios, embora dissimulados. Perder esta presa certa constituiria uma vergonha eterna para nós! Disponde-vos em formação de defesa ao redor da tumba e mantende-vos firmes em vossas posições!

CORO DE ANJOS
(espargindo rosas):
Rosas deslumbrantes
que no céu flutuais,
esse olor balsâmico
que vós exalais
àquele que o aspire
trará nova vida
e sua esperança
será reacendida.

MEFISTÓFELES *(aos demônios):* Por que vos inclinais? Por que estais recuando? É esse o costume do inferno? Mantende-vos firmes, sem ligar para essas rosas que estão caindo! Que cada cantárida[85] escolha seu botão! Eles talvez acreditem que poderão aplacar o ardor dos diabos com essa cascata de flores. Bastará vosso bafo para torná-las murchas e secas. Vamos: soltai sobre elas vossos bafejos medonhos! Soprai! Bufai!
Agora, basta! Vossas exalações fizeram empalidecer toda a coorte! Não sejais tão violentos: tapai vossas bocas e narinas. Bafejastes forte demais, demonstrando desconhecer o que seja a justa medida. Com isso, as flores não só murcharam, como secaram, tostaram e arderam, e agora vêm flutuando em nossa direção, despedindo jatos incandescentes e venenosos! Enfrentai-os! Formai uma barreira compacta, uns junto dos outros!
Oh, vossa força se esvai! Os diabos entontecem na presença desses perfumes exóticos e insinuantes!

CORO DE ANJOS:
Flores gloriosas,
de áureo fulgor,
dai-nos prazer.
criai amor
trazeis o verbo
que nos exorta
e a claridade
que nos invade
e nos conforta.

MEFISTÓFELES: Que caia a maldição e a vergonha sobre esse bando de imbecis! Os demônios estão cabisbaixos, derrotados! Os diabos gordos revoluteiam no espaço e caem de costas no inferno! Faça-vos bom proveito o merecido banho quente que ireis tomar! De minha parte, prefiro permanecer firme em meu posto!

(Debatendo-se em meio à chuva de rosas): Para trás, fogos-de-santelmo! Por mais que brilheis, uma vez agarrados, reduzi-vos a meros punhados de lodo nojento e viscoso. E tu, por que rodopias assim? Por que não somes daqui? Oh! Um deles se grudou em minha nuca, como se fosse feito de piche ou de enxofre!

CORO DE ANJOS:
O que não for vosso,
sempre evitareis;
o que vos perturbe,
não suportareis.
Se insistir, violento,
não o deixeis passar,
á luz leva o amor
só quem sabe amar.

MEFISTÓFELES: Arde-me a cabeça, fervem-me o coração e o fígado! Esse elemento que se me grudou é mais poderoso que o ardor demoníaco, mais ardente que o fogo do inferno! É por causa dele que vos lamuriais tanto, amantes desdenhados, e que ficais torcendo o pescoço à procura da mulher amada. Algo assim está se passando comigo, obrigando-me a voltar a cabeça justamente para o lado onde estão os inimigos que mais detesto! Como tal visão me era pungente no passado! Será que algum sentimento estranho tomou conta de mim? Agora estou passando a gostar de ver esses rapazinhos encantadores! Que é isso que me retém aqui, que me impede de fugir? Se me deixo assim enfeitiçar, quem não será o louco a partir de agora? Esses mancebos das nuvens, a quem sempre odiei, agora me parecem fascinantes! Dizei-me, garotões: acaso não pertenceis à estirpe de Lúcifer? Sois belos demais! Para dizer a verdade, eu bem que gostaria de vos dar um beijo! Parece até que em boa hora aqui chegastes. Estou achando tudo tão agradável, tão natural, como se mil vezes já me houvesse ocorrido. É gostoso como uma carícia no pelo sedoso de um gato. Quanto mais vos vejo, mais belos vos acho! Chegai mais perto e concedei-me a ventura de um olhar!

OS ANJOS:
Por que retrocedes
ao ver-nos chegar?
Se fores capaz,
permanecerás
quieto em teu lugar.

(Os anjos se espalham, dominando todo o espaço).

MEFISTÓFELES *(que teve de recuar até o proscênio):* Dizeis que somos tinhosos e sedutores, mas vós, sim, é que sois os autênticos bruxos, pois seduzis tanto os homens como as mulheres! Que maldita aventura! Então é esse o elemento essencial do amor? Todo o meu corpo está afogueado, mas sinto arder apenas a nuca.
Quanto a vós, ficais oscilando daqui para ali, subindo e descendo, movendo vossos nobres membros com meneios mundanos. Não resta dúvida de que a seriedade vos assenta muito bem, mas eu gostaria de ver-vos sorrir. Seria para mim um prazer eterno. Gostaria de contemplar um sorriso, com o prazer que sente o enamorado ao ver um ligeiro movimento dos lábios da amada.
Tu, de estatura maior, és dentre todos o que mais me apetece, mas esse teu ar de padreco não te assenta bem. Põe alguma lascívia em teu olhar! E vós também poderíeis andar um pouco mais despidos. Essas vestes amplas e largas são excessivamente castas.
Eis que me viram as costas. Deve ser para se deixarem ver por trás. Esses patifes são muito apetitosos!...

ANJOS:
Despejai, ó chamas,
vossa claridade;
daí aos condenados
a luz da verdade.
Assim poderão
ficar libertados
dessa perdição,
tornando-se então
bem-aventurados.

MEFISTÓFELES: Que se passa comigo? Do mesmo modo que aconteceu com Jó, em mim estão nascendo chagas dentro das chagas *(Jó, 2,7)*. Sou como aquele que sentia horror de si próprio, mas logo em seguida exultava quando se enxergava por dentro, confiando em si mesmo e em sua linhagem. Salvou-se a parte nobre do diabo. O fantasma do amor se assenhoreou apenas de minha epiderme. Já se extinguiram as odiosas chamas, e agora, como bem me convém, amaldiçoo todos vós.

CORO DE ANJOS:
Sois chamas sagradas,
e quem for tocado
por vós, vai sentir-se
bem-aventurado.
Cantemos em coro
um hino à vitória
que há pouco alcançamos,
e à alma que alçamos
ao reino da Glória.

(Elevam-se, levando consigo a parte imortal de Fausto).

MEFISTÓFELES *(olhando ao redor):* Mas... como? Aonde foram? O bando de adolescentes me passou a perna! Quando dei por mim, já se tinham escafedido para o céu, levando consigo o precioso botim! Foi para isso que desceram ao fosso! Perdi um tesouro raro e único: a nobre alma que me foi entregue de mão beijada, e que, por distração, acabei de deixar escapar! A quem poderei apresentar minha queixa? Quem me restituirá aquilo que me pertence? Foste enganado nos dias de tua velhice, e o fizeste por merecer! Bem feito para mim! Comportei-me de maneira vergonhosa! Joguei fora todo o meu dispendioso investimento! Ah, que asneira! Quem poderia imaginar que um desejo vulgar, uma paixão absurda, iriam tomar conta de um diabo vivido e experiente! E quanto mais considero esta vivência e esta experiência, mais me dou conta de quão estúpido fui em me deixar levar por essa farsa ridícula e infantil!

111. As cantáridas costumam abrigar-se nos botões de rosa na época da procriação.

DESPENHADEIRO

(Bosques, rocha, solidão).

(Santos anacoretas espalhados pela montanha e sentados nas bordas dos precipícios).

CORO E ECO:
Ondula o verde do bosque,
vê-se um penhasco escarpado,
as raízes penetram fundo,
troncos crescem lado a lado,
onda atrás de onda se quebra,
as grutas servem de abrigo;
leões passam e nos olham
com semblante manso e amigo,
por respeito e por temor
ao local sagrado e antigo
que é este refúgio do amor.

PAI EXTÁTICO[112]
(flutua subindo e descendo):
Jubiloso fogo eterno!
Laço de amor refulgente!
Ó dor que queima o meu peito!
Ó prazer divino e ardente!
Ó flechas, cravai-me todo!
Ó lanças, me atravessai!
Quebrai meus membros, ó clavas!
Ó raios, me fulminai!
Que tudo o que é vão se extinga;
passe o que efêmero for;
que brilhe a estrela perene,
núcleo profundo do amor.

PAI PROFUNDO
(região baixa):
A meus pés, um abismo gigantesco,
tendo ao fundo uma enorme depressão,
em rumo à qual confluem mil regatos,
que ali vão despejar-se em turbilhão.

Movido pelo seu impulso próprio,
um tronco extraordinário se ergue no ar,
é o poderoso amor, que tudo cria,
que tudo anima e tudo faz brotar.

Por todo lado se ouve um rumor surdo,
é como se tremessem bosque e chão;
mais suave é o rumorejo dos regatos
que vão se despejar na depressão.
Irrigar o vale é sua missão.

Desce dos céus um raio flamejante,
que limpa dos miasmas a atmosfera,
cheia até então de tóxicos vapores,
que o solo pelos poros seus libera.

Mensageiros do amor nos anunciam
o poder criador que nos circunda.
Pudesse o amor tirar deste meu peito
essa melancolia, a dor profunda
que me atormenta todos os sentidos,
deixando-me em atroz tribulação!
Oh, Deus, apazigua a minha mente,
inunda já de luz meu coração!

PAI SERÁFICO
(região intermediária):
Que traz essa nuvenzinha
que sobrevoa os pinhais?
Já sei o que ela carrega:
é um coro que só congrega
almas jovens e imortais.

CORO DAS CRIANÇAS BEM-AVENTURADAS
Dizei-nos, Pai: aonde vamos?
E de onde foi que nós viemos?
Que transcorre a nossa vida
numa alegria incontida,
é tudo o que nós sabemos...

PAI SERÁFICO
Nascidos à meia-noite,
semiabertas alma e mente,
logo perdestes os pais,
dos anjos sendo um presente.

Pressentindo quem vos ama,
viestes aqui junto a mim,
vós que, por sorte, ignorais
do mundo, os males sem fim!
Vinde a mim e usai meus olhos,
que já não se surpreendem
ante a visão das paisagens
que defronte a vós se estendem.

(Vai acolhendo os meninos em seu interior).

Eis as flores, eis os bosques,
eis as águas da torrente
que encurtam a íngreme senda
vertendo em queda imponente!

CRIANÇAS BEM-AVENTURADAS
(falando de dentro):
É uma paisagem grandiosa,
porém, soturna! Apavora!
Nós não queremos mais vê-la.
Deixai-nos, Pai, ir embora!

PAI SERÁFICO:
Subi às mais altas esferas,
onde, aos poucos, crescereis,
tendo Deus ali bem perto,
a Graça recebereis.
É dela que as almas, no éter,
tiram todo o seu alento,
pois o amor que eleva e salva
constitui seu alimento.

CORO DE CRIANÇAS BEM-AVENTURADAS
(girando ao redor dos cumes mais elevados):
Enlaçai vossas mãos
numa alegre ciranda,
e a girar entoai
a canção veneranda.
O que Deus ensinar,
se aprendermos com zelo,
além de O adorar,
nós vamos poder vê-Lo.

ANJOS
(flutuando numa atmosfera mais alta e levando consigo a parcela imortal de Fausto):
Agora já está salva a parte nobre:
a alma, que se livrou da danação.
"Quem sempre aspira o bem e não se entrega,
merece receber a salvação".
Se tiver acolhida a sua causa
no céus pelo divino e santo amor,
a plêiade dos bem-aventurados
em seu seio o recebe acolhedor.

ANJOS NOVATOS
Estas rosas trazidas pelas mãos
de certas penitentes amorosas,
para a vitória há pouco conseguida
demonstraram ser armas poderosas.
Sem elas talvez não fosse possível
tirar das mãos do diabo este tesouro.
Ao ver que as espargimos, seus asseclas
fugiram, cabisbaixos, com desdouro!
Em vez do ardor pungente dos infernos,
conheceram o amor e seu tormento,
e até mesmo o sagaz e vil Satã
pôde experimentar tal sofrimento!...

Com orgulhoso júbilo exultemos
pela vitória obtida sobre os demos!

ALGUNS ANJOS MAIS PERFEITOS:
Resta-nos um resíduo lá da Terra,
razão desta pitada de tristeza,
e mesmo se de asbesto ele ainda fosse,
seria carregado de impureza[113].

Quando o poder do Espírito reuniu
esses dois elementos pra formar
a essência angelical, não mais se pôde
isolar um, e do outro o separar,
a não ser que se empregue para tal
o amor divino, que é força imortal.

ANJOS NOVATOS
Almas puras dos que morrem
ainda na primeira infância

formam a névoa que paira
sobre o penhasco, à distância.

Ao diluir-se, ela permite
ver os bem-aventurados,
os santos recém-nascidos,
da mãe-terra libertados.

Numa ciranda reunidos,
circundados de esplendor,
já desfrutam das delícias
da morada superior.

Para que possa, bem cedo,
contemplar a Santa Face,
seria bom que ele, agora,
a esse grupo se juntasse.

CRIANÇAS BEM-AVENTURADAS:
A crisálida acolhemos
de modo alegre e contente,
porquanto a consideramos
um angélico presente.

Desses trajes que a recobrem,
não há mais necessidade;
o viver santo confere
beleza e grandiosidade.

DOUTOR MARIANO
(na cela mais alta e despojada):
Daqui se tem visão desimpedida
e o espírito às alturas é levado.
Um grupo de mulheres passa agora,
rodeando alguém por elas venerado.

Já posso ver quem é que ali se encontra:
É a Rainha do Céu, Mãe do Senhor,
coroada de estrelas refulgentes,
ostentando magnífico esplendor.

(Tomado de êxtase):

Suprema Rainha do mundo,
deixai-me agora contemplar

o mistério que vos envolve
no azul do céu a vos rodear.

Aviva os desejos e anseios
que ao homem conferem nobreza,
libertando-nos dos pecados
que mantinham nossa alma presa.

Com este ânimo que infundis,
ninguém há de nos superar;
com o vosso exemplo sereno,
o nosso ardor vai se aplacar.

Mãe santíssima e virginal,
a vós sempre será prestado
um culto de veneração
como o dos deuses no passado.

Ao vosso redor
há nuvens pequenas,
são as penitentes,
prostradas, serenas,
junto aos vossos pés;
pedem com unção
que lhes concedeis
o vosso perdão.

Sois pura, sois santa,
sois piedosa e boa;
quem nunca pecou
é quem mais perdoa!

Oh, como é difícil
manter a decência,
romper as cadeias
da concupiscência,
não escorregar
no chão traiçoeiro,
saber resistir
ao olhar fagueiro,
ao meigo sussurro,
ao riso brejeiro...

(Chega a Mater Gloriosa pairando no ar)

CORO DAS PENITENTES
Provinda das alturas
do reino celestial,
escutai nossa súplica,
Virgem Mãe sem igual,
e a Deus, que é Pai e Rei,
por nós intercedei!

A GRANDE PECADORA (*Lucas, 7, 36*).
Pelo amor que me levou
a com lágrimas lavar
os pés do Filho divino,
e sem receio enfrentar
a raiva dos fariseus,
e que me fez derramar,
sobre eles, um fino bálsamo
para ungir e perfumar,
e, por fim, com meus cabelos,
humildemente os secar!

MULHER SAMARITANA *(João, 4)*:
Pelo poço em que os rebanhos
de Abraão se dessedentaram,
pelo cântaro em que os lábios
de Nosso Senhor roçaram,
pelas águas que, até hoje,
nunca mais ali faltaram,
por esse poço profundo
que mata a sede do mundo!

MARIA EGIPCÍACA
(Acta Sanctorum):
Pela consagrada tumba
onde o Senhor repousou,
pelo braço que, esticado,
—*"Detém-te aí!"* — me ordenou;
pelos anos que, em jejuns
e penitência vivi
no deserto, em cuja areia
a despedida escrevi.

AS TRÊS:
Vós, que jamais repelistes
alguém, só por ter pecado,
bastando o arrependimento

pra que fosse perdoado,
concedei a esta pobre alma
que um dia vos atraiçoou,
mas que, ao final da existência,
vosso rumo retomou,
o perdão ao qual fez jus,
recomendando-a a Jesus!

UMA DAS PENITENTES
(junta-se às outras aquela que, em vida, se chamou Margarete):
Voltai vosso olhar piedoso
para essa alma aqui presente,
que é de alguém que, há muito tempo,
eu amei perdidamente;
vendo-o agora regressar,
venho ante vós suplicar:
perdoai! Sede clemente!

CRIANÇAS BEM-AVENTURADAS
(acercando-se e formando uma roda):
Sua fortaleza
logo se constata,
e nossa presença
há de ser-lhe grata.
Pelo pouco tempo
em que nós vivemos,
pode-se dizer
que nada aprendemos;
não é o caso dele,
que pôde adquirir
saber consistente,
o qual, certamente,
vai nos transmitir.

PENITENTE
(aquela que outrora se chamou Margarete):
Rodeado de um conjunto de almas santas,
o recém-vindo mal se reconhece,
tem uma vaga ideia do que o espera,
mas já com seus parceiros se parece.

Do seu antigo invólucro terreno,
rapidamente se foi despojando,
adaptando-se ao novo traje etéreo,
e a nobre juventude recobrando.

Embora esteja cego, eu gostaria
de ser, se assim puder, a sua guia.

A MÃE GLORIOSA:
À esfera em que me encontro
podes alçar-te já,
ao pressentir quem és,
ele te seguirá.

DOUTOR MARIANO:
(prostrado em adoração):
Alçai os olhos para o Salvador,
almas em fase de arrependimento,
para mostrar, pelo perdão obtido,
vosso entusiástico agradecimento.

Queremos pôr, Mãe, ao vosso serviço,
nossos propósitos mais elevados
e agradecer por terdes ido ao Pai
pedir perdão pelos nossos pecados.

CORO MÍSTICO:
Tudo isto a que assististes
não passa de parábola,
o que jamais se alcança,
se alcançou nesta fábula,
até o indescritível
se pôde realizar.
Isto há de nos mostrar
que a eterna transcendência
da feminina essência
nos permite voar.

112. Tíitulo aplicado a São Filipe Néri, que com frequência entrava em êxtase, chegando por vezes a levitar.
113. Submetida ao fogo, essa substância não se inflama, deixando queimar apenas as impurezas que nela porventura existam.

Este livro foi composto com a tipografia Times New Roman
e impresso pela Meta Brasil.